CONSTRUCCION
Y
SENTIDO
DE
Tiempo de silencio

por

ALFONSO REY

EDICIONES
JOSE PORRUA TURANZAS, S. A.
MADRID

Dep. legal M. 28.885.-1977

I. S. B. N. 84-7317-017-2

IMPRESO EN ESPAÑA
PRINTED IN SPAIN

Ediciones José Porrúa Turanzas, S. A.
Cea Bermúdez, 10.-Madrid-3

TALLERES GRÁFICOS PORRÚA, S. A.
JOSÉ, 10.-MADRID-29

A TATA

INDICE

INTRODUCCION

Sería prolijo un acopio de todas las opiniones que han puesto de manifiesto la originalidad de *Tiempo de silencio* (1). Tampoco hay que insistir en algo sabido: que la novela de Martín-Santos rompe conscientemente con la narrativa dominante en los años cincuenta, aquella que, de un modo sumario, podríamos incluir bajo el epígrafe de objetivista (2). Porque lo que de verdad singulariza a *Tiempo de silencio* no es su alejamiento de la poética entonces dominante, sino el sentido de ese apartamiento. Es decir, su diseño formal, puesto al servicio de una esclarecedora reflexión humanista. De modo que si

---

(1) Citaré, no obstante, los estudios que han puesto de relieve este aspecto de la novela: Ricardo Doménech, «Ante una novela irrepetible», *Insula*, núm. 187 (junio 1962), p. 4; Juan Carlos Curutchet, «Luis Martín-Santos, el fundador», *Cuadernos de Ruedo Ibérico*, núm. 17 (febrero-marzo 1968) y núm. 18 (abril-mayo 1968), pp. 3-18 y 3-15, respectivamente; José Ortega, «Compromiso formal de Martín Santos en *Tiempo de silencio*», *Hispanófila*, 37 (1969), p. 23; Iglesias Laguna, *Treinta años de novela española* (1938-1968), Madrid, 1969, p. 328; Gonzalo Sobejano, *Novela española de nuestro tiempo*, Madrid, 1975², pp. 545 y ss.; Corrales Egea, *La novela española actual*, Madrid, 1971, p. 142; Fernando Morán, *Novela y semidesarrollo*, Madrid, 1971, p. 383; Sanz Villanueva, *Tendencias de la novela española actual*, Madrid, 1970, p. 134; Ramón Buckley, *Problemas formales en la novela española contemporánea*, Madrid, 1973², pp. 195 y ss.; Hipólito Esteban, «Narradores españoles del medio siglo», *Miscellanea di studi ispanici*, Università di Pisa (1971-73), p. 357; José Domingo, *La novela española del siglo XX*, II, Madrid, 1973, p. 110; Martínez Cachero, *La novela española entre 1939 y 1969. Historia de una aventura*, Madrid, 1973, pp. 221-22.

(2) Para una descripción de esta tendencia literaria, así como para un resumen de sus principales obras y autores más representativos, puede verse el libro de Darío Villanueva «*El Jarama*», *de*

— 1 —

1

Tiempo de silencio presenta poca base comparativa con las novelas de su tiempo, incita, por el contrario, a un paciente desmenuzamiento de su arquitectura, en su doble vertiente formal e ideológica. Básicamente, éste será el norte de las páginas que siguen.

Con todo, no hay que exagerar la autonomía de la obra literaria, por muy singular que ésta sea. Si para entender a Goethe hay que tener «toda la cultura europea en la uña» (3), para leer *Tiempo de silencio* también hace falta tocar varias teclas, literarias y extraliterarias. No hay texto sin contexto, como tantas veces se ha dicho, y la gran novela de Martín-Santos pide del lector cierta familiaridad con los problemas a que su autor quiso dar solución. Estos, como espero demostrar, se refieren a dos coordenadas: en el plano literario, Martín-Santos pretende inventar una nueva fórmula novelística; en el ideológico, plantea las más graves interrogantes de la cultura de su siglo. Aunque, a decir verdad, las dos investigaciones son plenamente solidarias: la primera hace posible la segunda y ésta justifica a aquélla.

El lector pronto echa de ver el amplio repertorio de cultura que anida en las páginas de *Tiempo de silencio*. Ya se alude a Lope (4), ya se toma una metáfora de Góngora (5), ya se es-

---

Sánchez Ferlosio. Su estructura y significado, Universidad de Santiago de Compostela, 1973, pp. 21-35, combinándolo con el capítulo tercero (pp. 153-223) del citado libro de Martínez Cachero, y con lo que afirman RAMÓN BUCKLEY, *op. cit.*, pp. 37-76; GONZALO SOBEJANO, *op. cit.*, pp. 519 y ss.; HIPÓLITO ESTEBAN, *art. cit.*, pp. 293 y ss.

(3)   Como afirma Francisco Rico en el colectivo *Literatura y educación*, Madrid, 1974, p. 126.

(4)   Cfr. p. 62. Todas las citas irán hechas por la novena edición, Seix Barral, Barcelona, 1973.

(5)   Compárese el siguiente fragmento de la novela:

Amador... después de haberse probado a sí mismo su constante consistencia en las mil batallas nunca perdidas desde los campos de pluma de los inmemoriales años de la adolescencia (28). .

con este otro debido a Góngora, de donde procede posiblemente la metáfora «campos de pluma»:

«... que, siendo Amor una deidad alada,
bien previno la hija de la espuma
a batallas de Amor campos de pluma».
(*Soledades*, 1, 1089-1091.)

La observación la tomo del citado libro de Buckley, p. 200.

pecula sobre el arte cervantino (6). No falta una fugaz mención a Vélez de Guevara (7), como también las hay, y más frecuentes, a Velázquez (8) y Goya (9). Si en boca de Pedro y Matías se ponen unas interesantes reflexiones sobre la novela naturalista francesa y la narrativa norteamericana (10), el narrador no quiere ser menos y se despacha a su gusto contra Gómez de la Serna y el neogarcilasismo (11). En realidad, la literatura llega a hacerse sangre propia en el caso de los más cultos personajes: la desesperación final del protagonista no es tanta que le impida rememorar el tema medieval de la profecía del Tajo (12), el sacrificio de Ifigenia estudiado por Goethe (13) y la alegoría teresiana de las moradas (14), del mismo modo que su culto y emborrachado amigo parodiaba en un burdel fragmentos de la tragedia griega (15).

Porque junto a la literatura española hay muestras muy grandes de la extranjera, sea o no contemporánea. Las palabras de ánimo que se da Pedro en el instante en que las desgracias se ciernen sobre él:

«Imitaré en esto al sol que permite a las viles nubes ponzoñosas ocultar su belleza al mundo para (cuando le place ser otra vez él mismo) hacerse ad-

---

(6) Cfr. pp. 61-64.

(7) En el párrafo que precede a la descripción del teatro y que comienza de manera muy significativa:

¡Qué diablo-sorprendente, cojuelo-sorprendido, espacio desnudado! ¡Qué refringencia de un aire inverosímil difracta las distancias y hace próximo el ensueño, la alucinación mescalínica... (219).

Creo que el fragmento no es una simple muestra de ingenio por parte del autor, sino un modo de resaltar las engañosas apariencias que la distancia (entre otros factores) produce, de modo exactamente opuesto a lo que acontece en *El diablo cojuelo*, donde la distancia proporciona una perspectiva privilegiada.

(8) Cfr. p. 62.

(9) Las referencias a Goya las estudio con cierto detalle en el segundo capítulo (2.1.4).

(10) *Vid.* pp. 67-8.

(11) Pp. 66-7.

(12) P. 233.

(13) P. 233.

(14) Pp. 236-7.

(15) P. 91.

mirar más abriéndose paso a través de las sucias nieblas que parecían asfixiarlo. Así, cuando ya abandone esta vida y pague mi deuda, rebasaré las esperanzas que pudieran haber sido puestas en mí» (pág. 233).

Son una clara reminiscencia, o más bien, una traducción libre, de un párrafo pronunciado por el príncipe de Gales en el drama de Shakespeare *Henry IV* (Part 1):

> I know you all, and will awhile uphold
> The unyoked humour of your idleness.
> Yet herein will I imitate the sun,
> Who doth permit the base contagious clouds
> To smother up his beauty from the world,
> That when he please again to be himself,
> Being wanted he may be more wond'red at,
> By breaking throug the fould and ugly mists
> Of vapours that did seem to strangle him.
> ...
> So, when this loose behaviour I throw off,
> And pay the debt I never promised,
> By how much better than my word I am,
> By so much shall I falsify men's hopes
> And like bright metal on a sullen ground,
> My reformation, glitt'ring o'er my fault,
> Shall show more goodly, and attract more eyes (16).

Por el fondo de *Tiempo de silencio* se mueven los héroes del *Ulysses,* del mismo modo que los de la *Odisea* se habían trasplantado aquí (17). Lo que de Proust o Kafka pudiera haber en nuestra novela no parece ser mucho (17 bis). En cam-

---

(16) Cfr. *Henry IV*, Part I, edición de John Dover Wilson, Cambridge University Press, 1971, p. 12.

(17) Acerca de los paralelismos entre la *Odisea* y las novelas de Martín-Santos y Joyce véase el artículo de JULIÁN PALLEY «The Periplus of don Pedro: *Tiempo de silencio*», en *BHS*, XLVIII (1971), pp. 239-254.

(17 bis) De otro parecer es J. Chantraine de Van Praag, quien afirma que la novela de Martín-Santos «presenta afinidades espirituales innegables con el universo romanesco de un Proust, de un

bio, es abrumadora la presencia de Sartre, en especial la del Sartre de *L'Etre et le néant*. Y otro tanto puede decirse de Ortega y Gasset (18). Así como de tantos y tantos datos de la historia de España. Y del pensamiento existencialista. Y de referencias sociales y económicas. La lista, se verá luego, no es corta.

Esos y otros ejemplos constituyen unas veces influencias, otras simples guiños irónicos, en ocasiones asimilaciones. En general, ese amplio bagaje literario e intelectual le sirvió a Martín-Santos para hacerlo encarnadura de su libro y transformarlo en sustancia narrativa, al servicio unas veces de la descripción de ambientes, en apoyo de la presentación de los personajes en otras ocasiones, en alardes de ingenio lingüístico en unos terceros supuestos. Todo lo cual indica que al tiempo de componer su libro, Martín-Santos tenía ante sí una panorámica más amplia que la que podía ofrecer el limitado repertorio de la novela objetivista. Y, ciertamente, parece desproporcionado servirse de todos esos elementos para dar la puntilla a una corriente literaria efímera. Hay que suponer en el autor unas intenciones expresivas originales y un afán de escudriñar algún tipo de realidad no accesible a la técnica objetivista.

Porque si se examina la realidad a la cual alude *Tiempo de silencio* se verá que ésta es tan variada y tan extensa que los procedimientos «behavioristas» son, no inadecuados o desproporcionados, sino resultado de una visión de la novela radicalmente alejada de la que hace posible la novedad de *Tiempo de silencio*. La diferencia que se aprecia entre este libro y las novelas de Sánchez Ferlosio, Fernández Santos, Ignacio Aldecoa, Ana María Matute, Goytisolo y otros representantes

---

Joyce y aun de Virginia Wolf». Cfr. «Un malogrado novelista contemporáneo», en *Cuadernos Americanos*, XXIV (1965), p. 269. Por su parte, Mary Seale opina que *Tiempo de silencio* tiene ciertas deudas con la obra de Kafka, en particular en lo que respecta a la «painful investigation of the solitary man confronting a destiny of which he is at once center and observer, executor and victim». Cfr. «Hangman and Victim: An Analysis of Martín-Santos: *Tiempo de silencio*», *Hispanófila*, 44 (1972), p. 52.

(18) Al estudio de las complejas relaciones entre el pensamiento de Martín-Santos y el de Ortega dedico buena parte de 2.1.4. En 2.1.1. y 2.2 analizo diversos aspectos del pensamiento sartriano, tal como se refleja en la novela objeto de nuestro estudio.

de la generación del medio siglo, radica no simplemente en una nueva relación del autor con la obra, o en una distinta concepción del personaje novelesco, sino, fundamentalmente, en un nuevo concepto del hombre y en una nueva visión del mundo y de la vida. Creo que la oposición entre esas dos tendencias novelísticas radica en aspectos más hondos que en unas simples diferencias constructivas y estilísticas, por muy importantes que sean éstas.

Pero reanudemos nuestras reflexiones anteriores. El análisis intrínseco de la novela nos exigirá en ocasiones alejarnos considerablemente de ella. O, dicho en otros términos, desentrañar ciertas partes del texto sólo será posible si se examina un contexto muy amplio. Esto sucede unas veces porque Martín-Santos se inspira para sus hallazgos narrativos en fuentes insospechadamente lejanas, y otras porque utiliza vocablos cargados de significación que sólo se entienden por referencia al orbe intelectual del que proceden. Además, la técnica del novelista, compleja, pero nunca gratuita, solicita del crítico que se detenga a plantear ciertos problemas que tocan la teoría literaria.

* * *

Las páginas que siguen tienen por objeto poner de manifiesto la unicidad de *Tiempo de silencio*. No tal o cual rasgo de composición, sino su diseño, su dinámica interna, todo lo que le permite expresar una honda experiencia del hombre. Esta empresa descansa, en último término, en una intuición personal de la novela y en consecuencia este trabajo se ofrece como una lectura subjetiva. De antemano es preciso aceptar que lecturas posteriores pueden completar o contradecir lo que aquí se dice.

Pero aunque la crítica tiene algo de oficio sin metro, como diría Baroja, es posible canalizar la intuición de la obra dentro de un orden expositivo, de tal manera que se elimine la arbitrariedad en los planteamientos y en las conclusiones. Sin intuición previa —lo señaló Dámaso Alonso— no hay posibilidad de captar la peculiaridad esencial de la obra literaria (19). Lo

---

(19) Cfr. *Poesía española. Ensayo de métodos y límites estilísticos*, Madrid, 1971⁵, p. 400.

deseable, y lo que aquí se pretende, es que tal intuición pueda ser razonada en todos sus pasos y no se quede en mero fogonazo de la inspiración.

Va dividido el libro en dos capítulos. Trata el primero de la construcción, vocablo que me ha parecido más expresivo que el de estructura, demasiado polivalente hoy en día. Es su objeto poner de relieve la distribución de los elementos narrativos y el criterio que preside la organización de la novela. Como señalé hace un momento, incluye ciertas pequeñas digresiones crítico-literarias que me parecieron absolutamente pertinentes. El segundo capítulo, sobre el sentido, es un intento de reconstruir el horizonte de ideas de las que *Tiempo de silencio* se nutre y a las cuales da expresión novelística.

CAPÍTULO PRIMERO

CONSTRUCCION DE *TIEMPO DE SILENCIO*

1.1. *Concepto de construcción.*

No es pequeña ironía que el impulso cientificista que conocen actualmente los estudios literarios tienda a alejarnos de una metodología y una terminología aceptadas con criterio general. Parece que este fenómeno es común a otras muchas ramas del saber, y quizá constituye el tributo inevitable a toda transformación epistemológica. No hay que extrañarse, por tanto, de que vocablos acuñados por un largo uso, tales como los de forma, estilo, estructura, composición o construcción, presenten en la actualidad una sorprendente pluralidad de acepciones. Para nuestras necesidades inmediatas nos bastará simplemente con precisar el concepto de construcción y la manera en que lo entendemos.

En la obra de algunos formalistas rusos (1), por lo general

---

(1) Aclaremos, antes de nada, cuáles son las fuentes bibliográficas de que nos servimos, no muy numerosas y no todas de primera mano: *Théorie de la littérature. Textes des formalistes russes réunis, présentés et traduits par Tzvetan Todorov*, Préface de ROMAN JAKOBSON, Paris, 1965; *Russian Formalism*, de VICTOR ERLICH, Mouton, The Hague-Paris, 1969; *Poétique de la prose*, de TZVETAN TODOROV, Paris, 1971 (en rigor, sólo las pp. 9-31); *Sobre la prosa literaria*, de VIKTOR SKLOVSKI, trad. esp., Barcelona, 1972; *Essais de linguistique générale*, de ROMAN JAKOBSON, Paris, 1963, y del mismo autor, *Questions de poétique*, Paris, 1973. Comentarios sobre diversos aspectos de la teoría formalista se encuentran en *Teoría de la literatura*, de RENÉ WELLEK y AUSTIN WARREN (trad. esp.), Madrid,

menos esclavos de la terminología que muchos de sus segui-
dores modernos, aparece en diversas partes el concepto de
construcción. La precisión y la flexibilidad de este término no
se debe a ninguna definición taxativa, sino, me parece, al contexto científico en que surge, a la presencia soterrada de unas
ideas generales sobre la naturaleza de la obra literaria. Algunas
de esas concepciones son particularmente valiosas, y como, de
un modo implícito, van a estar presentes en nuestra manera
de enfocar el estudio de *Tiempo de silencio,* conviene resumir-
las aquí.

La primera es la concepción de la obra literaria como un
todo orgánico, como un sistema, constituido por la asociación
de partes o unidades menores (2).

La segunda, que deriva de la anterior, es que esas unidades
menores se caracterizan no sólo por su forma, sino también
por su función constructiva en el interior de la obra (3).

La tercera es que tales unidades se disponen en un orden
jerárquico, lo que supone el predominio de unas sobre otras (4).

La cuarta es que el orden jerárquico resultante, que puede
ofrecer complejísimos matices, determina la construcción de la
obra (5).

Como complemento a tan luminosa guía conviene añadir
algunas precisiones que, procedan o no del formalismo ruso,

1966, así como en RENÉ WELLEK, *Concepts of Criticism,* Yale University Press, 1963. Utiles resultan las indicaciones de AGUIAR E SILVA
en su *Teoría de la literatura,* Madrid (trad. esp.), 1972, y el libro
de GARCÍA BERRIO *Significado actual del formalismo ruso,* Barcelona, 1973.

(2) Véase sobre esto *Théorie de la littérature,* pp. 122-3. En adelante citaré este libro abreviadamente, por *Théorie.* El concepto
de sistema, que recibió una amplia atención en la obra de diferentes formalistas rusos y checos, tuvo, no obstante, muy distintas
acepciones, como puede comprobarse leyendo el citado libro de
VICTOR ERLICH (al que en adelante citaré abreviadamente, por
Russian), en especial las pp. 90-1, 97, 134, 135, 159, 189-90, 199-200,
203, 251-2, 257, 265, 266, 285.

(3) Cfr. *Théorie,* pp. 124 y 129-30. También puede consultarse
la exposición que TODOROV hace de la metodología formalista en
Poétique de la prose, en particular, pp. 13 y 16.

(4) Cfr. *Russian,* p. 199, y *Théorie,* p. 130.

(5) Sobre el concepto de construcción son esclarecedoras las
palabras dedicadas a este tema por TYNIANOV en *Théorie,* pp. 114-9,
así como las de TODOROV en *Poétique de la prose,* p. 12.

armonizan con esos principios generales y los concretizan más.

Punto de gran importancia es todo lo relativo a la determinación de las unidades narrativas que, en su combinación, configuran la construcción de la novela. Es éste un problema que tal vez no ha suscitado toda la atención que debiera, pero las excepciones prueban hasta qué grado se siente como necesaria una reflexión sobre el mismo. W. Kayser, recogiendo las preocupaciones de Lubbock y siguiendo los criterios de Petsch y Koskimies (6) señala, con criterio algo vacilante, una serie de formas narrativas básicas, que son las siguientes: relato, descripción, cuadro, escena, diálogos, el «tableau» y la discusión. No coincidimos plenamente con el citado crítico ni con los estudiosos a quienes cita, aunque, en líneas generales, sigamos el camino por ellos trazado. El cuadro, la escena y el «tableau» parecen simples particularizaciones de unidades narrativas más generales, como la descripción de lugares y ambientes o la acción. El diálogo, que puede formar parte de la acción o de la descripción de personajes, se entiende mejor negándole valor autónomo e incluyéndolo dentro de alguna de esas unidades narrativas. En fin, para el análisis de *Tiempo de silencio* bastará con centrarse en tres elementos narrativos básicos: los personajes, la acción (con sus posibles ramificacio-

---

(6) Cfr. Wolfgang Kayser, *Interpretación y análisis de la obra literaria*, Madrid (trad. esp.), 1961⁴, pp. 240 y ss. Los atisbos de Kayser son muy interesantes, porque en otro lugar de ese mismo libro, bien que brevemente y sin aprovechar al máximo los resultados que prometía su descubrimiento, esboza una manera de identificar las unidades básicas de una obra literaria. Hace Kayser una distinción entre modos y formas del discurso que conviene citar por extenso: «Con los modos del discurso se relacionan las formas del discurso. Constituyen, pues, el sentido, la finalidad central del discurso. Pero son todavía más. Son formas, moldean el discurso en cuestión, de manera que éste va desde su principio hasta su fin. Dan unidad a una porción continua del lenguaje; son 'formas'. El acto de describir se plasma en la descripción o en la imagen; el de discutir, en la discusión; el de ordenar, en la orden. O bien en la petición y en la súplica; el acto de narrar, en el relato; el de argumentar, en la demostración» (p. 200). Se trata de un punto de vista sumamente importante, que nos permite relacionar las unidades narrativas (una *forma*, para Kayser) con los elementos lingüísticos *(modo)* distintivos. Es decir, que la unidad narrativa da unidad a un conjunto de elementos lingüísticos que le son privativos.

La postura de Kayser, con sus vacilaciones, es casi excepcional.

nes secundarias) y las descripciones de lugares y ambientes (7). Queda un cuarto elemento, decisivo en la construcción de la novela, cual es la posición del narrador y, en ciertos casos, la del autor. Aunque en principio el narrador debe ser considerado como una pieza más de la *house of fiction*, igual que la acción, los personajes o las descripciones, su condición de elemento aglutinante del cual dependen los demás le confiere una dignidad especial. En este importante aspecto de la construcción novelesca no es demasiado lo que debemos al formalismo ruso, por lo que es preciso buscar otros valedores. Y no podemos encontrar éstos más que en la ya larga corriente crítico literaria que viene ocupándose del punto de vista en la narración, que si durante un largo período se circunscribió a

---

Es curioso —y, en cierto modo, de lamentar— comprobar cómo los formalistas rusos y checos, tan preocupados por establecer el estudio de la literatura sobre una base lingüística, apenas hacen mención del lenguaje de la novela. V. Zirmunskij, por ejemplo, llegó a afirmar que «in some literary genres, such as the novel, the verbal material was esthetically neutral» (cfr. *Russian*, p. 95). A su vez, los formalistas checos, en una época posterior, entendían que en ciertos casos «literature trascends language», y como ejemplo ilustrativo se daba el de las estructuras novelísticas (cfr. *Russian*, p. 158). Jakobson entendía que «poetics was an integral part of linguistics» *(Russian*, p. 94), pero no resolvía la cuestión del lenguaje novelístico, y tampoco lo hizo más tarde, cuando en colaboración con Mukarovsky, rectificó en el sentido de que «poetics was an integral part of semiotics rather than a branch of linguistics» *(Russian*, p. 159). Desde luego, en el estudio que Jakobson hizo de las novelas de Pasternak no se plantea en ningún momento este problema (ver *Questions de poétique*, pp. 127-44).

Buena parte de las decisivas aportaciones que legaron al estudio novelístico autores como Sklovski, Eikhenbaum, Propp o Tomachevski radica en la determinación de los motivos o unidades mínimas que componen cierto tipo de relatos —y en esta labor alcanzaron una admirable precisión—; pero —y esto es lo que interesa ahora— no ahondaron en la relación que estos motivos tienen con el lenguaje verbal. El estudio de Eikhenbaum sobre Gogol *(Théorie*, pp. 212 y ss.) es un caso especial.

(7) Indudablemente, el personaje no es un elemento exclusivamente novelístico, ya que el teatro y la poesía los tienen, mejor o peor caracterizados. Pero en la medida en que el personaje de novela tiene una configuración distinta al protagonista dramático —o al poético, si lo hubiera—, es lícito considerarlo como una unidad narrativa fundamental. Al menos, en lo que a *Tiempo de silencio* se refiere, el personaje debe ser visto como un elemento novelístico básico.

la crítica anglosajona ha encontrado recientemente interesantes derivaciones en otros países. Desde las primeras e innovadoras aportaciones de Lubbock (8) y Beach (9), hasta las más recientes de Friedman (10) y Booth (11), llegando hasta las recentísimas de Tacca (12) y Gérard Genette (13), tenemos un cuerpo de doctrina que, con sus inevitables limitaciones, constituye una indagación valiosísima sobre la naturaleza de la novela que no es posible ignorar.

Estos cuatro elementos narrativos vistos en una doble vertiente, el de su forma lingüística y el de su función narrativa, determinan la construcción de *Tiempo de silencio* y serán analizados con el fin de alcanzar así una visión totalizadora de la novela.

Tal manera de enfocar el estudio de *Tiempo de silencio* no es gratuita, sino que responde a la naturaleza de esta obra (14). Pues conviene decir que la elección metodológica (dominada, como se habrá visto, por un cierto eclecticismo) está motivada

---

La clasificación de unidades narrativas que hemos propuesto para la novela de Martín-Santos está hecha, como digo, según las exigencias que plantea su estudio. Para entender esta novela es fundamental conocer el papel que los personajes juegan, del mismo modo que resulta imprescindible examinar la compleja realidad que ponen de manifiesto las descripciones o la manera en que se relata la acción.

A decir verdad, la ayuda que el formalismo ruso puede prestar en este punto no es muy elevada. Tomachevski *(Théorie,* pp. 263-308) tiene una lista de motivos narrativos que es a todas luces insuficiente para examinar la compleja organización de una novela como *Tiempo de silencio.* Otros compañeros de escuela han aportado interesantes ideas sobre el problema de los motivos o unidades narrativas, sin que se haya llegado muy lejos (sobre este problema existen unas largas y actualizadas consideraciones de García Berrio en el capítulo VI de su citado libro; cfr, pp. 199-239).

(8) Cfr. *The Craft of Fiction,* New York, 1921.

(9) *The Twentieth Century Novel: Studies in Technique,* New York and London, 1932.

(10) *Vid.* «Point of View in Fiction: The Development of a Critical Concept», en *PMLA,* LXX (1955), pp. 1160-84.

(11) Cfr. *The Rhetoric of Fiction,* The University of Chicago Press, 1970[9].

(12) Cfr. *Las voces de la novela,* Madrid, 1973.

(13) Cfr. *Figures III,* Paris, 1972.

(14) O, por mejor decir, lo que para mí es la unicidad de esta obra, que otros críticos han apreciado de forma distinta a la mía.

más por las cualidades intrínsecas del material literario que por la excelencia de las escuelas invocadas. Y es aquí donde nuestra adhesión al formalismo ruso es mayor, pues la idea central que rige sus investigaciones es, como dan a entender las palabras de Eickenbaum (15) y los comentarios de Todorov (16), el criterio de inmanentismo, al propugnar una metodología literaria adaptada siempre a las peculiaridades características de la obra o corriente objeto de estudio.

Señalábamos más arriba que nuestra personal intuición de *Tiempo de silencio* permitía vislumbrar la unicidad de esta novela. Pues bien, a la hora de exponerla de una manera convincente no queda más remedio que seguir un orden expositivo, en suma, desplegar un método que justifique debidamente esa primera impresión. Para alcanzar este objetivo parece fructífero un análisis que tenga su punto de partida en esos cuatro elementos narrativos mencionados. Creemos que de este modo se aprecia mejor la construcción de *Tiempo de silencio* y se dilucida su sentido último. Este procedimiento ofrece una ventaja inestimable, cual es la de guiarnos a través de ese laberinto verbal que Martín-Santos configuró novelescamente.

Sin duda alguna es posible un análisis de la novela que parta directamente de las unidades lingüísticas, es decir, de las complejas metáforas, de los abundantes neologismos y cultismos, de la sorprendente estructura sintáctica. Como, además, este lenguaje contiene reminiscencias de mundos culturales muy diversos, resulta tentador emprender un análisis semántico de

---

(15) Son ejemplares a este respecto las palabras de Eikhenbaum: «Pour les 'formalistes' ce n'est pas le problème de méthode en études littéraires qui est essentiel, mais c'est celui de la littérature en tant qu'objet d'études». Cfr. *Théorie*, p. 31. Palabras que el citado autor ratifica poco después: «Si la matière demande une complication ou une modification de nos principes, nous l'opérons inmédiatement» *(loc. cit.*, p. 32). Sobre esta idea insiste líneas más abajo: «Ce qui nous caractérise n'est pas le 'formalisme' en tant que théorie esthétique, ni une 'méthodologie' représentant un système scientifique défini, mais c'est le désir de créer une science littéraire autonome à partir des qualités intrinsèques des matériaux littéraires.» *(Ibíd.*, p. 33.) No creo que sea necesario abundar en estas citas.

(16) Cuando afirma, por ejemplo, que para los formalistas «la méthode doit être immanente à l'étude». Cfr. *Théorie*, p. 18. Sobre este punto debe verse también García Berrio, *ibíd.*, pp. 62-6.

los diversos niveles ideológicos, de la variedad de códigos y contextos. Por este camino, sin duda alguna, se pueden obtener conclusiones muy interesantes. Pero, ¿estamos seguros de poder llegar a aprehender de este modo la unidad de la novela? Si, como ha demostrado Dámaso Alonso (17), un sencillo poema como es «La profecía del Tajo» de Fray Luis de León, sólo se entiende cabalmente cuando el crítico desvía su atención de las palabras para centrarla en unidades más amplias, como las relaciones interestróficas o el decurso narrativo del poema, ¿qué decir de una novela tan compleja como la que ahora nos ocupa?

En nuestra vivisección de *Tiempo de silencio* comenzaremos, pues, por esos cuatro elementos narrativos. Cada uno de ellos es como una masa de lenguaje conformado según características unitarias. A fin de cuentas, un personaje o una descripción no son más que una abstracción resultante de la confluencia de rasgos lingüísticos específicos. Ahora bien, lo que distingue a una novela de otras muestras literarias no narrativas es que el lenguaje queda encuadrado desde el principio, desde la mente del autor se podría decir, en unas unidades narrativas de cuya combinación resulta una novela.

Dado que en *Tiempo de silencio* es de capital importancia determinar la compleja posición del narrador frente a la obra, así como las distintas actitudes que adopta, y teniendo en cuenta que una y otra postura inciden sobre la configuración de la acción, de los personajes y de las descripciones, se comprenden las palabras anteriores y se justifican las que siguen.

1.2. *Los personajes.*

Los personajes de *Tiempo de silencio* no han recibido mucha atención por parte de los críticos. La opinión de Gil Casado, cuando afirma que están deformados o entrevistos de una manera nebulosa (18), expresa un sentir que, de manera implícita, comparten otros estudiosos. Las excepciones a esta actitud son pocas, y se trata en general de críticos que se han

---

(17) En *Poesía española. Ensayo de métodos y límites estilísticos,* Madrid, 1971[5], pp. 128-32.
(18) Cfr. *La novela social española,* Barcelona, 1973[2], pp. 481-2.

ocupado de la figura de Pedro y de su actitud ante la vida. Es perfectamente comprensible que el protagonista reciba mayor interés, pues es también el personaje mejor trazado y el que suscita más hondas reflexiones, pero no es explicable la desatención que se ha mostrado hacia la sicología de otros caracteres. No deja de ser sorprendente, por ejemplo, que Mary L. Seale estudie con perspicacia aspectos básicos de la idiosincrasia de Pedro y que, en cambio, desdeñe la posibilidad de acometer un estudio similar con respecto a las figuras secundarias de *Tiempo de silencio* (19).

Rasgo característico de casi todos los personajes es su individualidad. Es éste un dato digno de consideración, que desmiente la superficial impresión de que los meandros que describe la acción no tienen más propósito que el de ir presentando una galería de tipos representativos de diferentes estratos sociales, contra los cuales lanza el autor los dardos de sus sátiras. Lo cierto es que si se examina el modo de caracterización seguido en cada caso concreto se verá que estos personajes no son simples tipos sino entes individualizados, y que junto a las circunstancias determinantes de cada biografía existe, como contrapartida, un brote de irreductible libertad que es la que, en definitiva, garantiza su autonomía vital y su configuración como seres particulares.

La técnica de caracterización muestra claramente que el autor evitó trazar figuras de una pieza. En los retratos de los personajes, por breves que sean, se observa siempre un intento de captar la complejidad y la cambiante conducta del ser humano, lo que aleja de plano la posibilidad de un esbozo unidimensional. Esa complejidad se manifiesta en diversos indicios. Unas veces, en las distintas y hasta contradictorias facetas que muestra un personaje a medida que es contemplado desde diferentes ángulos, lo cual constituye uno de los rasgos más característicos de las grandes figuras novelescas de todos los tiempos, desde don Quijote hasta hoy. Otras veces se descubre esa individualidad en la presencia de datos caracterológicos personalísimos, inexplicables según un criterio causalista. Además, el hecho de que muchos personajes pongan de manifiesto

---

(19) *Vid.* «Hangman and Victim: An Analysis of Martín-Santos' *Tiempo de silencio*», cit., pp. 45-52.

su idiosincrasia en diversos monólogos y soliloquios y la circunstancia de que casi todos sean hijos de sus actos, es decir, que su sicología la deduce el lector del conocimiento previo del comportamiento, demuestra que el autor los imaginó desde dentro, en su hacerse a través del tiempo, en la manera de desplegar sus proyectos y de trazarse unas metas. Todo esto está en las antípodas de una concepción de los personajes como meros tipos representativos de estamentos sociales. Por lo demás, no hay que confundir la inseguridad que experimenta el lector a la hora de formarse una opinión de los personajes con un trazado borroso de los mismos. Cuando el novelista imagina a sus criaturas sin seguir esquemas previos y las dota de autonomía y de la capacidad de sorprender con sus actos, es lógico que resulten en buena medida indefinibles e imposibles de encerrar en un calificativo escueto.

Pero antes de extendernos en otras consideraciones a propósito de los personajes de *Tiempo de silencio,* conviene descender a un examen del texto para ver la técnica de caracterización seguida. Aunque la mayoría de ellos están diseñados en muy pocas líneas, la brevedad no ha estado reñida con la profundidad. Se observará que en casi todas las figuras que pululan en esta novela se dan, con mayor o menor riqueza de detalles, con más o menos variedad, algunos de los rasgos caracterizadores esbozados más arriba: 1) autoexpresión, 2) visión desde distintas perspectivas, 3) presencia de peculiaridades personalísimas, 4) conducta que descubre gradualmente la condición del individuo.

Estas características se observan con más pureza en el caso de Pedro, el protagonista. El rasgo 1) se pone de manifiesto en el monólogo inicial (págs. 7-12), así como en las reflexiones sobre Cervantes (págs. 62-4), en las angustiadas meditaciones que tienen lugar en la cárcel (págs. 175-80) y en las no menos desesperantes cuando se aleja de Madrid, ya al final de la novela (págs. 233-40). La circunstancia 2), es decir, la visión de la sicología del personaje desde distintas posiciones, también se cumple cabalmente. Las palabras de Pedro indican una tendencia a examinar la realidad desentrañando su entramado de causas y efectos y esta vertiente intelectual la confirma el narrador al hablar de su «fría curiosidad» o de su «racionalismo mórbido» (pág. 64). En cambio, la patrona de la pensión la modifica parcialmente, pues para ella el joven investigador

— 17 —

2

es un infeliz, simpático pero distraído, poco astuto con las mujeres aunque «caballero cumplidor llegado el caso» (páginas 79-82). Presa ideal para convertirlo en legítimo marido de su nieta, cuyo futuro matrimonio planea sigilosamente la anciana. Amador, por su parte, muestra una imagen de Pedro que no se diferencia grandemente de la anterior, más bien la enriquece en algunos aspectos. Ve en Pedro un simpático científico por el que siente aprecio, aunque lamente verlo tan poco hecho a los avatares del mundo (págs. 158-60).

El narrador atiende a otras características del protagonista que no perciben los demás personajes. Cuando indaga en la interioridad de Pedro saca a relucir ciertas flaquezas, que fustiga con severidad, como el hecho de que, junto con su amigo Matías, se sume al superficial ambiente del café, o que ambos presten una blanda sumisión a las mediocres circunstancias históricas del momento (pág. 68), en una actitud que no es más que «un vivir parásito pecaminosamente asumido» donde la cualidad más característica es, justamente, el «carecer de norte».

Aunque las circunstancias condicionan a Pedro, es indudable que muchos de los rasgos de su personalidad son impredecibles y no se deben a ninguna influencia externa. Sorprende unas veces su frialdad de hombre de ciencia, particularmente cuando reflexiona sobre la posibilidad de que las hijas de Muecas hayan contraído una enfermedad maligna. Pero, más tarde, el lector tiene ocasión de verlo bajo un prisma diferente, el del caballero galante con las señoras, que pasa la tertulia de la noche deshaciéndose en cumplidos (págs. 39-41). Un poco más adelante quedan contradichas tanto su frialdad intelectual como su caballerosidad cuando, con gesto torpe, «que no era suyo pero que le pertenecía», entra borracho en la cama de Dorita. A partir de la atolondrada intervención quirúrgica de la noche del sábado y hasta el final de la novela su comportamiento es más uniforme, siendo la falta de lucidez y la pusilanimidad las notas más características. Con todo, su carácter no es tampoco ahora de una pieza, sino que muestra altibajos y diferencias. A Dorita le une un sentimiento ambiguo, pues a su lado experimenta una mezcla de complacencia y angustia. Se siente cohibido por ella, pero al mismo tiempo le agrada su compañía (págs. 219, 221, 225, 228) y, desde luego, lamenta su muerte (pág. 234). Igualmente, sus reacciones durante la recepción posterior a la conferencia nos muestran a un personaje que vacila entre el desprecio de un mundo falso y la envidia por no ser uno de los privilegiados, y su estancia en la cárcel, en especial el monólogo de la celda, revelan una extraña mezcla de lucidez y abdicación, aunque esta última característica es la dominante, la que mejor dejan traslucir sus palabras.

Vemos, pues, que en el retrato de Pedro se ha evitado todo esquematismo simplificador. Un muy somero examen del texto nos convence de que el autor pretendió pintar un personaje individualizado, en el que concurren rasgos muy personales. La técnica de caracterización, que muestra a este protagonista desde distintos ángulos, que da a conocer su conducta, que le permite expresarse por sí mismo y que revela facetas contradictorias de su modo de ser, nos convence de ello. Antes de extendernos en más consideraciones sobre este personaje conviene echar una ojeada al modo en que están trazados los demás.

Estos, a tono con su condición de secundarios, están pintados con más parquedad, aunque varios de ellos con no escasa riqueza de matices. Un caso claro se comprueba en la patrona de la pensión donde se alberga Pedro. Su perfil es rápido pero lleno de sugerencias, y ello se debe al artificio literario empleado por el autor. Este consiste esencialmente en dos soliloquios (págs. 17-25 y 79-82) y, con mucha menos importancia, en algunas precisiones que establece el narrador, bien en forma de irónicos comentarios (pág. 36), bien a modo de sarcásticas puyas (pág. 97). Si la figura de la anciana no resulta simplista es gracias a la habilidad con que el autor guía los hilos del yo hablante. La actuación del personaje dibuja ante el lector la imagen de un ser repugnante en su abyección, pues no sólo evoca con complacencia masoquista las infidelidades y brutalidades del marido tronera, sino que además, con perfecta frialdad, se alegra de haber celestineado a la hija y se prepara a vender matrimonialmente a su nieta al mejor postor. Ahora bien, tal cúmulo de inmoralidades no convierte a la dueña de la pensión en una figura de una pieza gracias, precisamente, a la manera en que se manejan los recursos literarios. El soliloquio, al dar la palabra al personaje, que expone su sistema de valores y preferencias, sus necesidades y debilidades, atenúa considerablemente la imagen negativa y presta a su figura cierta ambigüedad enriquecedora, pues al acierto de permitir al personaje que se exprese se suma una hábil manipulación de sus palabras, que se observa en el hecho de que la anciana usa un vocabulario que está notoriamente fuera de sus posibilidades. Se produce aquí una especie de cruce de voces. El narrador interviene en el soliloquio y altera el vocabulario del personaje.

El efecto de este procedimiento es hacer más variado su perfil e impedir que el lector se forje una imagen demasiado rígida de la mujer, demasiado negativa y, consecuentemente, trivial. Recordando los años difíciles de la menopausia y las dificultades económicas, habla de «días aciagos» en los que se produjo «el derrumbe definitivo de mi vida de mujer» (página 22). En esta época se entregó al «uso inmoderado» (pág. 22) del alcohol y fue incapaz de vigilar adecuadamente a su hija, que, «víctima de la femineidad no satisfecha» (pág. 23) y de la infamia de un «novio protervo» (pág. 22), quedó embarazada. Refiriéndose a la pensión, ya algo decaída desde su comienzo a causa de la insuficiencia de los «óbolos» de los amigos, dice que se vino abajo con la marcha de dos matrimonios de funcionarios que eran «mis más firmes puntales de respetabilidad» (pág. 22). Este lenguaje da un valor irónico, producto de la ambigüedad, al soliloquio, al tiempo que enriquece el perfil del personaje. Sus palabras no sólo reflejan cinismo, sino también debilidad, desconcierto, un pragmatismo demasiado pobre... No se obtendría ese resultado por medio de un relato en tercera persona, ni tampoco por medio de un soliloquio que fuera expresión inmediata del habla del personaje. Y de esta manera, manipulando el yo hablante se logra un retrato hecho más de claroscuros que de tintas negras, donde lo sórdido aparece paliado por cierta presión de unas circunstancias desfavorables.

La adulteración del lenguaje de estos soliloquios se refuerza por la presencia de algunos párrafos marcadamente cínicos. Encaminada la hija por la vía de una prostitución disimulada, lamenta la anciana que «no he visto menos aptitudes para darse importancia y ponerse en valor» (pág. 80), aunque se felicita de que «siguió cosechando éxitos ahora mucho menos cacareados... mucho más productivos económicamente» (página 25). Mucho más llamativo es un ejemplo como el que sigue:

A mi niña, aunque ya era tan mayor, la llevaba yo a estas visitas con faldas cortas como de niña, que al mostrar las pantorrillas, los señores la miraban con cierta turbación, no porque ellos la desearan, embargados como estaban por la pena del momento y por el fallecimiento del excelente compañero, sino para que comprendieran que era deseable y que, si caía en la miseria negra, aquella niña podía ser pasto de la concupiscencia (pág. 21).

O como cuando, en la cumbre de la ironía, llama a la nieta «obra maestra de todos nuestros pecados» (pág. 25).

Es difícil ante un personaje y unas palabras así que no venga a la memoria Lázaro de Tormes en el momento en que, con parecida falsa ingenuidad y no menos elaborado lenguaje, toma la pluma para dar cuenta del vergonzoso «caso» que remata su vida. Aparte de las consecuencias que para la estructura y el sentido de la novelita tiene el uso de la ficción autobiográfica (20), no me parece de menos repercusión el efecto que la ironía produce en la configuración del personaje. El resignado cinismo a que se entrega el marido consentidor, la falsa ilusión con que acoge su dudosa prosperidad, la dificultad con que el lector se mueve entre la risa, la piedad y la condenación, todo lo cual es fruto de una muy lograda finura sicológica, no se hubiera conseguido más que por medio de esa inadecuación entre el personaje y su lenguaje. Si el cornudo Lázaro es algo más que un ser abyecto, ello se debe, además del hecho de que nos ha contado su vida paso a paso, a la ironía y los eufemismos de su lenguaje en el momento en que refiere el episodio más áspero de su existencia. Pues bien, ironía y eufemismos son las características más notables del soliloquio de la patrona

---

(20) Aspecto que han estudiado, entre otros muchos críticos, F. Lázaro Carreter, en «La ficción autobiográfica en el *Lazarillo de Tormes*», *Litterae Hispaniae et Lusitanae*, Munich, 1968, pp. 195-213; Claudio Guillén, en «La disposición temporal del *Lazarillo de Tormes*», *Hispanic Review*, XXV (1957), pp. 264-79; F. Rico, en su Introducción a *La novela picaresca española*, Barcelona, Planeta, 1970², pp. XLV y *passim*; del mismo autor, *La novela picaresca y el punto de vista*, Barcelona, 1970; también es interesante lo que escribe Francisco Ayala en sus *Ensayos (Teoría y crítica literaria)*, Madrid, 1971, pp. 737-41.

madrileña. Si el pícaro consideraba «cumbre de toda buena fortuna» el *ménage à trois* en que participaba el Arcipreste de San Salvador, con no menos cínica complacencia celebra la anciana los éxitos de su hija puesta en la cama de banqueros y hombres de negocios. En perfecto paralelismo, si el buldero finge no entender el significado de las idas y venidas de su consorte a la casa del amo, la patrona de la pensión finge igualmente no ver el sentido de las faldas cortas y las turbadas miradas de los amigos del fallecido esposo. El paralelismo, además de estos y parecidos detalles, es mucho más significativo cuando observamos el modo en que dos autores, alejados en el tiempo, salvaron con parecidos recursos el problema de pintar la ruindad de un hombre sin convertirlo en un ser despreciable por antonomasia. La ironía, la ambigüedad, la manipulación del lenguaje y de la voz del narrador impiden el trazo grueso y facilitan la complejidad sicológica.

Si nos adentramos en el estudio de otros personajes veremos que el autor salva a toda costa su individualidad, sirviéndose de procedimientos diversos pero de idéntico resultado.

Amador y Muecas son dos representantes de fondos sociales bajos, aunque el primero, gracias a su condición de subalterno en un instituto científico, goza de cierta dignidad económica de la que carece el segundo. Además de la pertenencia al mismo o parecido estrato social, unen a estos personajes vínculos familiares, un pasado más o menos compartido y ciertas «relaciones de camaradería» (pág. 51). Y vemos aquí una vez más el propósito de Martín-Santos de bucear en lo recóndito del hombre sin quedarse en la simple exposición de las circunstancias externas, por importantes que éstas sean. Amador y Muecas, pese al paralelismo de sus vidas y a la confluencia de parecidos condicionamientos, muestran una distinta personalidad y unas diferencias tan acusadas que no se pueden achacar más que a ese fondo irreductible de individualidad y autodeterminación que queda en cada hombre.

A personaje tan denigrante, y novelescamente secundario, como es el Muecas (21), dedica el autor varias páginas y distintos enfoques caracterizadores. Este interés por una figura

---

(21) Lamento disentir de José Corrales Egea cuando considera a Muecas «personaje principal». Cfr. *La novela española actual*, Madrid, 1971, p. 143.

más bien marginal no es, creo yo, accidental. Posiblemente intentó Martín-Santos indagar en la entraña de un individuo que vive en condiciones miserables para mostrar, precisamente, que no todas las peculiaridades del hombre pueden comprenderse en función de datos exteriores y que hay elementos en la sicología del individuo inexplicables sociológicamente. Lo cierto es que el retrato de Muecas revela una confluencia de enfoques y procedimientos diversos, que en cierto modo recuerdan la técnica de caracterización seguida a propósito de Pedro.

Vemos así que el Muecas está igualmente contemplado desde diferentes perspectivas, que responden unas veces al narrador y otras a distintos personajes. Cuenta Amador algunos hitos de su vida en las páginas 32 a 35 y en la 161, exponiendo hechos referentes a su venida a la ciudad y aspectos de su carácter, entre los que destaca la incultura y la irascibilidad. Sobre esta última peculiaridad expone también su parecer Cartucho, el maleante que pretende a su hija Dorita y que sólo se detiene ante la habilidad de Muecas para «tirar del corte» (pág. 48). El narrador añade algunas precisiones más sobre la idiosincrasia de este habitante de las chabolas, insistiendo ya en su habilidad para ir sobreviviendo (pág. 57), ya en su capacidad de hacerse respetar por los vecinos (página 58), ya en su brutalidad de borracho habitual (pág. 60). Tenemos entonces lo que podríamos llamar el rasgo caracterizador 2), el de la pluralidad de visiones que contribuyen a establecer una imagen más rica del personaje. No falta tampoco el rasgo 4), una muestra de la conducta y las reacciones del personaje. Cuando Pedro acude a las chabolas, o cuando Muecas acude a él, a través de sus diálogos y de su comportamiento adivinamos a un hombre de inteligencia natural no despreciable, muy capaz de actuar con astuta doblez si median intereses económicos o legales. Por supuesto, algunos de los atributos de este personaje son privativos de él, inexplicables desde fuera y que hay que aceptar como elementos constituyentes de una determinada idiosincrasia. Sería esto el rasgo 3) que concurre en su caracterización.

Queda claro que en el Muecas existe, pese al concurso de muy desfavorables circunstancias, un resto de autodeterminación y lucidez que le convierte (no discutamos ahora hasta qué grado) en dueño y responsable de sus actos. Aceptar la autonomía individual de las personas implica un reconocimiento de su libertad y consiguiente responsabilidad en cuanto elementos rectores de la personalidad. De ahí que el incesto cometido por Muecas con la hija mayor, la muerte causada por aborto o la violencia física ejercida sobre la hija menor para mantener ocultos los delictivos hechos, así como los hábiles enredos tendidos a Pedro, son hechos que señalan la libre, y dolosa, responsabilidad del personaje, no imputables a circunstancias externas.

No parece que fuera Martín-Santos hombre dado a simplificaciones. Como Cervantes, de quien tan admirablemente elogia su honda comprensión de lo humano y su penetrante creencia en la libertad (pág. 62), también él demuestra tener un buen conocimiento del individuo de su época. Que en seres tan insignificantes moralmente como la vieja de la pensión y el Muecas haya sabido apuntar un haz de características diversas y que haya evitado encerrar a estos personajes en una escueta fórmula, demuestra una compleja visión del hombre, que se traduce de manera inmediata en unos personajes vivos pese a su pobreza y pese a su escaso papel en el libro. Por eso resulta digno de destacarse, como una muestra más de la facultad del autor de imaginar sin trabas al individuo, la presencia de un personaje como Amador, tan afín a los anteriormente vistos en cuanto a sus circunstancias y tan distinto, sin embargo, en cuanto a su idiosincrasia.

Como ya señalamos, es Amador una viva contraposición de Muecas. Contempla la existencia de modo risueño, goza de un «cierto amor a la vida, una cierta capacidad de risa, una abundante potencia bebestible» (pág. 156) y se abre fácilmente a los demás en un impulso cordial. Bien sea para complacer a su mujer, la cual, satisfecha y enamorada admira sus «tonalidades cariñosas» (pág. 155), bien sea para correr una aventurilla con una fregona encontrada al azar, bien sea para ayudar al pariente en apuros. Más bondadoso que Muecas, al que no duda en considerar un «burro» y un «animal» (pág. 33), cuando Pedro cae en desgracia, siente auténtica preocupación por su suerte (págs. 156, 159, 160, 163), y cuando sabe que aquél ha sido expulsado del centro de investigaciones experimenta honda pena (pág. 211). Los «ojos sinceramente entristecidos» (página 212) con que mira al fracasado investigador constituyen una de las notas más humanas de la novela y uno de los pocos momentos en que un personaje muestra un espontáneo impulso de comprensión por un semejante. Como Muecas, tampoco es un hombre culto, aunque sí goza de un pronunciado instinto de conservación y una sorprendente capacidad de guiarse con éxito entre las dificultades de la vida («sus atavismos le permitían conducir su derrotero con ventaja sobre la masa de aborígenes esteparios»). Pero esa rudeza suya se limita a una eterna sonrisa, a un sospechoso «echar gotitas de saliva» cuando habla, nunca a una dañina utilización de los demás.

Junto a este sencillo vitalismo y su buena disposición para con los demás existen algunas notas negativas en su conducta. Amador es cobarde, humanamente cobarde. Quisiera ayudar a Pedro en sus problemas con la justicia, pero le eriza los pelos la idea de declarar ante la policía y comprometer a su pariente Muecas. Preferiría no verse implicado en tan desagradable asunto. Igualmente es cobarde cuando Cartucho, navaja en mano, quiere saber quién es el responsable de la muerte de Florita y Amador, para salir del paso, acusa a Pedro, sabiendo que es totalmente ajeno a lo sucedido. Es la suya una cobardía de circunstancias, ya que la base de la personalidad de Amador es el empirismo, un empirismo de cortos vuelos que le ayuda a navegar en la existencia de una manera cómoda dentro de la inevitable estrechez.

En Amador, pues, no sólo importa subrayar la pluralidad de matices sicológicos y la individualidad de su perfil, sino también su condición de contraste frente a la figura bastante torva del Muecas. Parece como si el autor al crear este personaje quisiera dar una clara muestra de su facultad de imaginar sicologías distintas y matizadas en medio de un mismo y degradante ambiente.

Bajando un poco más en la escala social llegamos a Cartucho, habitante, no de las chabolas, como el Muecas, sino de una modalidad más pobre de las mismas, las subchabolas (pág. 117). No deja de sorprender el hecho de que siendo Cartucho un ser totalmente embrutecido, reducido a unos impulsos muy primitivos, le haya concedido el autor la posibilidad de manifestarse por sí mismo a través de algunos soliloquios. No obstante, el detalle no debe sorprender, teniendo en cuenta el propósito de Martín-Santos de huir de la esquematización sicológica, además del deseo de mostrar en su novela un dominio de las más audaces tendencias de la novela moderna.

Veamos cómo el autor realizó el primero de esos propósitos. Un maleante tan embrutecido como Cartucho, visto desde fuera, desde la perspectiva del narrador, no pasaría de ser un ejemplar humano vulgar, en el que concurren toda suerte de rasgos tópicos, como la maldad, la ignorancia o la violencia. Pero, en tal caso, no diferiría de otros personajes de *Tiempo de silencio* más que en una acumulación de rasgos negativos, y vamos viendo que a Martín-Santos le interesaba individualizar los tipos sociales. Entender ese personaje de manera original exigía también concebirlo desde dentro, en su irradiación interior, ya que sólo así lo habitual y lo tópico cobran un sello distintivo. Lo peculiar de Cartucho no es que mate, estupre y vaya a la cárcel, sino el modo en que vive y concibe esa su brutalidad. La breve semblanza de su vida, como era de esperar, no se diferencia en nada de la biografía de cualquier ratero achulapado. Lo que particulariza esos rasgos generales y convierte un esquema general de conducta en una andadura vital concreta es la narración desde el yo.

La primera persona no sólo hace más concreto y verosímil el *curriculum* delictivo de Cartucho, sino que también da corporeidad a su figura. Elemento decisivo en esa individualización artística es el hecho de que el personaje expone, o deja traslucir, lo que podríamos llamar un poco eufemísticamente su sistema de valores. El que haya abandonado a su antigua amante y haya dado muerte al Guapo lo razona justificando los motivos que a ello le empujaron. El Guapo cometió la osadía de camelar a la que era mujer de su exclusiva pertenencia, dedicándose a «tocarla los achucháis» (pág. 45) en su mismísima presencia, entre fanfarronerías: «Esta já está chocha por mi menda» (pág. 46) y «Que me hinca los acáis» y «No hay pelés» (pág. 46). Razón por la cual Cartucho, que no es un «rajao», prepara su venganza y, «corte» en mano, lo «pincha por atrás» dejándolo en el fango. Asustada, la tornadiza mujer le pide que reconozca la paternidad de un cierto vástago a nacer, pero Cartucho, convencido de que está «camelá», sintiendo asco porque «estaba ya por divertirse», responde a su insistencia rompiéndole de un puñetazo «las napies» (pág. 47).

También se hacen más concretos y reales los motivos que le impulsan a actuar de manera tan violenta cuando deja traslucir su primitiva sicología. Sus malas inclinaciones resultan así más auténticas y convincentes. El odio, por ejemplo, queda gráficamente patentizado en expresiones como «Me cago en el corazón de su madre, la zorra», «Me cago en la tumba de su padre» o «Maldito sea desde la maldita bosta de su madre» (páginas 46, 105). Y, de igual modo, el desprecio («la muy zorra», «vaya aliporo», «castrón»), el afán de venganza («ni sé cómo no le pincho ya») y la amenazadora resolución («a mí no me la da, lo pincho sin remisión»).

Todas estas expresiones no sólo ponen en más directo contacto al lector con el personaje, cuya interioridad se revela de manera inmediata, sino que reconstruyen, a modo de evocación, el mundo social del que emerge. Una de las maneras más eficaces que tiene la literatura de evocar mundos inéditos es reconstruir el lenguaje característico de un determinado ambiente o sector social. Las maldiciones y blasfemias de Cartucho cumplen esa tarea de manera mucho más firme que todas las posibles indicaciones que pudiera dar el narrador.

Estas reflexiones nos llevan insensiblemente a la segunda intención que el autor (22) se planteó: inscribirse en una mo-

_____

(22) Siempre será una cuestión debatible averiguar las intenciones del hombre que escribió una determinada obra. Aunque Martín-Santos parece un autor muy consciente de su arte, es imposible determinar con certeza los propósitos que le guiaban al utilizar cada recurso de estilo. Por eso debo aclarar que utilizo el término autor (al menos en este caso) en el sentido de lo que Booth denomina *implied author*, es decir, una abstracción conceptual a la cual se le atribuye la responsabilidad de la totalidad de la obra escrita. Este concepto permite soslayar la falsedad que supondría atribuir a la habilidad consciente del autor físico muchos elementos que han podido penetrar en su obra de manera inconsciente. Sobre este punto véase *The Rhetoric of Fiction*, pp. 71-6, 211-21 y 395-6. El término *implied author* coincide más o menos con lo que Jessamyn West llama el «official scribe», que es como una creación del novelista real, y también es equivalente al *author's second self*, tal como lo denominó K. Tillotson. Sobre este mismo problema hay unas interesantísimas opiniones de F. Ayala, para el cual es necesario disociar el autor físico del autor ficcionalizado. Cfr. *Ensayos*, pp. 397-401.

Esta distinción entre autor real y autor ficticio puede parecer ociosa y excesivamente abstracta. En verdad, no siempre es útil, pues con respecto a algunas obras no es necesario echar mano de ella. Pero hay casos en los que ayuda a eludir espinosos problemas. Por ejemplo, ¿se debe atribuir al autor consciente las contrapuestas intenciones que se reflejan en *La Celestina*? Bataillon posiblemente limita su interpretación de esta obra al querer juz-

derna dirección del arte novelesco. Es un hecho comprobado que la novela contemporánea, o al menos algunas de sus más caracterizadas muestras, se distingue por una creciente participación de los personajes en la narración. Esta subjetividad la observaron ya hace algunos años Leo Spitzer (23), V. Vinogradov (24) y, más recientemente, Lubomir Dolezel, para el cual uno de los rasgos más definitorios de la moderna narrativa es lo que denomina «polifonía de voces» (25), o presencia de diferentes personajes en la narración, alternando o no con la voz del narrador.

En rigor, esta variedad de voces, este subjetivismo de un relato que se hace desde la perspectiva de algunos personajes, no es completamente nueva. El abundante uso del estilo indirecto libre en Flaubert (26) o los cuantiosos ejemplos de perspectivismo subjetivo en *La regenta* demuestran, por citar tan sólo dos modelos de los más cercanos a nosotros, que ya al final del siglo XIX había una creciente tendencia a someter partes cada vez más amplias de la narración a la perspectiva de los personajes. Este proceso no hizo más que incrementarse en el siglo XX, particularmente a partir de la difusión de la técnica del monólogo interior, que desde la magna obra de James Joyce, *Ulysses,* se convirtió en una fórmula habitual entre todo tipo de novelistas.

Una de las grandes audacias de los mejores cultivadores del monólogo interior y, en general, de cualquier otro procedimiento que refleje la perspectiva de los personajes (diálogo, estilo indirecto, estilo indirecto libre, estilo directo libre, etc.) estriba, a mi entender, en haberlo convertido en medio de

---

garla según las expresas intenciones de Rojas. ¿A quién atribuir las intenciones no expresadas que hay en el texto y que a veces contradicen las anteriores? Puede hablarse, si se desea, de la inspiración o del subconsciente del autor, conceptos no menos abstractos que los que proponen Booth y Ayala, y que sugieren oscuros elementos irracionales en juego.

(23) Cfr. «Pseudoobjektive Motovierung bei Charles-Louis Philippe», *Stilstudien,* 11, München, 1928. Cito por el artículo de LUBOMIR DOLEZEL «Vers la stylistique structurale», *Travaux linguistiques de Prague,* Klincksieck, Paris, 1966, pp. 257-66.

(24) *Art. cit.,* pp. 264-6.

(25) *Loc. cit.,* p. 264.

(26) Estudiado por STEPHEN ULLMANN en *Style in the French Novel,* Cambridge University Press, 1957.

expresión de personajes insignificantes y en manifestación de situaciones vitales anodinas. La muy celebrada novela de Faulkner, *The Sound and the Fury,* sorprende, entre otras varias innovaciones, por el hecho de que una de las cuatro partes de la novela está narrada por un retrasado mental, Benjy, que es capaz de contar artísticamente una historia a través de su balbuceante lenguaje y su torpe visión de los hechos. En *Tiempo de silencio* llama la atención que un personaje tan inculto y primitivo como Cartucho sea capaz, a base de blasfemias, expresiones obscenas, el *argot* del hampa y de las chabolas y un vocabulario reducidísimo, de contar una pequeña historia, esbozar un perfil sicológico y evocar todo un ambiente social. Aun admitiendo que este personaje tiene una función importante en la novela y que no es un simple alarde preciosista, hay que reconocer que con Cartucho logró Martín-Santos, en un auténtico *tour de force,* inscribir su nombre en la lista de creadores de figuras miserables que se convierten en narradores de su vida. En esa lista habría que poner en lugar destacado a Faulkner, y es aquí donde, a mi entender, encuentran cierta base los pretendidos paralelismos entre el gran novelista norteamericano y el malogrado escritor español.

Descendiendo en la galería de seres infradesarrollados llegamos, por último, a la mujer del Muecas, de nombre Ricarda en un caso y Encarna en el otro (27). El narrador lleva a cabo

---

(27) El nombre de Ricarda aparece en dos ocasiones en la página 51, la primera vez en boca de Muecas, donde presenta su mujer a Pedro, y la segunda vez dos líneas más abajo, ahora en las palabras del narrador. El nombre de Encarna se encuentra en la página 200, cuando el narrador ordena sus recuerdos y reconstruye su pasado. Este nombre de Encarna se debe a sus amigas, cuyas palabras evoca en estilo indirecto el narrador:

Ella misma rodeada de amigas que dicen *pelo como el de la Encarna nadie.* (La cursiva figura en la novela.)

Aparentemente se trata de un desliz del autor. Pero teniendo en cuenta el cuidado con que Martín-Santos escribió su obra y el hecho de que no es numeroso el conjunto de personajes que hay en la novela, no hay que descartar la posibilidad de que este error sea intencionado. Como si fuese un jocoso cervantinismo. No olvidemos que Martín-Santos escribía también para divertirse, como declaró a Janet Winecoff Díaz (cfr. *art. cit.* en apéndice bibliográfico, p. 263). Y así, del mismo modo que su admirado Cervantes dio cinco nombres diferentes a la mujer de Sancho Panza,

el análisis introspectivo, dado que el personaje es incapaz de expresarse por sí, en vista de su excepcional incultura y escasa inteligencia. Su propósito no es otro que el de captar la individualidad de un ser que no sólo carece de rasgos verdaderamente distintivos frente a los componentes de su mismo medio social, sino que difícilmente se distingue de la «tierra apenas modificada» de que está hecha. Encarna-Ricarda, «ser de tierra que no puede pensar, que no puede leer, que no sabe alternar» (pág. 201), pese a su proximidad a la condición animal, o si se quiere, a la mineral, dispone de un pequeñísimo reducto personal, que el narrador trata de poner de manifiesto ahondando en su pasado y en sus confusas percepciones y sentimientos.

La historia de esta mujer no sólo es degradante, sino también anónima, en la medida en que ejemplifica de qué manera la miseria extrema mutila de raíz el despliegue de la personalidad. Desde la ya lejana violación a manos del Muecas en una tarde de verano («cuando ella misma se siente parte de la tierra caliente como un pan bajo el sol de julio»), su historia no es más que un continuo sufrir calamidades cuya razón de ser no comprende: dar a luz, huir del ejército que ataca, emigrar a la gran ciudad desconocida, formar parte de su extrarradio, dar a luz otra vez, recibir golpes del marido borracho, pasar hambre y ver pasar hambre a su familia.

Esa historia se particulariza en la medida en que es contemplada desde la confusa perspectiva del personaje, que ve pasar un a modo de «coloreados fantasmas del pasado que se deslizan silenciosamente» (pág. 199). Encarna-Ricarda evoca el pasado por su conexión con el presente, dado que la muerte de la hija es simplemente la culminación de una serie de calamidades. Su dolor, al llorar en la celda la muerte de la hija, es el mecanismo que pone en movimiento los recuerdos. Pero al retrotraerse al pasado desde esa posición emotiva del presente, la vida del personaje se hace unitaria, ya que no es una sucesión de momentos aislados, sino un todo coherente. Esta vivencia del yo en su desarrollo a través del tiempo con-

---

nuestro autor pudo decidir que tuviera dos la mujer del Muecas, uno por cada aparición. También Shakespeare (*The Comedy of Errors*, III.i 48 y III.ii 107) da a una criada dos nombres: Luce y Nell.

fiere a la vida así evocada un sello personal indiscutible. Además, coloreados como están por la aflicción presente, esos sucesos que parecen tomados de un reportaje sobre la vida de las chabolas, se convierten en intimidad personal.

Naturalmente se debe a la intervención del narrador, que se introduce en la mente de Encarna-Ricarda, la transformación en vida personal de una triste crónica, puesto que el personaje es incapaz de exponer unitariamente la evolución de su existencia. Muy significativamente se seleccionan ciertos recuerdos que guardan más estrecha relación con el presente. Las impresiones que mejor grabadas se encuentran en la mente del personaje están relacionadas con la vida de Florita: desde el momento en que con dolor la concibe, pasando por aquellos otros en que, con dolor y angustia, la ayuda a sobrevivir, hasta fijar con horror su imaginación en el instante en que con sus propios ojos vio «írsele la vida preciosísima que, como único bien, le había transmitido» (pág. 203).

Queda por añadir un dato más en favor de la individualización de Encarna-Ricarda. Tiene lugar en el momento en que, llorando la hija perdida, repite una y otra vez que su muerte no fue debida a Pedro. «No por amor a la verdad, ni por amor a la decencia, ni porque pensara que al hablar así cumplía con su deber, ni porque creyera que al decirlo se elevaba ligeramente sobre la costra terráquea en la que había estado hundida». Ciertamente su nivel mental no da para esas reflexiones. Pero queda en su interior un brote irrefrenable de sinceridad y de bondad, el mismo que le llevó a agradecer a Pedro su desesperada intervención, cuando le dijo: «Usted hizo todo lo que pudo» (pág. 202). Y son esas espontáneas palabras, que salvan a Pedro de un seguro procesamiento y lanzan al marido a una «navegación imprevisible por calabozos, cárceles, tribunales de justicia, penales y comisarías» (pág. 211), las que mejor revelan el ápice de humanidad que le queda a Encarna-Ricarda y que con tanto ahínco buscó el autor.

Dirigiendo ahora nuestra atención a miembros de otras categorías sociales, encontramos en Matías un caracterizado representante de la alta burguesía. No creo que sea defendible la opinión de que tiene «una personalidad más concreta y real que Pedro porque —sostiene Gil Casado (28)— como 'seño-

_____
(28)   En su citado libro *La novela social española,* p. 481.

rito' posee unos rasgos que caen dentro de lo típico». Sin duda alguna está más definida la procedencia cuasiaristocrática de Matías que la extracción pequeñoburguesa de Pedro, en el sentido de que el autor prestó más atención al entorno social del primero que al del segundo. No obstante, y sin olvidar que hay muy agudas observaciones sobre los antecedentes sociales y económicos del protagonista de *Tiempo de silencio,* el estudio de la personalidad de un individuo depende primordialmente de otra índole de datos.

Pero aunque se rechace la opinión del crítico citado, es forzoso admitir que en la caracterización de este pintoresco amigo de Pedro hay más matices de lo que a simple vista parece, de tal modo que tenemos aquí otro ejemplo de cómo el autor pretendió captar cada personaje en su específica idiosincrasia.

La imagen que más fácilmente se graba en el lector es la de un joven desocupado, que a través de sus diálogos y soliloquios expresa un espíritu ingenioso y da rienda suelta a toda suerte de sutilezas lingüísticas y culturales. Su lenguaje es, en lo sustancial, un cúmulo de neologismos y extranjerismos que demuestran una rica inventiva verbal. Así, mientras dialoga con una prostituta vieja en un burdel de poca categoría, lanza Matías algunas expresiones en latín o francés (págs. 88, 91) o se expresa en términos rebuscadamente librescos. En un tono grandilocuente, de trágico griego, finge lamentar la marcha de la luz:

> ¡Triste Edipo, ya nunca veré más la luz del Sol! He aquí que me he arrancado ambos ojos, el derecho con las uñas de mi mano derecha y el izquierdo con las uñas de mi mano izquierda... ¡Electra, Electra, ven a mí! (pág. 91).

Igualmente, en los dramáticos momentos que preceden a la detención de Pedro, Matías no abandona completamente su tendencia a ver la realidad desde supuestos culturales. Intercalando alguna que otra expresión latina y citas tomadas de la *Eneida,* rememora jocosamente ciertos momentos de la vida de su amigo, como si las desventuras de Pedro fuesen parte de una odisea heroica. No desdeña tampoco la oportunidad de parodiar la filosofía existencial para describir la crítica situación de Pedro («Esto le enriquece la existencia. La situación límite, el borde del abismo, la decisión decisiva, la primera vivencia. ¡El instante! La crisis a partir de la cual cambia el proyecto del existente») o bien utiliza una simbiosis de conceptos freudianos y referencias a la tragedia griega para retratar la timidez que padece ante las mujeres («Se habrá echado en sus brazos. Necesita protección. Retroceso al seno materno. Intento de reconquistar la matriz primigenia»). Incluso, fascinado por la literatura, rememora en términos de técnica teatral la irrupción de Dorita en su casa, cuando buscaba desesperadamente a Pedro:

> Entró como la encarnación de la tragedia. Deus ex machina. Un gesto suyo y el destino quedaba decidido. El amor, la ira, el terror pánico, el vértigo de la angustia, lo patético... (pág. 163). Ríase usted de la Sarah Bernhardt. Qué escenita... Y yo, espectador privilegiado en proscenio especial, representación privatissime (pág. 162).

Pero no se agota el ser de Matías en esta ristra de chispazos ingeniosos (29). Si el diálogo y los soliloquios nos dan una imagen, sus actos nos presentan otra, que si no desmiente la anterior, al menos la completa y la corrige. El lector atento debe apercibirse a captar en todo momento la compleja realidad de los personajes de esta novela, que en ocasiones el autor parece disimular momentáneamente bajo una impresión incompleta, como si quisiera recordar la extraña variabilidad del ser humano y lo engañoso de las apariencias. Desde su primera aparición en la novela, que tiene lugar en el café Gijón (página 66) y a lo largo de los distintos episodios de la alocada noche del sábado, Matías mantiene en lo sustancial una misma imagen: la del joven culto, tronera y de buena familia que gasta su tiempo en borracheras, visitas a burdeles y frases ingeniosas (págs. 66-78, 85-91). Pero a partir del día siguiente va a presentarse bajo otro aspecto. Sorprende, en primer lugar, que abandone su lenguaje característico y acuda a un castellano

---

(29) ¿Cómo no se agota el ser de Sancho Panza en su capacidad de urdir ristras de refranes?

3

conversacional donde se dan frases como «¡Qué trompa!, ¡Vaya zorra vieja!» y otras de parecido tenor (pág. 124).

Tras la conferencia de Ortega, Pedro, y también el lector, tiene ocasión de descubrir una faceta desconocida de Matías. Después de que los dos amigos han comentado con asombro «el vacío de todo contenido de la conferencia del Maestro», tiene lugar una elegante recepción. En un momento dado Pedro acude, aburrido de soportar ancianas impertinentes, junto a Matías, y observa con asombro la modificación radical de su compañero, electrizado por una acompañante rubia e identificado plenamente con el sofisticado ambiente:

> era el mismo Matías, si bien con un aspecto que él nunca le había conocido. No sólo su modo de mirar era distinto, sino que también el rictus de su boca se había modificado y se hacía evidente que no eran palabras latinas las que por ella podían escapar sino otras mucho más banales, pronunciadas en su idioma secreto... También el cuerpo de Matías había dispuesto el orden de sus miembros de otro modo... El vaso que también —como obedeciendo a un imperativo categórico universal— Matías sostenía en la mano era tenido de un modo diferente, era alzado de un modo diferente y era consumido de un modo diferente tan preciso en sus detalles, tan diferenciado en sus ademanes, tan lentamente desplegado en el espacio como un rito cuya modificación pudiera ser sacrílega (págs. 138-139).

Pero no todo es alegría y buen vivir en Matías. La detención de Pedro es causa de sincera preocupación y constituye un acontecimiento que pone de relieve otras peculiaridades de su personalidad. A partir de ese instante se observa un tránsito entre actitudes cambiantes, que demuestran que su carácter no es tan uniforme como pudiera parecer tras una primera impresión. Por ejemplo, en el transcurso de aquella reunión en que tan elegante y distante se mostrara hay ocasión de verlo un poco más tarde en una actitud alarmante, olvidada la rubia, con el rostro contraído (pág. 141). Poco después, angustiado e irritado, exige imperiosamente a Amador que le acompañe con el fin de socorrer al científico en apuros (pág. 175), lo que coloca a Matías en una actitud muy distinta a la de su inicial indiferencia ante todo.

En la zozobra de la huida de la policía, es capaz Matías de recuperar por un momento su condición jovial, sea para festejar alguna gracia con una prostituta (págs. 153-4), sea para rememorar la conducta de Pedro del modo literaturizado e irónico que hemos visto anteriormente. No obstante, su carácter en esta parte de la novela ofrece una variedad de perfiles que no se daba durante la narración de la noche del sábado. Uno de los fragmentos más reveladores de su interioridad es aquel en que recorre las dependencias de altas oficinas ministeriales en una generosa y decidida voluntad de ayudar a su amigo. Una nota especialmente humana es, también, el desaliento que le invade a medida que observa la futilidad de sus esfuerzos y el difícil atolladero en que Pedro se encuentra. No menos revelador de sus sentimientos para con el investigador encarcelado es el momento en que, parado en medio de la muchedumbre, siente hondamente la sensación de soledad que aquél padece (pág. 190).

Pero Matías no se limita tampoco a un tránsito de una actitud frívola a otra más responsable. Hubiera supuesto eso un trazado demasiado tosco para un autor tan amigo de los claroscuros sicológicos como era Martín-Santos, siempre deseoso de captar al ser humano en sus zig-zag caracterológicos. Por esta razón, en la secuencia siguiente en que vemos a Matías, éste se encuentra en una «boite» bebiendo whisky y tan sinceramente entusiasmado con una joven alta, de ojos verdes, como antes estuviera enfrascado en la solución de la desgracia de su amigo (pág. 193). Y si Matías se alegra como el que más de la liberación de Pedro (págs. 105-6), entre socarrón y justamente decepcionado lo abandona cuando aquél, en plena claudicación, participa en una merienda en su honor que es una anticipación de una vergonzosa boda (pág. 219).

Muchísimo más breve es la caracterización de los demás personajes, a los que ni siquiera conviene el calificativo de secundarios. Con todo, sigue observándose en ellos la visión en profundidad y la búsqueda del rasgo individual. Es particularmente interesante el análisis de esas pequeñas figuras porque la técnica de caracterización utilizada ejemplifica y confirma todas las observaciones anteriores.

Uno de los mejores ejemplos lo constituye Similiano, el

policía que detiene a Pedro y que tan alejado se encuentra de toda imagen tópica acerca del agente de autoridad. Una vez más, el medio de caracterización básico es la directa expresión del personaje por medio de un soliloquio lleno de poder sugeridor. En 79 líneas repartidas en siete fragmentos expone Similiano sus preocupaciones íntimas, que van desde su situación en el escalafón de funcionarios a las molestias intestinales que tanto le aquejan estando de servicio. Se trata de una visión del personaje indudablemente fugaz, pero llena de autenticidad humana, porque este policía habla de hechos triviales que para él encierran gran interés y que exponen admirablemente su temperamento pacífico, timorato y poco entusiasta.

Incluso personajes totalmente intrascendentes y anónimos están retratados en función de alguna característica personal. Así sucede con los guardias de la Dirección General de Seguridad, de los que el lector no sabe el nombre, pero en cambio conoce alguna particularidad de su historia. Hay guardias robustos, aunque prematuramente encanecidos, que cuentan a Pedro «cómo habían estado en Australia y cómo habían combatido en el Madison Square Garden» (pág. 185). Hay guardias que, con orgullo, refieren cómo son preferidos por las personas para realizar el trabajo de cobradores de recibos. Hay otros compasivos y paternales que calman los lloros de una mujer o dan consejos basados en la experiencia al adolescente encarcelado. Hay, finalmente, el guardia atribulado por una antigua operación y las secuelas subsiguientes que muestra, en gesto confianzudo, la cicatriz a Pedro.

Si Cervantes pasó a la historia, entre otros méritos, por su soberbia capacidad de plasmar por medio de diálogos los más menudos recovecos del alma, parece como si Martín-Santos quisiera rendirle sobre la marcha un tributo de admiración, sirviéndose del mismo instrumento con idéntico propósito. Esto es particularmente visible en el caso de personajes de tercera fila, de fugacísima aparición en la novela, apenas descritos por el narrador, sin nombre casi siempre, que sorprenden por la sensación de vida y verdad que emanan. Ejemplo elocuente lo constituye aquella amiga de Dorita que asiste, muerta de envidia, al encumbramiento oficial de quien consiguió un novio lucido (págs. 215-16). La niña no prueba bocado durante el humilde banquete ni apenas abre la boca durante la reunión. Pero pronuncia dos frases altamente expresivas de su estado de ánimo y que valen por un auténtico retrato sicológico. La primera de ellas es la inevitable pregunta que tanta envidia encierra: «¿Cuándo os casáis?» La segunda frase es la respuesta a una pregunta de algún comensal sobre si ha visto cierta película, y supone una orgullosa afirmación del propio valer al tiempo que sugiere esperanzadoras posibilidades:

> Yo voy a ir mañana con un chico (pág. 218).

En diálogos igualmente lacónicos queda admirablemente reflejado el carácter artero, calculador y autoritario de doña Luisa, la regentadora del burdel. Así se manifiesta cuando se dirige aduladoramente al cliente de buena familia:

> El sábado está bien para los albañiles, digo yo. Pero ustedes no debían. Claro que siempre se les ve bien por esta casa. No sé ni como he podido aguantarlo, porque cada día hay menos educación. ¡Claro! Si fueran todos como ustedes (pág. 89).

O cuando se muestra dispuesta a ayudar a Pedro, que huye de la policía, calculando las posibles ventajas del favor:

> ¡Mi chico!... (pág. 152).

> Aquí puede estar unos días... Hasta que se arregle todo (pág. 153).

O cuando protesta su inocencia ante la policía y se apresura a delatar a su protegido:

> ¡Qué compromiso, Dios mío! Nunca sabe una lo que se le puede meter en casa... Son todos unos indeseables... eso es lo que son. ¡Lo que tiene una que ver! (pág. 165).

Ocuparía demasiado espacio reseñar por menudo todos y cada uno de los casos en que el diálogo es fiel exponente de la actitud y la idiosincrasia del hablante. Sin embargo, y ya para concluir, es preciso aludir a dos interesantes supuestos en que el diálogo transparenta magistralmente una bien definida personalidad. Así sucede con el director del centro de investigaciones, en cuyas palabras se compendia su postura personal no menos que los hábitos adquiridos en los años de profesión. Ahí está la pedantería («nuestra profesión es un sacerdocio... y exige que seamos dignos de ella»), la actitud escandalizada («No puede usted pedirme comprensión para unos hechos que rozan, si es que no están de lleno incluidos, con el articulado del Código Penal»), el falso afecto («Había llegado a tomarle cariño, como me ocurre siempre con mis discípulos»), la orden disfrazada de sugerencia («Oiga mi consejo. Déjese de investigaciones. Usted no está dotado para esto. Nunca llegará a nada») y las vagas promesas («Dígame cuándo sean los ejercicios para que yo hable con el Tribunal. Ya lo sabe, no le dejaré caer»).

Otro ejemplo parecido lo constituye una perorata paternalista que dirige a Matías el miembro de la alta administración estatal, al cual acude en demanda de ayuda (págs. 187-88). La diferencia más notable con respecto al ejemplo anterior estriba en la presencia de los estilos indirecto libre y directo libre (30), lo que indica que el autor no sólo pretendía que cada fragmento dialogado fuera expresión de una determinada idiosin-

---

(30) Sobre estos conceptos véase MARGUERITE LIPS, *Le style indirect libre*, Paris, 1926; C. BALLY, *Traité de stylistique française*, Paris, 1951, y GUILLERMO VERDÍN DÍAZ, *Introducción al estilo indirecto libre en español*, Madrid, *RFE*, Anejo XCI, 1970. No he podido consultar el trabajo de G. HERCZEG, de sugestivo título, «Il discorso diretto legato in Renato Fucini», en *Lingua Nostra*, XIII, Firenze, 1963.

En cuanto a los ejemplos, vale la pena citarlos, no sólo por ser relativamente excepcionales en esta novela, sino porque además presentan un interesante fundido de tres estilos: el indirecto puro, el indirecto libre y el directo libre.

Indirecto puro:
> el personaje del otro lado de la mesa se volvía hacia él, se inclinaba y le daba unos consejos paternales, de acuerdo con los cuales

Indirecto libre:
> lo mejor era que él no se metiera para nada en este asunto, porque si las cosas eran como su amigo le había dicho, por sí mismas habían de arreglarse sin dificultad alguna, aunque quizá no todo fuera exactamente como Matías creía que era,

crasia, sino que además buscaba por todos los medios una variedad de recursos que impidiera la monotonía. Por eso son tan eficaces algunos de los diálogos que tienen lugar en las dependencias de la Dirección General de Seguridad, especialmente aquella conversación entre el agente de turno y Dorita en que sólo se recogen las palabras del primero (págs. 181-82). De este modo, a la capacidad de evocar la actitud del policía aburrido, bruscamente amable para con una joven bella, se suma la originalidad del procedimiento, que realza poderosamente el pasaje.

Nuestro estudio de los personajes de *Tiempo de silencio* ha ido dirigido principalmente a poner de manifiesto los recursos de que se ha servido el autor para destacar, por encima de todo, la individualidad de las figuras por él creadas. El procedimiento de análisis ha consistido en seguir fielmente el texto, al objeto de señalar la técnica de caracterización seguida en cada caso concreto. Ahora bien, junto al comentario textual ha habido otro más propiamente sicológico, que se revela en la presencia de expresiones tales como «profundidad sicológica», «riqueza de matices», «complejidad», «veracidad» y otras similares. La presencia de estas expresiones indica que al tiempo que hay un análisis de una determinada técnica descriptiva existe simultáneamente, e indisolublemente ligada a la primera, una interpretación, en términos sicológicos, de esos personajes.

Directo libre:

porque la juventud tiende a ser generosa en sus juicios, y ya se sabe que la amistad nubla para juzgar exactamente a las personas;

Indirecto libre:

era más conveniente que él buscara sus relaciones entre gente de su misma educación, no porque efectivamente

Directo libre:

no puedan existir —fuera de determinada clase— personas magníficas dignas de la amistad de cualquiera, sino simplemente porque al faltar un fundamento social y una moral sólida (lo que se llama una tradición o un ambiente), estas personas pueden, a pesar de sus virtudes o de su inteligencia, resultar poco recomendables. No, naturalmente que no, que podamos prejuzgar su culpabilidad... (187-8).

Lógicamente, una apreciación medianamente imaginativa de éstas exige superar el tenor literal y proceder con un criterio que no sea estrictamente positivista. La infrecuencia de esta actitud explica que los estudios sobre los personajes de *Tiempo de silencio* sean, salvo excepciones, tan poco satisfactorios. Ya el modo en que están presentados los caracteres acentúa, sobre todo en el lector no muy atento, la sensación de difuminación y escasa consistencia sicológica. De muchos personajes no se conocen los apellidos, y de algunos ni el nombre. Poco se sabe de sus perfiles físicos, del mismo modo que sólo aflora una parte más bien pequeña de sus personalidades. El narrador no suele ser muy explícito con respecto a sus antecedentes y además gusta de sorprenderlos en un momento cualquiera del presente, con lo que aumenta la sensación de momentaneidad e impresionismo. Para el crítico influido por las modernas corrientes semánticas y estructuralistas puede ser dato de no pequeña importancia el que, sumando sintagma a sintagma, epíteto a epíteto, cada personaje contenga muy pocos rasgos distintivos. Como se ve, hay razones de peso como para que su entidad sicológica se nos escape como agua por el cesto.

Pero ¿tenemos derecho a hablar de «entidad sicológica» tratándose de elementos de una ficción literaria? ¿No hay una contradicción en considerar a los personajes simples unidades narrativas para exigirles un poco más tarde profundidad sicológica?

La pregunta sólo se puede contestar afirmativamente en el caso de que se considere legítimo el estudio de caracteres. Sobre este punto hoy en día no puede decirse que exista unanimidad de criterios. Al siglo XX se debe una generalización (pero no, contra lo que se cree, una invención) en el cultivo de la novela con personajes poco matizados, bien sea porque éstos adquieren valores simbólicos o alegóricos *(El proceso, El castillo),* bien sea porque muestran facetas limitadas de su personalidad *(El extranjero),* bien sea porque se disuelven en una colectividad que se convierte en la verdadera protagonista (las novelas de Dos Passos, *El Jarama).* Estos nuevos rumbos seguidos por el género han producido frutos de alta calidad, como es bien sabido, pero en modo alguno han cerrado definitivamente las posibilidades del héroe novelesco a la usanza clásica.

Buena parte de la crítica tardó en adecuar sus instrumentos críticos a las complejas realidades, y cuando lo hizo, pasó de un extremismo a otro de signo opuesto. De tal manera que si antes exigía a toda novela que tuviera caracteres, ahora pide que no los tenga. En el primer caso se cerraba a la comprensión de un tipo de novelas, y en el segundo se niega a la comprensión de otro, cuando lo cierto es que ambos coexisten y deben ser comprendidos según sus propias particularidades. El dogmatismo que actualmente vive la crítica literaria es perjudicial para la novela de caracteres, ya que existe un obscuro sentimiento de vergüenza y un reconocido temor a incurrir en el pecado del sicologismo (31).

Tres libros famosos (32) han venido en las últimas décadas a manifestarse en contra de la pervivencia de las realidades sicológicas en la novela: *L'âge du roman américain,* de Claude-Edmonde Magny (1948), *La hora del lector,* de José María Castellet (1957), y *Pour un nouveau roman,* de Alain Robbe-Grillet (1963). Este último es particularmente tajante en sus afirmaciones, llenas de interés por otra parte. Tras ironizar no poco a costa del personaje novelesco y después de sumarse a quienes levantan su acta de fallecimiento (33), el crítico y novelista francés sentencia inapelablemente que su presencia en la novela es cosa del pasado y que a la literatura moderna

---

(31) Porque, evidentemente, la tendencia contraria, la de juzgar a los personajes literarios en términos exclusivamente sicológicos, es igualmente perniciosa y limitada. Sobre los excesos del sicologismo y de la reacción antisicologista hay unas interesantes puntualizaciones de MARÍA ROSA LIDA DE MALKIEL en *La originalidad artística de «La Celestina»,* Buenos Aires, 1962, pp. 283 y *passim.* En cuanto a Sklovski, posiblemente pecó de un exceso de positivismo y antisicologismo en sus opiniones sobre el personaje, como cuando afirmaba que «a literary character... cannot be expected to be consistent or credible». Tomo la cita de *Russian,* p. 196.

(32) Hablo, como se comprenderá, del panorama crítico de España y Francia. Mucho antes hubo en Estados Unidos libros y artículos que difundieron estas ideas, que indirectamente llegaron a Francia, y de allí a España. Me limito a mencionar los trabajos que verdaderamente influyeron en la crítica y la creación novelística de nuestra patria.

(33) Cfr. *Por una novela nueva,* (trad. esp.), Barcelona, 1965, pp. 36-8. Digamos, de pasada, que Robbe-Grillet se sirve de ejemplos que interpreta de modo poco convincente, como el protagonista de *La nausée,* cuya condición humana pone en duda («¿Se trata de tipo(s) humano(s)?», pregunta. Que este personaje no esté caracterizado al modo decimonónico no quiere decir que carezca de una dimensión humana hábilmente sugerida.

corresponde un tipo de narración que renuncie a la omnipotencia de la persona (34). Estas y parecidas ideas han venido constituyendo un auténtico estado de opinión entre quienes cultivan el estudio de la novela y si bien han sido particularmente valiosas en algunos casos, han demostrado no poca miopía en otros.

Pero conviene dejar de lado los pronósticos sobre el arte del futuro y ceñirse humildemente a las obras ya escritas. *Tiempo de silencio* es una novela moderna, y no por haber sido escrita en 1962. Y la realidad, nos guste o no, es que ahí hay personajes polifacéticos, que no pueden ser plenamente comprendidos en términos formales o funcionales, sino que también exigen el concurso de conceptos sicológicos y hasta filosóficos y morales. Descuidar estas vertientes supondría limitar considerablemente el análisis literario y desconocer un aspecto central de la novela de Martín-Santos.

Contestando a la pregunta que nos hacíamos un poco más arriba, es preciso decir que no existe ninguna contradicción entre el estudio formalista y el sicológico de los personajes, pues el segundo aclara satisfactoriamente el papel de los caracteres en el interior de la novela. Pero para ver esto con más claridad conviene establecer una o dos precisiones más sobre su dimensión sicológica en la novela de Martín-Santos.

El rasgo común y esencial a todos los personajes de *Tiempo de silencio* es, como ya se vio, la individualidad. Ahora bien, la individualidad peculiar de cada figura no viene dada por un detallado relato de su vida o por una presentación pormenorizada de la profesión, los bienes que posee, los antecedentes familiares y demás circunstancias personales. Ya se vio que en

---

(34) *Op. cit.*, pp. 38-9. Argumenta Robbe-Grillet que «nuestro mundo, hoy está menos seguro de sí mismo, es tal vez más modesto, puesto que ha renunciado a la omnipotencia de la persona» (p. 39), por lo cual la novela debe renunciar a la omnipotencia, o incluso a la presencia, del personaje. Aun admitiendo la primera parte de este razonamiento (bastante trivial y repetido hasta la saciedad), no hay que concluir que la novela tenga que ser una copia servil de esa realidad y dedicarse a reflejar el «número de matrícula» (p. 38) que Robbe-Grillet considera como el mejor exponente de nuestro tiempo. Unas ideas parecidas a las del crítico y novelista francés las sostiene LUCIEN GOLDMANN en *Para una sociología de la novela* (trad. esp.), Madrid, 1967, pp. 189-219.

esto Martín-Santos gusta más de la rápida insinuación que de la detallada enumeración. Tampoco individualiza a estos personajes el hecho de pertenecer a clases y grupos sociales diferentes, pues muchos de ellos comparten las mismas condiciones de vida. Piénsese, a título de ejemplo, en las grandes diferencias que existen entre Muecas, Amador, Encarna-Ricarda y Cartucho, todos los cuales se mueven en los más bajos escalones de la organización social, o entre Pedro y la vieja de la pensión, en cuanto representantes de la pequeña burguesía. Lo que distingue a unos personajes de otros no es más que el distinto uso de su íntima libertad. En *Tiempo de silencio* individualidad personal es equivalente de libertad personal.

«El problema de la libertad en cuanto tal, es un problema metafísico... Tanto la afirmación como la negación de la real libertad del hombre constituyen dos postulados en sí mismos indemostrables. Se expresa en ellos una de las aporías del pensamiento» (35). Estas palabras de Martín-Santos expresan con justeza el concepto de libertad a que aquí aludimos, cuya presencia determina la individualidad sicológica de los personajes de *Tiempo de silencio*. Dicha individualidad deriva del ejercicio personal de la libertad, ya que sólo así se explica la diferente actitud ante la vida de los personajes, la variedad de sus proyectos y la imprevisibilidad de sus reacciones. El hecho de que bajo la igualdad de condicionamientos históricos y sociales existan diferencias personales presupone la presencia de la libertad en cuanto foco originario de las distintas conductas.

El concebir a cada personaje como una actualización permanente de su libertad es lo que los individualiza. A partir de las distintas maneras en que se ejerce esa libertad, se comprende el perfil sicológico de cada uno. Eso explica la importancia que en cada retrato individual tienen el monólogo y el diálogo (expresión de la libertad), los proyectos del futuro (despliegues de la libertad) y la presentación de la conducta (actualización de la libertad).

El afán de Martín-Santos de concebir a cada personaje en función de su libertad personal tiene varias explicaciones. Una

---

(35) Cfr. *Libertad, temporalidad y transferencia en el psicoanálisis existencial,* p. 39.

de ellas es que el propósito moralizante, o al menos aleccionador, de su novela exigía necesariamente una vigorosa afirmación de la libertad humana. Pero siendo su libro una novela, esa libertad no podía ser afirmada en términos abstractos, sino que tenía que estar concretada en el hacer y el vivir de los personajes. Como sobre este punto se hablará extensamente en el segundo capítulo de nuestro trabajo, no es preciso insistir más. Baste decir por el momento que la llamada que *Tiempo de silencio* hace a la responsabilidad del hombre sólo tiene sentido si previamente se ha afirmado su libertad, del mismo modo que sólo tiene sentido criticar determinadas conductas humanas si antes han sido mostradas como libres.

Pero hay otras razones de índole histórico-literaria que explican esta concepción tan libre de los personajes. Entre las muchas cosas que Martín-Santos tenía que superar para realizar exitosamente sus propósitos literarios estaba la dominante pobreza sicológica de la narrativa española de los años sesenta (y, en general, de buena parte de este siglo). Sobre este particular conocemos unas ideas de Martín-Santos recogidas por Aquilino Duque, que son de gran interés (36).

Entendía nuestro autor que en la novela española de postguerra dominaban dos tipos de realismo, el «pueblerino» y el «suburbano». En lo que a la caracterización de los personajes se refiere, la primera de estas dos tendencias se caracterizaba por presentar una suerte de «pícaro nacional intemporal», en tanto que la segunda pintaba preferentemente un proletario de rasgos universales. De este modo, ambos realismos se movían entre abstracciones, pues uno buscaba la esencia del español intemporal y el otro la del oprimido por la sociedad capitalista, con lo que ambas formas novelísticas se mostraban incapaces de captar al hombre en su dimensión personal y en sus coordenadas históricas y económicas.

El esquema es algo simplista, pues no toma en cuenta muchas particularidades que no encajan en ninguna de las dos categorías. Pero muestra la actitud de Martín-Santos con respecto a la novela española de su tiempo y, de paso, nos ayuda a entender la concepción literaria de sus personajes. Está claro

---

(36) *Vid.* «Realismo pueblerino y realismo suburbano: Un buen entendedor de la realidad», en *Indice*, núm. 185 (1964), p. 9.

que el autor se propuso crear ese tipo de personaje que echaba
en falta entre sus colegas. Si por un lado pretendió que el
posible españolismo de sus caracteres estuviera basado en la
observación de unas circunstancias concretas, por otro quiso
que los tipos sociales tan soberbiamente evocados fueran algo
más que simples abstracciones de la teoría sociológica. Y hay
razones para sospechar que le interesaba primordialmente trabajar en esta segunda dirección, la de la individualización del
oprimido, ya que ahí se echaba más en falta una aportación
original.

No es preciso recordar en detalle todo lo ya dicho a propósito de los personajes humildes de *Tiempo de silencio*. De
los cuatro ejemplos vistos, Amador, Muecas, Cartucho y Encarna-Ricarda, sólo se puede decir que son diferentes entre sí.
Y no sólo porque existan particularidades sicológicas privativas
de cada uno, sino porque además la posición del narrador hacia
los personajes no es siempre la misma (37), de tal modo que
el lector fácilmente siente conmiseración hacia Encarna, burlona
simpatía por Amador, desprecio por Cartucho y repulsa hacia
el Muecas. Lógicamente si el narrador, en nombre del autor,
provoca sentimientos y reacciones diversas hacia cada uno de
los personajes, está intensificando al máximo la individualidad
sicológica inicialmente conferida.

Pero volvamos a Pedro, del que tan poco se ha dicho. En
él se manifiesta, mejor que en ningún otro personaje de la
novela, la individualización a partir de la concepción en libertad. Y sólo a partir de ella. No tomó en cuenta Martín-Santos
el consejo que daba Francisco Delicado de decir primero «la
ciudad, patria y linaje, ventura, desgracia y fortuna, su modo,
manera y conversación, su trato, plática y fin» (38). A lo sumo,
tales circunstancias se van mostrando sobre la marcha, en breves
pero sugestivos trazos. La condición pequeñoburguesa del protagonista queda bastante bien plasmada cuando el narrador

---

(37) Sobre este problema vuelvo más adelante, al estudiar la
figura del narrador.
(38) Cfr. *Retrato de la loçana andaluza*, edición crítica de Bruno
Damiani y Giovanni Allegra, Ediciones José Porrúa Turanzas, S. A.
(Colección Ensayos), Madrid, 1975, p. 73 («argumento en el cual se
contienen todas las particularidades que ha de haber en la presente obra»).

evoca «el día —ya lejano— en que llegó a la puerta de la pensión vestido según la incierta moda de la provincia y arrastrando un baúl de madera con libros y ropas que, gracias al consejo de la bienintencionada decana, fueron progresivamente sustituidas por otras más acordes con la brillantez de su futura carrera» (pág. 115). Igualmente su presencia en la fiesta de la alta sociedad, donde su traje arrugado, su corbata y sus zapatos suscitan la atención de algunos asistentes (págs. 136-7), y en cuyo transcurso se confiesa a sí mismo la desazón y la envidia que le produce no «ser como ellos» (págs. 139-40), denota inequívocamente los sentimientos y aspiraciones de un representante de la clase media menos boyante.

Pero fuera de estas escuetas indicaciones, el perfil sicológico de Pedro no viene dado por un pasado que lo defina, sino por un hacerse de cara a un futuro. Se trata de un personaje *in fieri*, y quizás ésta sea la razón de que algunos críticos sientan perplejidad ante su presencia. Pedro, como diría Sartre hablando del hombre, «no es otra cosa que lo que él se hace» (39). Más que ningún otro personaje de *Tiempo de silencio* Pedro se autocaracteriza por su relación con respecto a un proyecto que se ha trazado como norma ideal de conducta. En la medida en que se aproxima o se aleja del objetivo trazado es posible recomponer su personalidad.

En efecto, si se nos pidiera un rápido esbozo de la sicología de Pedro no sería difícil enunciar algunas cualidades básicas: intelectualismo, indecisión, falta de lucidez, inconsecuencia...

---

(39) Cfr. *L'existentialisme est un humanisme*, Paris, 1968, p. 22. Y ya que citamos al padre de la filosofía y la literatura existencialista, no estará de más recoger una opinión de Simone de Beauvoir, defendiendo la idea de que la visión metafísica del hombre cristalice en un acabado perfil novelesco: «No es una casualidad que el pensamiento existencialista intente expresarse hoy en día tanto por los tratados teóricos como por medio de ficciones: es que constituye un esfuerzo por conciliar lo objetivo y lo subjetivo, lo absoluto y lo relativo, lo intemporal y lo histórico; pretende captar el sentido en el corazón mismo de la existencia; y si la descripción de la esencia compete a la filosofía propiamente dicha, solamente la novela permitirá evocar en su verdad completa, singular y temporal el brote original de la existencia.» Cfr. «Littérature et métaphysique», en *Les Temps Modernes*, núm. 7 (1946), pp. 1160-1. (Cito por el libro de GEMMA ROBERTS, *Temas existenciales en la novela española de postguerra*, Madrid, 1973, p. 18.)

Pero fijémonos en que tales características, sin dejar de reflejar la idiosincrasia de un personaje concreto, expresan sobre todo su actitud con respecto hacia el norte de conducta previsto. No se sabe con qué intensidad trabaja Pedro, cuál es su nivel de inteligencia, qué grado de felicidad le proporciona el estudio. En cambio resulta claro que no es lo suficientemente clarividente como para apartar de sí los obstáculos que se oponen a la plena realización de su vocación. Tampoco se sabe al detalle qué sentimientos experimenta Pedro al lado de Dorita, y cómo están condicionados por el miedo a la soledad o los impulsos eróticos. Pero de sus lances amorosos se obtiene claramente la impresión de que estamos ante una voluntad débil, incapaz de rechazar fáciles tentaciones, que son incompatibles con los ambiciosos proyectos inicialmente concebidos. Deliberadamente se deja en la oscuridad el motivo que empuja a Pedro a realizar la absurda intervención quirúrgica, pero en cambio resulta evidente el atolondramiento de sus actos, propio de un hombre poco enérgico que no es capaz de contradecir a los demás.

Se explica así que en ciertos pasajes importantes de la novela se omita una presentación de los sentimientos del personaje y que, en su lugar, se muestre su actuación, o mejor, su no actuación, su pasividad. Cuando el policía de ojos verdedorados arranca, con hábiles sofismas e insinuaciones de violencia, una declaración de culpabilidad a Pedro, llama la atención la resignación con que éste acepta los hechos y la manera en que se engaña a sí mismo:

> Pedro oía estas palabras con interno asentimiento. Efectivamente, así habían ocurrido las cosas. No tenía ningún objeto empezar a gritar que no, que no, como un niño que rechaza su castigo (pág. 199).

También es muy significativa la escasez de alusiones a la interioridad de Pedro una vez que ha sido expulsado del centro de investigaciones. Fuera de algunas referencias a su tristeza, lo que más destaca en ese pasaje (págs. 208-13) es la pasividad con que el protagonista acepta los hechos, su falta de rebeldía, su timidez ante el director, su incapacidad de oponer argumentos que demuestren su inocencia y su valía científica. Me parece no poco significativo que la conversación entre el director y Pedro sea en realidad un soliloquio, pues sólo el primero habla, aunque de sus palabras se deduce que se dirige a su mudo y acobardado interlocutor (40).

Es decir, la personalidad de Pedro es la resultante de unos rasgos que se obtienen de una implícita y permanente comparación entre lo que hace y lo que se ha propuesto. Y es precisamente esa tensión, esa dificultad de actualizar un proyecto, lo que lo define y lo que el autor trata de mostrar. La narración nunca se remonta al pasado, sino que parte de ese momento presente en que el protagonista intenta definirse ante sí y ante el mundo. Recoge un presente en su proyección hacia el futuro. El presente es lo que Pedro hace, tal como diluirse en actividades sin sentido (las charlas nocturnas en la pensión, la tertulia del café, la borrachera) o dejarse atrapar por situaciones que le alejan de sus objetivos (el noviazgo con Dorita). El futuro es lo que el protagonista tiene que hacer: cumplir su programa científico y mantenerse, en cuanto intelectual, a una altura digna con respecto a la sociedad y el momento histórico en que vive. El contraste entre el deber y el ser, entre las realizaciones presentes y los proyectos del futuro, es la mejor imagen de la sicología de Pedro.

De este modo resulta evidente que lo que el autor muestra es, sobre todo, la libertad de Pedro en cuanto principio dinámico de su existencia, que le obliga a tomar posición en el mundo y ante sí mismo. En cierto modo esta visión del protagonista es filosófica. Dada la amplitud de sus planteamientos, pudiera llevar a la abstracción, es decir, a que el autor repre-

---

(40) Pero, paradójicamente, este mismo episodio subraya otra idea: la dictatorial omnipotencia del director que, en cuanto elemento de la autoridad en un país organizado jerárquicamente, tiene una ilimitada capacidad no sólo de decidir, sino de mostrarse arbitrario. Se manifiesta aquí una de las muchas ambigüedades presentes en *Tiempo de silencio*, que consiste en manifestar a la vez dos ideas contrarias: la capacidad del individuo y el aplastante peso de los condicionamientos sociales, contra los que nada se puede. Era muy complejo el pensamiento de Martín-Santos, incapaz de profesar tanto un ingenuo idealismo como un chato materialismo. Ni podía creer a ciegas en la voluntad del hombre ni podía admitir que el individuo está determinado por la sociedad en que vive. Por esta razón el autor tiende casi siempre a presentar simultáneamente los dos términos de la oposición, mostrando así la complejidad del problema. Como veremos, de esta antinomia nació *Tiempo de silencio*.

sentara a una encarnación del Hombre en cuanto entidad universal. Este peligro se subsana y se evita en la medida en que esa libertad se encamina (bien o mal) hacia un objetivo concreto, experimenta tales y cuales derrotas y se actualiza en determinadas circunstancias. Pedro es, entonces, su libertad dentro de una situación concreta, del mismo modo que otros personajes son otras libertades en otras situaciones.

Naturalmente, este planteamiento del protagonista tiene mucho de filosófico y poco de sicológico al modo decimonónico. Pero que Martín-Santos no haya hecho un retrato sicológico a la usanza realista del siglo anterior no quiere decir que no haya concebido a su protagonista con dimensión sicológica. Simplemente ha seguido una técnica distinta, que si en unos aspectos recuerda a las novelas de Sartre y Camus, en otras trae a la memoria la de la obra magna de Cervantes. Se nos excusará un breve inciso sobre este punto.

Creo que sin discusión podríamos localizar en *La regenta* la mejor muestra de la novela sicológica en la España del siglo XIX. ¿Cuál es la técnica de caracterización seguida? Muy compleja... dentro de un sencillo principio: la acumulación de datos en torno a los personajes. Datos de todo tipo, que abarcan los diversos niveles de la naturaleza humana: el pasado familiar, los traumas y fijaciones de la infancia, los viejos anhelos no realizados, los impulsos sexuales, el aburrimiento en una ciudad de provincias, la modelación del carácter por la profesión, la constitución física, la pérdida de la fe, la presión de una sociedad conflictiva en un momento histórico crítico... Y así sucesivamente. ¿Quién es Ana Ozores o Alvaro Mesía o el Magistral? Pues una suma, artísticamente perfecta, de todas esas circunstancias.

Por el contrario, la técnica caracterizadora que vemos en el *Quijote* parte de una voluntad que se despliega por sí sola, abriéndose camino entre las asperezas de la realidad. El personaje se define esencialmente por sus actos y sus palabras, no tanto por ese acopio de informaciones que proporciona el narrador. En cierto modo, don Quijote y Sancho están hechos desde el primer instante y sus actos son como una demostración de la complejidad contenida en sus caracteres. La técnica novelesca cervantina se basa en una comprensión inicial del personaje, en tanto que en Clarín sólo se llega a ella tras un largo recorrido. No en vano, en su intento de renovar el género

4

narrativo, Clarín reaccionaba contra aspectos de la construcción novelesca que podríamos denominar cervantinos (41).

La sinopsis es algo esquemática pero suficiente para nuestros actuales propósitos. Entre esos dos polos novelescos extremos, que podríamos llamar el cervantino y el clariniano, me parece evidente que Martín-Santos se inclinó mucho más hacia el primero que hacia el segundo. Y a la vez que retrocedía en el tiempo para establecer algunos puntos de contacto con Cervantes, se acercaba, en otros aspectos, a la técnica caracterizadora de las modernas novelas existencialistas.

Con razón se ha hablado del carácter existencialista de Pedro (42) a causa de su parecido con otros héroes modernos. Pero las semejanzas no deben ser apuradas excesivamente, en buena parte porque el protagonista de *Tiempo de silencio* no

---

(41) Clarín fue sin duda el contemporáneo de Galdós que mejor entendió sus novelas, como lo demuestran las páginas dedicadas a su análisis, en donde la admiración hacia el gran maestro se complementa con un profundo estudio de crítica literaria. Pero la penetración de Alas fue más allá del texto y planteó problemas de dimensión literaria muy amplia. Hay, sobre todo, algunos comentarios respecto a la técnica galdosiana de enorme interés, pues en ellos se observa que Clarín propugnaba un nuevo tipo de novela, la naturalista, como medio de contrarrestar lo que podríamos considerar elementos cervantinos en Galdós. En concreto, Clarín pedía tres innovaciones narrativas esenciales: 1.ª más atención a la interioridad del personaje y menos a sus actos y comportamiento; 2.ª que se disminuyese la importancia del diálogo y que se acrecentase la del monólogo y la del estilo indirecto libre; 3.ª que se reflejasen con más detalle los condicionamientos externos del hombre en lugar de concebirlo con tanta libertad. (Cfr. GALDÓS, *Obras completas*, I, Madrid, Renacimiento, 1912, p. 286, pp. 289-9, p. 103 y p. 290.) Como se ve, Clarín se oponía a tres características básicas del arte cervantino: 1.ª la descripción del comportamiento; 2.ª el predominio del diálogo; 3.ª la concepción del individuo como un ser con amplias posibilidades de despliegue personal. Por eso pienso que, en lo que a la caracterización de personajes se refiere, Martín-Santos estaba más cerca de Cervantes y Galdós que de Alas.

(42) Lo hace así Gemma Roberts. Véase *op. cit.*, pp. 152-4. Sherman Eoff y José Schraibman trazan un paralelismo, no del todo convincente, entre los protagonistas de *L'étranger* y *Tiempo de silencio* en «Dos novelas del absurdo: *L'étranger* y *Tiempo de silencio*», en *Papeles de Son Armadans*, LVI (1970), pp. 213-41. Algunas ideas parecidas se encuentran en el trabajo de JOSÉ SCHRAIBMAN «Notas sobre la novela española contemporánea», en *Revista Hispánica Moderna*, XXXV (1969), pp. 119.

tiene la misma función que figuras tan célebres como Roquentin o Meursault, por citar a los más caracterizados protagonistas de la novela existencial europea.

Por de pronto, los dos protagonistas franceses son narradores de sus vidas. Meursault, en *L'étranger,* va deteniéndose, en la primera parte de la novela, en aspectos de la vida cotidiana, señalando el tedio de la existencia y la abulia de su carácter. En la segunda, refiere retrospectivamente ciertos acontecimientos destacados, centrándose siempre en detalles concretos y manifestando la misma abulia sentimental. También Roquentin, al referir con parsimonia los pequeños acontecimientos y las angustiosas sensaciones de cada día, va expresando, implícitamente unas veces, explícitamente otras, la vanidad de su vida y de la existencia en general. Salvando las importantes diferencias que existen entre *L'étranger* y *La nausée,* algo hay en común. La narración en primera persona tiene como objetivo recoger dos ideas básicas: que la existencia se limita a un presente inmediato y sin significación, y que de su vivencia sólo se extrae en un caso la sensación del absurdo y en otro el sentimiento de la náusea.

El personaje existencial de *Tiempo de silencio* se aleja en bastantes aspectos de esos modelos. Por de pronto no vive apegado al presente, ya que su vida está concebida en función de un futuro. No narra él la novela, pero cuando se expresa a través de sus soliloquios vemos qué diferentes son de los de Meursault y Roquentin. El soliloquio inicial de Pedro muestra su preocupación ante las dificultades de la investigación en España así como la imposibilidad de alcanzar algún día el premio Nobel. No es posible mayor proyección hacia el mañana. Del mismo modo, cuando este personaje, al final de la novela, abandona Madrid, lamenta el final de sus aspiraciones, el triste porvenir que le espera y el hecho de vivir en una sociedad donde «la idea de lo que es futuro se ha perdido hace tres siglos y medio» (pág. 236). Es decir, que Pedro es un ser dinámico, que percibe y vive la existencia en términos de proyectos, fracasos, futuro y retrocesos. Todo lo contrario de sus lejanos, aunque posibles, precedentes franceses (43).

_____

(43) Ante este delicado tema de las semejanzas y los precedentes bueno será recordar la distinción de Claudio Guillén entre *paralelismos* (coincidencias textuales) e *influencias* (incitaciones que

Hay, además, otro aspecto importante en que Pedro muestra peculiaridades propias dentro de la galería existencial europea. Me refiero aquí a su sólido enraizamiento en una situación histórica y nacional concreta, cuyas deficiencias sufre y frente a la cual tiene que efectuar sus elecciones. Compárese este fragmento en el que Roquentin se complace ante su inanidad:

> Soy feliz, este frío es tan puro, tan pura la noche; ¿no soy yo mismo una onda de aire helado? No tener ni sangre, ni linfa, ni carne. Deslizarse por este largo canal hacia aquella palidez. Ser sólo frío (44).

con este otro en el que Pedro se autoengaña fingiendo satisfacción ante su triste situación:

> Es cómodo ser eunuco, es tranquilo, estar desprovisto de testículos, es agradable a pesar de estar castrado tomar el aire y el sol mientras uno se amojama en silencio (pág. 238).

---

entran a formar parte de la experiencia del escritor). Advirtiendo, como hace Guillén, que hay paralelismos que no suponen necesariamente una influencia e influencias que no asumen necesariamente la forma de un paralelismo. (Cfr. «The Aesthetics of Literary Influence», recogido ahora en su libro *Literature as System,* Princeton University Press, 1971, pp. 17-52.) En el caso que ahora nos ocupa, el de las semejanzas entre Pedro y otros héroes existencialistas modernos, podemos decir que hay algunos *paralelismos* no muy acusados y que la presencia de héroes novelescos existencialistas pudo servir de *influencia* en el ánimo de Martín-Santos a la hora de imaginar el protagonista de su novela.

(44) Cito por la traducción de Aurora Bernárdez, México, 1963[11], p. 48. Pueden citarse otras palabras de Roquentin que resaltan aún más sus diferencias con respecto a Pedro: «Nunca sentí como hoy la impresión de carecer de dimensiones secretas, de estar limitado a mi cuerpo, a los pensamientos ligeros que suben de él como burbujas. Construyo mis recuerdos con el presente. Estoy desechado, abandonado en el presente. En vano trato de alcanzar el pasado; no puedo escaparme» (p. 58). También es muy expresiva la frase siguiente, inconcebible en labios de Pedro: «Mi cuerpo es lo único que poseo» (p. 102).

Aparentemente ambos fragmentos expresan una parecida pasividad ante la vida. Pero esa pasividad es de distinto signo. En Roquentin es consustancial a su personalidad, expresa su manera de sentirse a sí y de sentir las cosas y las personas: como exponentes de un gran disparate. Por el contrario, Pedro expresa, no un sentimiento de náusea, sino de angustia. Y de angustia ante el hecho concreto de que la sociedad, con sus limitaciones, lo castra, lo mutila, lo reduce a un individuo más del montón. Por eso *Tiempo de silencio* está más cerca, en lo que se refiere a la configuración existencial del protagonista, de novelas como las que componen el ciclo de *Les chemins de la liberté,* especialmente *L'âge de raison* y *La mort dans l'âme,* donde se plantea claramente el problema de la libertad del hombre, bien que en términos distintos a los de *Tiempo de silencio.*

Suele decirse también que Pedro es un personaje intelectual. A decir verdad, los sintagmas novela intelectual o personaje intelectual no pasan de ser cómodos latiguillos de escaso valor descriptivo. Con todo, habría que hacer aquí algunas precisiones, ya que el protagonista de *Tiempo de silencio* difiere de los héroes habitualmente tenidos por intelectuales.

Simplifiquemos, para aclarar, los tipos básicos de personaje intelectual. Tendríamos una primera tendencia, particularmente extendida en la literatura germana, que se distingue por la presencia de personajes cuya condición intelectual viene dada no sólo por su profesión, conversaciones y actividades, sino también por su dimensión simbólica, que resume una determinada actitud intelectual o histórica. Ejemplos de esta dirección se encuentran en algunas novelas de Thomas Mann, particularmente *La montaña mágica,* con las figuras de Hans Castorp, Settembrini y Naphta (45) y, sobre todo, *Doktor Faustus,* cuya figura central, Adrián Leverkühn, tiene una muy marcada vertiente simbólica. Dentro de esta misma corriente habría que citar el personaje Demian en la novela del mismo título de Hermann Hesse y *El joven Törless,* de Musil.

Una segunda corriente vendría representada por novelas

---

(45) De Castorp dice Benito Varela Jácome que «puede personificar la perplejidad del hombre contemporáneo, simbolizar la juventud europea protagonista de la guerra de 1914». Cfr. *Renovación de la novela en el siglo XX,* Barcelona, 1967, p. 104.

cuyos protagonistas manifiestan su condición intelectual por medio de prolongadas reflexiones. Tal vez el mejor ejemplo se encuentra en dos célebres novelas de Huxley, *Point Counter Point* y *Eyeless in Gaza*, en las que Philips Quarles y Anthony Beavis exponen una intelectualizada visión del mundo a través de sus diarios. De una manera menos ostensible se encuentran otros personajes intelectuales que, de un modo u otro, establecen diversas reflexiones. Aquí habría que considerar nuevamente las novelas de Sartre, algunas obras de Pérez de Ayala, *The Portrait of the Artist as a Young Man,* de James Joyce, algunos personajes creados por Henry James y una lista tal vez larga, dada la posibilidad de incluir un elevado número de personajes con similares características.

La tercera y última de esas direcciones es la que se sirve de un personaje culto con el fin de mostrar a su través, no tanto unas reflexiones, como una visión estética de la realidad. Personaje de gran sensibilidad, que ve la realidad exterior en términos literarios, artísticos o conceptuales. En España, el ejemplo más claro lo constituye Benjamín Jarnés, con los protagonistas narradores de *El profesor inútil* y, en menor medida, de *Locura y muerte de nadie.*

Pues bien, puestos a buscar rasgos intelectuales en Pedro, habría que decir que nada tiene en común con la primera de estas tres categorías, pues carece de relieve simbólico. Tampoco admite inclusión en el tercer apartado (donde, en cambio, podría caber Matías), pues las reflexiones y percepciones de Pedro nada tienen de alardes de ingenio. Sólo cabe su admisión en la segunda categoría, aunque conviene decir que las reflexiones ensayísticas de Pedro, al modo de sus teorías acerca de Cervantes, no son numerosas. En definitiva, su condición intelectual viene dada por su actitud ante la vida, el tipo de proyectos que alberga y, sobre todo, por la índole de los problemas, verdaderamente intelectuales, que su conducta suscita.

* * *

Conviene no prolongar más estas consideraciones sobre los personajes, habida cuenta además de que habrá que volver con más insistencia sobre algún que otro problema aquí sugerido. Todos nuestros razonamientos iban dirigidos a un punto esencial: que Martín-Santos configuró a sus personajes como seres perfectamente individualizados, pese a la brevedad de los retratos. Esa individualización no se obtiene por medio de una acumulación de características individuales, sino imaginando al personaje desde dentro, en el despliegue de su libertad, y demostrando acto seguido que cada personaje, por sus actos, sus palabras y por la distinta manera en que era captado por los demás, disponía de un foco irreductible de imprevista autodeterminación. Esta afirmación de la libertad del hombre y de la autonomía de cada individuo es esencial para comprender el sentido último de la novela.

Tal vez chocará a más de uno la atención dedicada a un problema aparentemente inexistente como es el de la caracterización de los personajes de *Tiempo de silencio,* los cuales, para la mayoría de los críticos, son figuras borrosas y poco interesantes. Ha sido necesaria una superación del tenor literal del texto para entender la complejidad sicológica y filosófica de esos caracteres. La empresa, indudablemente, puede prestarse a discusiones. Pero lo que aquí se plantearía entonces sería no sólo una diferencia de criterios, sino el problema metodológico por excelencia de las ciencias del espíritu. Se me permitirá traer aquí unas palabras que la llorada María Rosa Lida de Malkiel formuló ante un dilema similar:

> En la interpretación de una obra literaria ¿es legítimo postular circunstancias no expresadas en el texto? Si el investigador pierde de vista los materiales (aquí, el texto literario), la interpretación resultante es puro juego de fantasía; si el investigador se ciñe a sus materiales hasta el punto de no agregar nada que éstos no ofrezcan expresamente, se limita por fuerza a la reproducción literal de los materiales mismos. La historia y la crítica literaria exigen la interpretación de sus datos, interpretación que debe tomarlos en cuenta, pero debe revelar su sentido y conjeturar las relaciones que los datos en sí no brindan. En ese difícil equilibrio entre la observación de los hechos y la apreciación de su sentido y relaciones está, cabalmente, la grandeza —y el peligro— de las ciencias del espíritu (46).

---

(46) *La originalidad artística de «La Celestina»,* p. 286.

1.3. *Las descripciones.*

Donde quizás brilla más alta la originalidad estilística de Martín-Santos es en las descripciones de ambientes humanos y de escenarios físicos. Sin duda alguna, el autor puso gran atención en las descripciones, expresivas tanto de sus preocupaciones intelectuales como de su gusto por el ingenio lingüístico. Tampoco cabe duda de que las descripciones constituyen un aspecto importante de *Tiempo de silencio,* y que el desarrollo de la acción es en parte —aunque no totalmente, según luego veremos— un hilo conductor que va enlazando los diferentes ambientes descritos (47).

Suele considerarse característico de *Tiempo de silencio* la presentación de una realidad conocida desde una perspectiva inédita (48). La afirmación es cierta, pero conviene matizarla en varias direcciones, sobre todo en lo referente a las consecuencias que supone contemplar un hecho conocido desde un ángulo visual nuevo. Como sostenía Ortega, la perspectiva es también uno de los componentes de la realidad (49), y bien pudiera suceder, en el caso de las descripciones de *Tiempo de silencio,* que los objetos cotidianos se transformaran radicalmente al estar sometidos a un prisma distinto.

Lo que podríamos denominar la perspectiva inédita de la realidad produce en unos casos efectos más radicales que en otros. Cuando se describe el burdel de doña Luisa como si fuera un hormiguero (pág. 147), o un café literario como una playa de bañistas impúdicos (págs. 65-6) o las dependencias de la Dirección General de Seguridad como un voraz aparato digestivo (págs. 170-1), el lector nunca pierde de vista la realidad a la que se alude, por muy grande que sea la sorpresa que experimenta al percibir de un modo inesperado un mundo de contornos bien conocidos. El efecto sorprendente se produce

---

(47) Por eso no es plenamente aceptable la opinión de Gil Casado cuando afirma que «el verdadero propósito de la novela es mostrar la sociedad madrileña en sus diferentes estratos». Cfr. *op. cit.,* p. 277.

(48) Véanse las reflexiones que hace Ramón Buckley a este particular; *op. cit.,* pp. 195 y ss.

(49) Cfr. *Obras completas,* III, Madrid, 1947, p. 199.

al enfocarse una realidad familiar desde un ángulo inédito, y el narrador se complace en hacer notar la discordancia que provoca su original enfoque.

Pero hay otras descripciones en las que el lector no sabe bien qué realidad se le quiere mostrar. Sería impropio en tales casos decir que la nueva perspectiva distorsiona las cosas de tal manera que llegan a hacerse irreconocibles. Lo que sucede es, más bien, que el narrador, so pretexto de hablar de una realidad cualquiera, menciona otras, que son las que verdaderamente describe. Es decir, que de un objeto más o menos material y perceptible se da un salto a otras realidades menos tangibles, que guardan cierta relación de contigüidad con aquél. Ejemplos de esta segunda actitud son las descripciones de Madrid (páginas 13-7) y un teatro popular (págs. 219-225), entre otros casos menos importantes, en las que el narrador utiliza tanto la ciudad como el teatro a modo de trampolines que le permiten trazar una especie de mapa intelectual y moral de la sociedad española.

Para evitar un laberinto de detalles, dividiremos en dos grandes categorías las descripciones de *Tiempo de silencio:* descripciones que, partiendo de un nivel cualquiera de la realidad se remontan a otros más amplios; y descripciones que se quedan en la realidad inicial, aunque sometiéndola a enfoques y distorsiones sorprendentes. En las primeras domina una técnica esencialmente metonímica, en las segundas metafórica (50). Aquéllas pretenden situar la realidad aludida dentro

---

(50) Al hablar de técnica metafórica o metonímica está claro que no lo hago en los términos de la antigua retórica, sino en la muy amplia acepción que Jakobson da a lo que denomina «les pôles métaphorique et métonymique», en cuanto direcciones fundamentales que puede asumir el lenguaje. La distinción de Jakobson es útil en la medida en que prescinde de un análisis pormenorizado del lenguaje literario y atiende a sus líneas esenciales. Pero hay que decir que las ideas expuestas en su célebre artículo «Deux aspects du langage et deux types d'aphasie» (recogido en el libro *Essais de linguistique générale*, Paris, 1963, pp. 43-67) son bastante imprecisas, pues Jakobson se refiere unas veces a palabras y otras a porciones más amplias de lenguaje, de tal manera que cabría decir que en ocasiones hace un uso metafórico de la metáfora y la metonimia. (Contrástense las pp. 61-2 con 66-7.) Un trabajo reciente de MICHEL LE GUERN, *Sémantique de la métaphore et de la*

de una cosmovisión más amplia, éstas se limitan a hacer llamativo y original lo que en la vida diaria es vulgar. En ambos casos Martín-Santos pretende someter una realidad bien conocida del lector a una perspectiva original, pero esa originalidad no es siempre de la misma índole, y, sobre todo, no produce los mismos resultados. Tras esta indicación podemos empezar el estudio en concreto de las descripciones.

Comenzaremos por las que hemos denominado de técnica metonímica. Un caso notorio de deslizamiento de un plano de la realidad a otro lo constituye la descripción de Madrid, que se encuentra al comienzo de la novela (páginas 13-17). Aunque el narrador utiliza siempre el plural «ciudades», las cualidades que enumera se refieren indudablemente a la capital de España. El interés de este largo fragmento que ahora comentaremos estriba en las distintas maneras de aludir a esta ciudad, que es descrita bajo aspectos muy variados.

De las 35 frases que componen esta descripción, las tres primeras son algo genéricas, y no adquieren pleno sentido hasta la lectura total del fragmento. Se nos habla de ciudades: **1,** «tan descalabadas, **2,** tan faltas de sustancia histórica,

---

métonymie, Paris, Larousse, 1972, que parece inspirado en las ideas básicas de Jakobson, no resuelve el problema.

El gran mérito de la teoría de Jakobson estriba en las sugerencias que suscita, no tanto en su capacidad de resolver este o aquel problema específico, que siempre quedará a la intuición del crítico. Por esta razón he decidido adoptar muy libremente la dicotomía trazada por Jakobson y adecuarla a la naturaleza de la prosa en *Tiempo de silencio*. También es muy atractivo el trabajo de ROMAN JAKOBSON titulado «Notes marginales sur la prose du poète Pasternak» (recogido ahora en *Questions de poétique*, pp. 127-44), que es sustancialmente un análisis de la metonimia y de cómo las asociaciones por contigüidad transforman las relaciones espaciales y temporales de la realidad. Así, inspirado en esta o aquella idea, trato de analizar las descripciones de *Tiempo de silencio* mostrando, justamente, la superación espacial y temporal de la realidad madrileña.

Problema aparte, en el que no podemos entrar ahora, es el que ha planteado Genette al lamentar la creciente tendencia a reducir la retórica limitándola a dos o tres figuras. Cfr. *Figures*, III, pp. 21-40. Sin duda la dicotomía metáfora-metonimia es, como toda simplificación, excesiva; pero, como genial simplificación, ayuda a ver problemas que de acuerdo con la retórica clásica sería temerario afrontar.

3, tan traídas y llevadas por gobernantes arbitrarios». Son cualidades aplicables a Madrid y están enunciadas con cierta indeterminación, pues podrían referirse también a otras ciudades. Parece como si el narrador, con estos primeros juicios, quisiera ir preparando al lector para una descripción de Madrid en términos infrecuentes, en donde la alusión histórica e intelectual va a ser la nota dominante.

Las seis frases siguientes ganan en concreción: **4**, «tan caprichosamente edificadas en desiertos, **5**, tan parcamente pobladas por una continuidad aprehensible de familias, **6**, tan lejanas de un mar o de un río, **7**, tan ostentosas en el reparto de su menguada pobreza, **8**, tan favorecidas por un cielo espléndido que hace olvidar casi todos sus defectos, **9**, tan ingenuamente contentas de sí mismas al modo de las mozas quinceñas». En rigor, la precisión la dan las frases **4**, **6** y **8**, pues son indicaciones geográficas fácilmente verificables. La característica **5** sugiere la falta de personalidad de una ciudad que ha ido creciendo no según un desarrollo armónico, sino en virtud de un amontonamiento progresivo de gente. Es, si se desea, una opinión debatible (aunque la prensa diaria la confirmaría sin vacilación), pero en el contexto en que se encuentra describe bien a Madrid. Otro tanto puede decirse de **9**, que es una personificación comparativa que resalta el espíritu de la ciudad. Análogas consideraciones habría que hacer con respecto a **7**, que es tal vez la cualidad menos comprobable de todas las hasta ahora enunciadas.

Detengámonos un momento a reconsiderar los ejemplos citados. Todos ellos se refieren de manera bastante inequívoca a la capital de España, es cierto, pero no son de la misma naturaleza. Hay descripciones de carácter histórico, junto con otras de naturaleza geográfica y unas terceras de índole caracterológica. El autor las alterna, de tal manera que describe oscilando entre diversos grados de concreción. Pero, aunque unas son más objetivas que otras, todas ellas aluden a Madrid y sólo a Madrid. No llevan implícita una referencia a realidades extramadrileñas.

Esto último se produce a partir de la frase siguiente. En este momento la descripción cobra otro giro, y el sustantivo «ciudades» se carga de un nuevo significado, pues a partir de ahora, en virtud de una rica polisemia, va a aludir a algo más que Madrid:

(10) tan globalmente adquiridas para el prestigio de una dinastía,

(11) tan dotadas de tesoros —por otra parte— que puedan ser olvidados los no realizados a su tiempo,

(12) tan proyectadas sin pasión pero con concupiscencia hacia el futuro,

(13) tan desasidas de una auténtica nobleza,

(14) tan pobladas de un pueblo achulapado,

(15) tan heroicas en ocasiones sin que se sepa a ciencia cierta por qué sino de un modo elemental y físico como el del campesino joven que de un salto cruza el río,

(16) tan embriagadas de sí mismas aunque en verdad el licor de que están ahitas no tenga nada de embriagador,

(17) tan insospechadamente en otro tiempo prepotentes sobre capitales extranjeras dotadas de dos catedrales y varias colegiatas mayores y de varios palacios encantados...

(18) tan incapaces para hablar su idioma con la recta entonación llana que le dan los pueblos situados hacia el norte a doscientos kilómetros de ella,

(19) tan sorprendidas por la llegada de un oro que puede convertirse en piedra pero que tal vez se convierta en carrozas y troncos de caballos con gualdrapas doradas sobre fondo negro,

(20) tan carentes de una auténtica judería,

(21) tan llenas de hombres serios cuando son importantes y simpáticos, cuando no son importantes,

(22) tan vueltas de espalda a toda naturaleza —por lo menos hasta que en otro sitio se inventaron el tren eléctrico y la telesilla—,

(23) tan agitadas por tribunales eclesiásticos con relajación al brazo secular,

(24) tan poco visitadas por individuos auténticos de la raza nórdica,

En estos quince fragmentos descriptivos puede apreciarse también una alternancia entre dos tipos básicos de juicios: unos fácilmente verificables y otros que no lo son, o que lo son en menor medida. Los primeros indican hechos históricos comprobados. Tenemos así que Madrid, erigida un poco arbitrariamente en capital, es el centro de irradiación del imperio bajo Felipe II, **10**. Es igualmente cierto que la nobleza que se agrupa en torno a la corte es más cortesana que otra cosa y, además (y quizá fue éste el sentido perseguido por el autor), carece de auténtico liderazgo intelectual, **13**. El levantamiento popular y espontáneo del 2 de mayo justifica la comparación con el campesino que cruza el río, **15**. Es innegable el dominio que el gobierno de Madrid ejerció sobre otras capitales europeas, principalmente en Italia y en Flandes, **17**. No hay ninguna duda de que la llegada del oro de Indias no modificó la situación económica de España, **19**, dado que desde la expulsión de los judíos, **20**, existía una mentalidad hostil a las actividades mercantiles, y en relación con aquella expulsión existe la Inquisición, **23**.

Las restantes indicaciones no son tan precisas. No lo es la alusión a los tesoros no realizados, **11**, y algo ambigua en cuanto a su intención es la relativa a la diferente pronunciación madrileña, **18**. Por el contrario, resultan muy sugestivas las críticas acerca de los moradores y su idiosincrasia. La idea de que existe una masa lanzada hacia el futuro más por instinto que por objetivos racionales, **12**, la condición achulapada de las gentes, **14**, la ingenua autocomplacencia, **16**, la vana petulancia de los poderosos y la superficial simpatía de los que no lo son **21**, describen fielmente esa ramplonería que, de manera vaga pero real, se observa en el carácter español, y sobre todo en el madrileño (51). Finalmente, quedan las alusiones al poco interés que ha existido entre los españoles hacia la naturaleza, hasta que la explotación comercial la puso superficialmente de moda, **22**. En cuanto a la falta de visitantes de los países nórdicos parece indicar la incomunicación de España

---

(51) Juan Goytisolo, otra voz crítica de la España actual, examina algunas características de la idiosincrasia española en su libro *El furgón de cola*, París, 1967, pp. 20, 169-81, y otras notas dispersas a lo largo del libro.

con la cultura europea, especialmente en los años de la última postguerra, **24**.

Pues bien, las descripciones **10**, **13**, **15**, **17**, **19**, **20**, **23** y **24** aluden a hitos de la historia de España, no simplemente a Madrid, cuyos límites superan. Estas alusiones nos llevan a una visión resumida de la historia patria. A diferencia de las precisiones geográficas que veíamos en **4**, **6** y **8**, estas otras nos alejan del plano inmediato para ofrecer una realidad más extensa y compleja. En cuanto a las frases **12**, **14**, **16**, **18** y **22**, que también superan los límites geográficos de Madrid, aluden a sus habitantes, aunque en unos términos amplios que parecen reflejar características poco estimables del hombre español. Se observará también que las referencias históricas y las que van dirigidas a los habitantes alternan en sucesión casi simétrica, lo que indica que el narrador iba presentando alternativamente dos planos diferentes de la realidad, el del país y el de los españoles, dejando en la oscuridad el plano inicial: Madrid.

La descripción de Madrid se cierra con alusiones a otro nivel:

(25) tan abundantes de torpes teólogos y faltas de excelentes místicos.

(26) tan llenas de tonadilleras y (a) de autores de comedias de costumbres, (b) de comedias de enredo, (c) de comedias de capa y espada, (d) de comedias de café, (e) de comedias de punto de honor, (f) de comedias de linda tapada, (g) de comedias de bajo coturno, (h) de comedias de salón francés, (i) de comedias del café no de comedia dell'arte.

(27) tan abufaradas de autobuses de dos pisos que echan humo negro, cuanto más negro mejor, sobre aceras donde va la gente con gabardina los días de sol frío.

La mayoría de los rasgos enumerados ahora van referidos a la vida literaria de la nación, particularmente a la actividad teatral. En la medida en que dicha actividad tiene lugar en Madrid, describen la ciudad. Pero, como manifestaciones culturales que son, representan mejor que otra cosa la cultura española a lo largo de varios siglos. La frase **21** alude a los muchos místicos y teólogos de tercera fila que existieron al lado de las grandes figuras no madrileñas. En cuanto a todas las demás alusiones contenidas en **26**, recogen la evolución del teatro español desde el barroco hasta finales del siglo xix.

Me parece muy importante la referencia a los autobuses y el humo negro que lanzan, **27**. Es la alusión más concreta que se encuentra en toda la descripción, la más trivial, la más cercana a la experiencia sensible. Muy significativamente se encuentra al final de las 26 oraciones anteriores; después de que el autor, partiendo de la realidad madrileña, se ha elevado a una panorámica general de carácter cultural e histórico, desciende bruscamente a las calles y aceras de Madrid. Ahora no cabe duda de que se está refiriendo en concreto a la ciudad, después de haber hablado de conceptos más generales. La descripción, de este modo, muestra claramente que alude a dos realidades, Madrid y España, y la frase **27**, después de tantas referencias dirigidas a la historia y la literatura, es como una llamada de atención hacia el plano inmediato de la realidad.

El autor juega con la contigüidad que existe entre los conceptos de Madrid como ciudad, como centro de poder político, como escenario de acontecimientos históricos y culturales y como sede real o figurada de unos habitantes (madrileños y españoles, respectivamente). El permanente tránsito entre los diferentes niveles es lo que otorga a la descripción su riqueza de significados. En unos casos el fragmento se ciñe a los límites materiales y conceptuales de la ciudad, mientras que en otros se remonta a un panorama más amplio. Consigue de este modo el autor, sin perder concreción ni riqueza de detalles, elevarse a una perspectiva intelectual más ambiciosa, que le permite ofrecer un panorama crítico de la historia de España y de los fuertes condicionamientos que pesan sobre el hombre español en general y sobre el protagonista Pedro en particular.

Sería muy pobre artísticamente alcanzar esas conclusiones por medio de una simple reflexión ensayística, ya que no sólo romperían el ritmo narrativo de *Tiempo de silencio,* sino que introducirían una dimensión abstracta y científica poco acorde con el carácter individual y concreto que se espera de la obra de arte. Y aquí surge la paradoja. Una buena descripción novelística, a diferencia de una digresión histórica, tiene que basarse en datos concretos, en observaciones tomadas de la realidad inmediata, no en simples conceptos generales. Pero, a la inversa, una descripción novelística intelectualmente ambiciosa ha de superar la escueta enumeración costumbrista o fotográfica. Se plantea así un dilema que, bien mirado, no es sino la disyuntiva con que se tropieza todo arte, especialmente el literario: ligar lo particular y lo general, trascender lo trivial e individualizar artísticamente lo abstracto. O, como diría Wimsatt (52), lograr un concreto universal. Y eso es lo que consigue Martín-Santos en esta descripción de Madrid: ligar una realidad concreta (una ciudad en su dimensión física y cotidiana) con otra más abstracta (las vicisitudes de la historia de España y la conformación del carácter español).

Esta larga descripción, caracterizada por la repetición de «tan», no es, gramaticalmente hablando, más que un inciso explicativo con respecto a una oración principal, cuyo sujeto se encuentra en la página 13 y cuyo verbo y complemento están en la 15: «Hay ciudades... que no tienen catedral». Esta frase tiene el mismo carácter metonímico que el inciso, pues es aplicable tanto a Madrid en cuanto ciudad como a España en cuanto nación ajena a ciertas manifestaciones de la cultura europea (aunque tenga muchas y bellas catedrales en todos los estilos conocidos en Europa). De tal modo que el juicio «hay ciudades que no tienen catedral» equivale también a algo así como «España no marcha a la altura de la civilización europea» (53).

Como se ha podido comprobar, no todas las imágenes que hay en el fragmento comentado son metonimias, o, por lo menos, sinécdoques. Hay también metáforas, comparaciones, símbolos y personificaciones, y en mayor número que aquéllas. Ciertamente no carece de interés un estudio particularizado de todas esas figuras, pero es dudoso que así se llegase a alcanzar una visión de conjunto. También aquí Wimsatt puede proporcionarnos alguna sugerencia útil. Afirma este crítico que en ocasiones el mérito de una obra literaria depende de la presen-

---

(52) En *The Verbal Icon*, University of Kentucky Press, 1954, pp. 69-83.

(53) Me limito a analizar el mecanismo literario que hace posibles éstos y parecidos juicios, sin entrar en la discusión de su mayor o menor exactitud historiográfica.

cia de diversos rasgos unificados bajo un principio común. Uno de los ejemplos que cita Wimsatt es el del personaje literario cuyos rasgos variados y complejos están sólidamente trabados entre sí (54). Ese personaje, gracias a esa trabazón, adquiere superioridad artística sobre aquellos otros que no la ofrecen.

Pues bien, aprovechando para nuestros propósitos esa idea de Wimsatt podríamos decir que el interés de la descripción que hemos comentado estriba, más que en la variedad de imágenes y recursos, en la supeditación de todos ellos a una idea o imagen central. Lo esencial, y lo unificador en el fragmento citado, es la polivalencia del vocablo «ciudades». Por esta razón resulta tan fructífero acudir a la idea de Jakobson acerca de la orientación metonímica del lenguaje, pues es una eficaz manera de explicar esas relaciones de contigüidad que se dan entre varios conceptos, próximos pero distintos.

Tenemos, pues, una descripción de Madrid, sí, pero Madrid como encarnación de una sociedad burocrática, arbitrariamente erigida en capital, carente de riquezas naturales que justifiquen su primacía nacional, vuelta de espaldas a una sana actividad económica que da sus mejores frutos a lo largo y ancho de Europa. En fin, Madrid como símbolo de una sociedad que a mediados del siglo XVII había iniciado una fuerte decadencia, cuyos efectos se dejan sentir hoy en día. Como tendremos ocasión de ver en el capítulo II, ésta es la España que Martín-Santos tiene presente a lo largo de la novela. Es este un Madrid muy original, distinto del que se ofrece a una mirada cotidiana, distinto del que llevaron a sus novelas Galdós, Baroja, Gómez de la Serna o Cela. La perspectiva de Martín-Santos es inédita, tiene como resultado un Madrid sorprendente. Pero la técnica metonímica busca, más que convertir en llamativa una realidad anodina, descubrir otras más lejanas, ligadas a aquélla por ocultos lazos que el autor pretende poner de manifiesto.

El uso de esta técnica que hemos llamado metonímica permite satisfacer en pocas líneas distintas necesidades narrativas. Como decíamos, el fragmento analizado tiene lugar al comienzo de la novela, después del monólogo inicial de Pedro. Presentado el personaje, viene a continuación su circunstancia.

---

(54) Cfr. *ibíd.*, pp. 77-9.

5

Y el autor presenta tanto la circunstancia geográfico-material que le rodea, la ciudad de Madrid, como la histórico-nacional, que influye de un modo más profundo y sutil en su vida. Por eso, las largas enumeraciones metonímicas permiten mostrar tanto una realidad como otra, dando de este modo, en poco espacio y con gran intensidad, una panorámica muy completa de los factores que, desde el exterior, inciden en la vida del protagonista. El autor trasciende el detalle concreto e inmediato y se eleva a una comprensión intelectual de las circunstancias. Y la técnica de proyección metonímica es el eficaz medio de que se sirve Martín-Santos para elevarse a la contemplación de amplios fenómenos culturales e históricos.

No es casual que el narrador comience hablando de ciudades y no de países o individuos. Cómodamente puede pasar de un nivel a otro, con lo que posibilita una mayor riqueza de significados y alusiones. En las citas anteriores se ha visto con cuánta flexibilidad oscila el relato entre la presentación de una ciudad concreta y la de una sociedad en su evolución histórica, sin olvidar las alusiones a los habitantes. En definitiva, este continuo tránsito entre tres realidades, país-ciudad-hombre —que están contenidas en el sintagma «ciudades»— no es más que una formulación metonímica de una idea básica: sobre el ser humano operan múltiples condicionamientos, y sobre el hombre español específicas circunstancias históricas y sociales de gran peso. Tal idea la resume bien un párrafo que recoge todas las ideas expresadas anteriormente:

> De este modo podremos llegar a comprender que un hombre es la imagen de una ciudad y una ciudad las vísceras puestas al revés de un hombre, que un hombre encuentra en su ciudad no sólo su determinación como persona y su razón de ser, sino también los impedimentos múltiples y los obstáculos invencibles que le impiden llegar a ser... (pág. 16).

En su novela, y desde las primeras páginas, Martín-Santos pretende mostrar el mayor número de esas determinaciones en el menor espacio posible. Para ello acude a los procedimientos retóricos más idóneos, aquellos que permiten un fácil deslizamiento de un nivel de la realidad a otro, aquellos que mejor ponen de manifiesto la vinculación que existe entre sus distintos niveles. **Por eso la sinécdoque y la metonimia**, que sustituyen alguna realidad o experiencia por algún aspecto significativo de las mismas, son en manos de Martín-Santos poderosos instrumentos de asociación de mundos aparentemente separados.

Podría decirse que siempre que el autor pretende abarcar los aspectos más definitorios del vivir hispánico, o los condicionamientos más poderosos existentes en la sociedad, busca la superación del dato anecdótico por medio de algún tipo de prolongación metonímica. Así sucede en la descripción de un teatro durante la celebración de un espectáculo popular (páginas 219-25). Una vez que el narrador ha presentado, en tono irónico y grandilocuente, la visión de unas vicetiples cantando en el escenario (págs. 219-221), comienza a elevarse del hecho cotidiano para recorrer, retrospectivamente, algunos momentos de la historia española que determinan la configuración moral del país. Martín-Santos va a pasar del fenómeno visual de unas mujeres cantando en un escenario a la radiografía del envilecimiento de un pueblo que tolera, y fomenta, su opresión.

Entre el público y el espectáculo se ha producido una total identificación. Aquél desea «la triunfal entronización de la imagen policromada de la mujer», envuelto como está en «el recuerdo de la historia feudal y fabulosa de las populacheras infantas abanicadoras de sí mismas y de las duquesas desnudas ante las paletas de los pintores plebeyos». Imperceptiblemente se va produciendo el deslizamiento de un plano de la realidad a otro: de la revista a los hechos históricos contenidos en ella, del público del espectáculo al pueblo español. Una vez efectuado el tránsito, el autor continúa la descripción moviéndose ya en el nuevo plano.

La polisemia de ciertas palabras es la que permite la metonimización del fragmento descrito. «Público» se va transformando paulatinamente en «pueblo bajo», en «buen pueblo acumulado», que desea el éxito de la «vedette» salida de sus filas. Y, si lo desea, es «para que los señores prosternados (que ocupan los palcos proscenios, las plateas y los reservados de las próximas tabernas) la adoren». Es decir, que el pueblo aplaude la solicitación de sus mujeres por los grandes.

Segundo caso de polisemia, de derivación metonímica: la «vedette» ya no es tal, sino «la misma hembra tan taurinamente perseguida, tan amanoladamente raptada desde un baile de candil y palmatoria hasta las caballerizas de palacio para regodeo de reyes que con menestrales juegan a la brisca» (pág. 222).

Así pues, la feliz armonía que reina en el recinto teatral es como una visualización de un problema social más amplio. Un pueblo que aplaude su prostitución, que, halagado por esa atención que le dispensan los superiores «y conmovido en las fibras más íntimas de su orgullo condescendiente», «admite en voz baja —pero sincerísima— que vivan-las-caenas (página 222)». Vemos entonces que la metonimización de la cantante y la del público confluyen, y que al acumularse esas dos nuevas significaciones, lo que se ve en el interior del teatro ya no es la simple celebración de un espectáculo musical, sino una sociedad que reconoce y admite su opresión. Pero el autor va a apurar más estas posibilidades de ampliar la significación de los detalles para situar este problema en sus coordenadas históricas.

Esta prostitución del pueblo llano no se realiza a cambio de dinero, sino de sentimientos halagadores: «El amor del pueblo, para quienes lo quieren y comprenden, es amor no comprado, no mercantilizado, sino simplemente arrebatado, como corresponde, amor de buena ley» (pág. 222). El pueblo bendice su sojuzgamiento por las clases altas siempre que el noble tronera o el aristócrata corrompido tenga la condescendencia de arrebatar, por medios castizamente violentos, lo que desea. Y, en su afán de sumisión, puede llegar mucho más lejos. El narrador abandona la imagen de las mujeres raptadas y adopta otra, igualmente incisiva. Cuando la «vedette», «derramando historias y grandeza», canta

> Eugenia -de Montijo -hazme con-tu amor-feliz-yo en cambio-voy a hacerte-de la Francia-empera-triz (pág. 223).

lamenta que «esta imagen de la que fue, que triunfó con las mismas artes, que cualquier mujer del pueblo podría emplear si tuviera ocasión para ello... conforte y regocije y haga sentirse vengado al vencido pueblo que retrató el sordo a la luz de un farol entre mameluco y mameluco, exhalando chorros de sangre colorada en las mismas plazas...» (pág. 223) (55).

---

(55) El párrafo, algo ambiguo en cuanto a la determinación del

La abyección del pueblo bajo no es de signo meramente carnal, sino político, en el amplio sentido de la palabra. Es una abyección total. Y si bien es cierto que Martín-Santos se ha servido de la polisemia de «pueblo» para referirla a personajes y situaciones diversas, ha dado elementos suficientes como para superponer un momento histórico concreto al espectáculo revisteril. No dejan lugar a dudas esas indicaciones sobre «infantas populacheras abanicadoras de sí mismas», «duquesas desnudas ante la paleta de pintores plebeyos», «reyes que con menestrales juegan a la brisca», Eugenia de Montijo, Napoleón III, Goya y las matanzas del 2 de Mayo.

Pero dejemos, por el momento, las implicaciones ideológicas y sigamos estudiando el mecanismo literario. Las alusiones al siglo XIX van perfilando no sólo unas clases bajas mezquinas, sino también unas clases altas degeneradas. Además, entre unas y otras hay sospechosas conexiones, lo que permite suponer que toda la sociedad acusa síntomas de grave enfermedad. Hacia el final de la descripción que ahora comentamos, y justamente a continuación de los fragmentos arriba citados, «pueblo» empieza a adquirir el significado de país, de sociedad española, ya no solamente de clases menesterosas.

En el regocijo del público que asiste al espectáculo, se entremezclan toda clase de risas: «de hombres y de mujeres, de guardias y rateros, de miembros de la honorable claque y tenderos acomodados, de estudiantes universitarios y electricistas de la Standard, de honestos matrimonios y mantenidas en su noche libre» (pág. 224). Toda la sociedad, pues. Y sus risas son más estruendosas cuando un personaje de la revista, un gracioso, «una especie de muñeco de alambre», da a entender que a cambio de ciertas migajas de placer «toleraría el escarnio, el bofetón, la risa y la humillante patada del puntiagudo zapato negro del aristócrata propietario... en su huesudo trasero de hambres atrasadas», «Porque él era listo y sabía cómo había que bandeárselas... porque él sabía a favor de qué bando hay que situarse» (pág. 224). Y si el público ríe con más

---

sujeto gramatical, que parece ser Eugenia de Montijo, no es fiel a la verdad histórica en este detalle, ya que la mujer de Napoleón III, de rancio abolengo aristocrático, se distinguió siempre por su acentuada honestidad y recato.

fuerza en el momento en que esa rastrera sabiduría queda ensalzada es porque

en la vileza de un hombre, puede reconocerse y sonreírla como a una vieja conocida la vileza de un pueblo (pág. 225).

Así pues, la compenetración que señalábamos al principio de nuestro razonamiento entre los ocupantes de las butacas y los actores del escenario se convierte, por derivación metonímica, en la comunión de una sociedad abyecta con su propia degradación, tejida y elaborada a lo largo de los tiempos, y cuyos más alarmantes síntomas se encuentran tal vez a mediados del siglo XVIII y principios del XIX. La técnica de Martín-Santos ha consistido en identificar la revista con las alusiones históricas y morales implícitas en ella, y en identificar el público del teatro con las distintas capas de la sociedad española a lo largo de los tiempos.

Señalemos un rasgo común a los dos fragmentos comentados. Está claro que en ambos casos Martín-Santos toma los objetos que describe como simple pretexto para insertar unas incisivas reflexiones acerca del pueblo español y su historia. De este modo, la descripción noveliza una disertación de corte ensayístico. La técnica metonímica permite al autor efectuar un desplazamiento de los objetos a ciertas características contenidas en ellos. Es así como de las calles de Madrid pasa a los siglos medievales y renacentistas, o como de una revista se pasa a la honda decadencia de la sociedad en la época moderna. El carácter ensayístico de estos párrafos, sin embargo, no desentona dentro del marco novelesco, porque el autor trasciende intelectualmente momentos de la trama o lugares por donde discurre la acción, de tal modo que esas reflexiones no son meros añadidos ideológicos integrados artificialmente.

Esta estrecha conexión con las circunstancias del relato falta en otro ejemplo de descripción metonímica, en la que Martín-Santos perfecciona su radiografía moral del pueblo español. Se trata de una reflexión sobre las corridas de toros y aparece como un fragmento suelto entre otros dos que refieren el encarcelamiento de Pedro (págs. 182-3).

El autor comienza lamentando, con bien significativa imagen, que «a lo largo y a lo ancho de este territorio tan antiguo hay más anillos redondos que catedrales góticas», y constata que visitantes ilustres y pintores geniales se han preocupado por el fenómeno y su sentido en la vida nacional. Tras identificar la corrida de toros con una violencia siempre latente en la sociedad, el autor superpone al espectáculo el momento histórico en el que nace, con lo que se desplaza del efecto a la causa originaria:

> Si este odio ha podido ser institucionalizado de un modo tan perfecto, coincidiendo históricamente con el momento en que vueltos de espaldas al mundo exterior y habiendo sido reiteradamente derrotados se persistía en construir grandes palacios para los que nadie sabía ya de dónde ni en qué galeones podía llegar el oro, será debido a que aquí tenga una especial importancia para el hombre... (página 183).

La época precisa a que alude Martín-Santos no es del todo clara, aunque bien pudiera situarse alrededor del reinado de Felipe V, cuando la fiesta de toros va recibiendo fuerte aceptación popular. El autor, además, va a servirse de la imagen de la fiesta nacional para seguir ahondando en las tensiones históricas que la corrida revela. Ahora se acerca a una época más próxima a nosotros, como lo muestra un fragmento cuya interpretación ofrece no pocas dudas:

> Que el acontecimiento más importante de los años que siguieron a la gran catástrofe fue esa polarización de odio contra un solo hombre y que en ese odio y divinización ambivalentes se conjuraron cuantos revanchismos irredentos anidaban en el corazón de unos y de otros no parece dudoso (pág. 183).

Este párrafo, indudablemente esotérico, plantea dos dudas. La primera es la determinación de la «gran catástrofe». Podría pensarse en el desastre de Annual, teniendo en cuenta que la corrida de toros adquiere un gran realce bajo el reinado de Alfonso XIII. En tal caso —y esta es la otra duda— «un solo hombre» podría significar el torero que canaliza hacia sí el odio oculto y la admiración de las multitudes. Pero «gran catástrofe» podría ser también la guerra civil de 1936-1939, magnífica muestra de odio a escala nacional. Y el hombre aludido sería entonces Franco. De tratarse de esta segunda hipótesis hay que suponer que la tendencia de Martín-Santos hacia formas de expresión no directas se vio reforzada aquí por un posible temor a la censura. Fuere de ello lo que fuere, lo que el autor buscaba, y consiguió, era la fusión de una imagen concreta, la fiesta taurina, con una idea general, la violencia latente en la sociedad española.

El fragmento no es tanto una descripción de un ambiente físico como de un estado moral, existente en la sociedad que Pedro va recorriendo en su deambular por los distintos estratos de la sociedad madrileña. Y en este sentido podemos decir que la reflexión sobre los toros constituye una descripción más del mapa moral de España. En realidad, todas las descripciones metonímicas, de las que hemos seleccionado los ejemplos más nítidos, apuntan a una visión de España en su historia, y se basan siempre en un trascender el objeto inicialmente mencionado.

Las descripciones orientadas metafónicamente conducen a otros resultados y poseen una técnica distinta. Por lo general, el autor usa la metáfora o la comparación para hacer más ostensibles algunas características de la realidad que desea describir. Y aunque la metáfora y la comparación superponen un plano imaginario al real, su consecuencia es hacer más vívido este último, del que nunca se aleja para abarcar otras realidades.

Muchas veces el uso de la metáfora supone una intención irónica, al poner en contraste entidades notoriamente apartadas entre sí. Tal cosa sucede cuando, al describir el narrador la zona de chabolas donde vive el Muecas, denomina a aquéllas «soberbios alcázares de la miseria», situadas en un vallizuelo escondido entre «dos montañas altivas», que son dos montones de escombros. Igual matiz irónico conlleva denominar al Muecas «digno propietario» y «gentleman farmer», a sus ratas «yeguas de vientre de raza selecta» (pág. 56), a sus jaulas de ratones «criaderos», donde tras «sapientísimos cruces endogámicos» se obtiene el «codiciado fruto purasangre» (pág. 56). Con idéntica finalidad denomina el narrador las chabolas y sus alrededores como «terreno edificado» y «terrenos edificables» (página 57), la posición social de Muecas como la de un «ciudadano bien establecido», «veterano de la frontera», «notable de la villa» y «hombre de consejo», «respetado entre sus pares» (pág. 58). Todas estas formas comparativas y metafóricas hacen más ostensible el plano real —las miserables chabolas y sus tristes habitantes— y no pretenden asomarse a otras realidades o descubrir un complejo entramado de causas y efectos, como sucedía en las descripciones metonímicas.

El uso de la metáfora es, en manos de Martín-Santos, instrumento de acerada crítica más que de indagación de fenómenos ocultos. Así sucede con la descripción del café (presumiblemente el Gijón), donde se reúne una breve multitud de artistas vanidosos e intelectuales sin talento. El autor presenta el café como una playa donde los ocupantes, apretujados, muestran con impudicia, a modo de carnes, sus poemas e ingeniosidades (pág. 65). Con la diferencia de que, en vez de gozar cada uno de un mismo sol, en esta original playa de la pedantería «cada uno de ellos era sol para sí y para el resto de los circunrodeantes que ininterrumpidamente a sí mismos se admiraban sintiendo un calor muy próximo al del solario cuando la gama ultravioleta penetra» (pág. 65). Y un poco más adelante, para reafirmar la idea que quiere expresar, utiliza Martín-Santos una nueva relación metafórica:

Esos pequeños chisporroteos de una luz violácea que, mirando con atención, pueden advertirse en las sienes de los maestros las noches de los sábados... son fecundaciones tan necesarias a la marcha del gran carro de la cultura como los juegos de los pólenes, que ya llevados por el viento, ya conducidos por vulgares moscardones..., aseguran una exogamia imprescindible para el caminar continuo de la especie (págs. 65-6).

En este fragmento, así como en los que describen las chabolas y en muchos otros a lo largo del libro, que luego comentaremos, se da una característica típica de las descripciones metafóricas: el narrador presenta la misma realidad aprovechando metáforas y comparaciones diversas. Dado que este tipo de descripciones busca la sorpresa y la captación del rasgo inusitado, estos efectos se logran mejor acumulando distintas imágenes y alterando varias veces la relación entre el *tenor* y el *vehicle* (56).

Buen ejemplo de esta acumulación de figuras lo ofrece una de las descripciones más ambiciosas de *Tiempo de silencio,* la de la conferencia del filósofo (Ortega y Gasset, sin duda). Lo que Martín-Santos trata de describir es el «fenómeno Ortega» en la sociedad española, es decir, la actitud de una intelectualidad que, vuelta de espaldas a las lacras sociales del país, disfruta de una veneración desmesurada entre las clases altas, aunque éstas convierten la cultura en una serie de actos sociales totalmente triviales. Para condenar este estado de cosas se sirve el autor de sorprendentes símiles que tienen por misión mostrar los aspectos más hirientes de esa anómala situación.

La sociedad es vista como un «cosmos bien dispuesto», en el que hay «una esfera inferior, una esfera media y una esfera superior, cúspide y arbotante dinámico de todo el edificio», al modo de una teogonía clásica (pág. 130). La esfera superior corresponde al Maestro, «la más aguda conciencia celtibérica» (pág. 131), que da una conferencia sobre la perspectiva. Y en la medida en que el filósofo aparece como un ser especialmente reverenciado por «mujeres finas» (pág. 128), que lo escuchan boquiabiertas sin preocuparse de lo que dice, encuentra el autor base para compararlo al macho cabrío del cuadro de Goya, el gran buco que, «en el esplendor de su gloria» mira a «la muchedumbre femelle que yace sobre su regazo» (pág. 127). Es la primera comparación, que Martín-Santos se complace en analizar desde diversos ángulos, contrastando unas veces la actitud del macho cabrío y la del conferenciante, contraponiendo otras veces las mujeres del cuadro a las de la vida real que asisten a la conferencia (págs. 127-9).

La segunda comparación, fundida en la anterior, se hace entre la situación de los templos indios de Elefanta y Bhuvaneshwara y la de la sociedad española. En aquellos lugares «la infancia inmisericordemente de hambre perecía» (pág. 128), sin que esto irritara al pueblo «habilidosamente segmentado (en sectas) como los anillos del repugnante anélido, ser inferior que se arrastra y repta, de modo que nunca pudiera llegar a

---

(56) Para la definición de estos términos véase I. A. RICHARDS, *The Philosophy of Rhetoric,* New York-London, 1936, p. 123.

sentirse apto para la efracción y brusco demolimiento o fuego destructor de lo que el arte había consagrado como noble» (página 129). También en la sociedad nuestra se da una mitificación de formas de cultura nocivas a toda reivindicación social, y su dignidad intelectual las vuelve intocables:

> Mientras masas inermes son mostradas como revolucionadas, cuerpos selectos yacentes gozan procumbentes penetraciones. Mientras sol nocturno hace inútiles vitaminas y eledones, la corteza de la naranja chupada permitirá el continuo crecimiento de genios elefantiásicos (pág. 128).

La tercera comparación es negativa, es decir, señala las diferencias que hay entre el chivo expiatorio de la tradición y esa especie de chivo que es el filósofo. El narrador lo increpa: «No eres expiatorio, buco, sino buco gozador» (pág. 129). Buco de mirada penetrante, que afirma la inferioridad sustancial del pueblo, «víctimas de su sangre gótica de mala calidad y de bajo pueblo mediterráneo» (pág. 129), «siluetas de Elefanta» (pág. 129). Buco que se disfraza: «Por eso te vistes con ese disfraz que no es tuyo, pero que divierte a los que admirativamente te contemplan» (pág. 130). Y termina Martín-Santos ligando más estrechamente la imagen de Ortega con la del animal, ya que el filósofo también parece haber condescendido a disfrazarse para mostrarse más accesible: «Por eso te haces 'aficionado' y aficionas a la gente bien tiernamente a la filosofía, como chico de la blusa tan espontáneo, tan grácil, con tan sublime estilo, con tan adornada pluma...» (página 130).

Un sentido crítico menos sutil posee la descripción de una reunión «culta» que tiene lugar inmediatamente después de celebrada la conferencia. Los invitados charlan apoyados contra las butacas, a modo de «pájaros culturales», encaramados en «tales perchas y con un vaso de alpiste en la mano» (pág. 135). A partir de esta imagen trenza el autor un conjunto de metáforas que van describiendo diversos tipos de petulantes. Hay, así, «aves jóvenes de rosado pico apenas alborotadoras y hasta humildes», un «conocedor que cata las frutas del árbol», un «búho sapientísimo instalado definitivamente en lo más umbrío de la copa», según sea el grado de comprensión de las ideas desarrolladas durante la conferencia. Además, junto a las «aves del paraíso» y las «nobilísimas flamencas rosadas» (página 136) figuran algunos venidos de clases sociales inferiores, tales como «pájaros-toreros», «pájaros-pintores» o «pájaros-poetas», aceptados en el alto mundo merced a «gracias especiales de plumaje o gorgorito» (pág. 136).

Siempre que el autor describe por extenso un ambiente se sirve de distintos tipos de metáforas para mostrar cada uno de sus aspectos. Así sucede con el burdel de doña Luisa, cuyas características están puestas de relieve gracias a múltiples metáforas que expresan y recogen toda suerte de detalles. La técnica que aquí sigue el autor consiste en someter un mismo hecho a la luz de distintas metáforas.

Doña Luisa, la regentadora del burdel, es vista sucesivamente como «mujer esclusa» que regula la entrada de la clientela (pág. 83), como «hormiga-reina de gran vientre blanquecino» (pág. 147), como «ama de la noche» y como «gran madre fálica que convida a beber la copa de la vida» (pág. 151). Las prostitutas a su servicio son «blancas de trata» (pág. 84), «fantasmas prestos a desvanecerse» en el enrarecido silencio de la sala de espera (pág. 84), «objetos alquilados» que preceden al cliente en dirección a la habitación (pág. 85), «sacerdotisas» a quienes una acólita sirve toallas y agua caliente (pág. 85), «infatigables obreras ápteras» en «el hormiguero de doña Luisa» (pág. 147), «huríes lascivas» a quienes la oscuridad dota de falsos encantos (pág. 148). Los clientes, que constituyen una «marcha colectiva pletórica de dificultades» (pág. 82), se saben unidos en «gavillas incongruentes» (pág. 82); acorralados por la procaz mirada de las prostitutas son «víctimas-verdugos» (pág. 84), pero ya en camino de las «ergástulas amatorias» actúan con aires de «compradores» (pág. 85).

El burdel, visto desde una exterioridad que ennoblece, es lugar «de celebración de los nocturnales ritos órficos» (página 82), para quien ha vencido los obstáculos de la entrada «alcázar de las delicias» (pág. 84), en la oscuridad vergonzante que lo envuelve «palacio de las hijas de la noche» (pág. 147) y «mundo de sombras» (pág. 147), en su silenciosa actividad «hormiguero» (pág. 147). Al servicio de esta organización hay un único hombre, inútil y deforme, «mandadero de un decamerónico convento» (pág. 149), «eunuco de los subterráneos» (página 154), y unas «inframujeres del fogón» (pág. 150) en funciones subalternas. Todo un mundo cuya justificación es aplacar «la bestia lucharniega» (pág. 82), el «dragón del deseo» (pág. 83).

La sala de visitas, donde se llevan a cabo los contactos iniciales, está descrita en una ristra de densas metáforas (páginas 86-7). La presenta el narrador de mil modos diferentes: como órgano sexual femenino («recogida en pliegues, acariciadora, amansante, paralizadora recubierta de pliegues protectores»), como confesonario («lugar donde la patrona vuelve a ser un reverendo padre que confiesa dando claras y rectas normas...»), como «copa del desprecio de la prostituta para el borracho», como el mismo acto sexual («cabina de un vagón-lit a ciento treinta kilómetros por hora, ascensor lanzado hacia la altura de un rascacielos de goma dilatada»), como lugar de abandono («calabozo inmóvil donde la soledad del hombre se demuestra»), como «cesto de inmundicia», como «poso en que reducido a excremento espera el ocupante la llegada del agua negra que le llevará al mar a través de ratas grises y cloacas». En suma, recapitulando, como «cuna, placenta, meconio, deciduas, matriz, oviducto, ovario puro vacío, aniquilación inversa en que el huevo en un universo antiprotónico se escinde en sus dos entidades previas» (pág. 87).

No debe creerse, después de todo lo dicho, que las descripciones metonímicas y las metafóricas están nítidamente separadas, tanto en sus distintas funciones como en la distribución a lo largo del libro. Fragmentos metafóricos pueden encontrarse en descripciones metonímicas, y viceversa. En las descripciones de Madrid y del teatro hay un buen número de metáforas y comparaciones cuya función es enriquecer el fragmento con una prosa original. Inversamente, muchas descripciones metafóricas que parecen simples muestras de ingenio, encierran en breves y sencillas metonimias una comprensión más totalizadora de la realidad que se muestra. La descripción del café Gijón parece, en principio, una sátira de malos literatos y artistas, pero pronto vemos que el autor dirige su crítica a todo un sector de la literatura española cuando habla del «vacío en forma de poema o garcilaso que llaman literatura castellana» (pág. 66), añadiendo después:

Al fondo, Matías alzó un brazo. Para llegar hasta allá era preciso atravesar el caos sonoro, las rimas, los restos de todos los fenecidos ultraísmos, las palabras vacías de Ramón y su fantasma greguerizándose todavía... (págs. 66-7).

Idénticamente sucede con la descripción del cuadro de Goya y la sociedad que aplaude al filósofo conferenciante. Muchas de las metáforas allí contenidas lo son de segundo grado, ya que encierran metonimias y sinécdoques de diversas clases. Piénsese, por ejemplo, en el chivo o en los templos indios, con los cuales se comparan el filósofo y la sociedad que le rodea, y que ya contienen claras alusiones a otras realidades. En fin, por aquí y por allá, en los más menudos pasajes, hay proyecciones tanto metafóricas como metonímicas que influyen muy decisivamente en el estilo y en el significado de *Tiempo de silencio*.

Digamos, por último, que Martín-Santos no se sirve siempre de figuras retóricas para resaltar la realidad que describe. Tal misión queda encomendada en ocasiones a un lenguaje desprovisto de todo ornato y elaborado según el modelo del raciocinio científico. El primer indicio de esta tendencia se encuentra en la página 26, cuando Pedro, en un alarde de frialdad discursiva, va reflexionando sobre las razones económicas, químicas y lumínicas que hacen que los viandantes muestren unos trajes tan desvaídos en su apariencia y color, así como sobre los posibles remedios a tal situación. Se trata, en lo sustancial, de una breve presentación de los habitantes de Madrid, y las reflexiones pretendidamente científicas sobre los colores de los trajes realzan la imagen de unas personas pobres.

Caso mucho más llamativo constituye la descripción de un cementerio de segunda clase. El narrador describe la organización de los «enterramientos verticales» (pág. 142) valiéndose de una prosa, no sólo exenta de matices subjetivos, sino también reforzada por sintagmas y conceptos típicos del discurso científico. La organización del cementerio, «que persigue apilar en el menor espacio y con el menor esfuerzo físico la mayor cantidad posible de difuntos», se hace según las leyes del «taylorismo-bedoísmo», que «consiste en que cada obrero no deje pasar un solo instante improductivo» (pág. 145). Habla el narrador de un «planning adecuado», de «esquemáticos índices de la complejidad relativa de cada operación» y de «economía de desplazamientos» (pág. 142). Para mejor describirla procede a semejanza de quien explica científicamente los elementos de un problema. Introduce al lector por medio de la expresión «para hacernos una idea» (pág. 142) y aclara otro pequeño punto echando mano del frecuente «como es sabido». A la hora de explicar el funcionamiento de las brigadas de obreros dice que «podemos designar con la letra A» a la que confecciona las fosas, mientras que «otra brigada que podemos denominar C transporta las carretillas»... «al par que la brigada B se dedica al enterramiento propiamente dicho» (página 143). Este estilo científico elude los aspectos bien conocidos de todo camposanto, pero presenta otros menos usuales y somete el conjunto a una perspectiva original.

Otro ejemplo claro de objetivismo constituye la celda en que se encuentra Pedro (págs. 171-5). Los juicios que de ella emite el narrador expresan la cautela de quien desea proceder con la máxima exactitud: «La celda es más bien pequeña. No tiene forma perfectamente prismática cuadrangular a causa del techo» (pág. 171). Las dimensiones de la misma se dan en metros y centímetros, así como las del ventanuco abierto en la puerta (págs. 171-2). También se aclara de qué material están hechas las paredes, la puerta y el camastro. Finalmente, los actos del preso, las posturas posibles que puede adoptar, están descritas en cuanto datos físicamente mensurables. Y no se habla de Pedro, sino del «preso» como entidad abstracta. Se evita todo vocablo que contenga un matiz afectivo y de este modo la descripción queda absolutamente despersonalizada. Pero claro está que esta ausencia de detalles humanos hace más ostensible la situación de angustia del ambiente.

Hemos visto los tres tipos esenciales de descripción que aparecen en *Tiempo de silencio:* 1) la metonímica, 2) la metafórica y 3) la objetiva, aunque evitando un sinfín de detalles para no convertir estas páginas en una recopilación inacabable de citas. Las restantes descripciones de la novela se asemejan en mayor o menor medida a alguna de esas categorías básicas, o bien combinan características de dos o tres de ellas. En todas se echa de ver el exquisito cuidado con que el autor procedió.

El amplio bagaje lingüístico que Martín-Santos pone en marcha no obedece a ningún afán preciosista, sino a un deseo de mostrar una realidad que habitualmente escapa a nuestra percepción. La técnica metonímica, por ejemplo, trata de establecer la relación que se da entre hechos alejados en el tiempo y el espacio, para mostrar de ese modo la trabazón que los une. Y, como se pudo ver, sólo un variado uso de imágenes hace posible el complicado sistema de alusiones. Las descripciones que hemos llamado metafóricas pretenden hacer más vívidos determinados objetos o ambientes, con el fin de que el lector perciba aspectos desconocidos de los mismos y pueda interpretarlos con rigor crítico. Las descripciones objetivas confirman las observaciones anteriores respecto a la no gratuidad del lenguaje de *Tiempo de silencio*. En efecto, en los contados casos en que un lenguaje desprovisto de todo ornato es capaz de resaltar un aspecto de la realidad cotidiana, Martín-Santos abandona las complicaciones lingüísticas, como se vio en la descripción del cementerio y en la de la celda (57).

Como las grandes obras de todas las épocas, *Tiempo de silencio* propone e impone nuevas formas de representación de la realidad (58). Las descripciones pretenden, preferentemente, mostrar una realidad de carácter social, histórico e intelectual, y completan la indagación en busca de nuevas realidades, desarrollada a otros niveles de la novela. Por el momento quedémonos con la idea de que la artificiosa prosa de *Tiempo de silencio* obedece a una necesidad expresiva profunda y que no es simple artificio de escritor culto (59).

----

(57) Son inexistentes los estudios acerca de la técnica descriptiva de *Tiempo de silencio*, y no cubren ese vacío las observaciones de Gil Casado, uno de los pocos autores que ha apuntado algunas ideas sobre este punto. Cfr. *op. cit.*, pp. 482-91.

(58) Con parecidas palabras abre P. A. Georgescu su breve artículo sobre nuestra novela. Cfr. «Lo real y lo actual en *Tiempo de silencio, de* LUIS MARTÍN-SANTOS», en *NRFH*, XX (1971), p. 114.

(59) Corrales Egea afirma que «el rico material empleado no se utiliza siempre en forma acertada. El empleo de tecnicismos es en ocasiones excesivo, exagerado y verdaderamente engorroso en la lectura». Cfr. *op. cit.*, p. 144. Y expone la siguiente queja: «La tentación de reproducir el habla bronca de los barrios bajos, achulapada y colorista, arrastra al autor hacia una especie de localismo pintoresco que choca con el nivel literario de otros trozos. En una palabra: falta una dosificación equilibrada de elementos» *ibíd.*, p. 145. No creo que la variedad de estilos dentro de una novela atente contra su unidad, si esa variedad viene exigida por los diversos asuntos tratados. Además, la unidad de *Tiempo de silencio* se ventila, como espero demostrar, en otros niveles más profundos.

1.4. *La acción.*

En líneas generales, los críticos de *Tiempo de silencio* no han dispensado mucha atención a este elemento de la novela. Una de las excepciones la constituye Juan Villegas, que la estudia a la luz de las estructuras míticas de la aventura del héroe «combinando mitemas estudiados por Campbell con aquellos propios de los ritos de iniciación que, a nuestro juicio, se manifiestan con mayor fuerza en la novela moderna» (60). Cree Villegas, hablando de la novela de Martín-Santos, que ésta es «una recurrencia de mitemas y motivos continuamente vinculados con la caída y fracaso del héroe clásico» (61), pues refiere fundamentalmente «la odisea de Pedro en este mitificado mundo madrileño» (62). Por lo cual «ha de cumplir con los rasgos significativos de la tradición mítica con respecto a la aventura» (63). Todas estas afirmaciones —que se desvirtúan algo al ser sacadas de su contexto— se explican mejor si tenemos en cuenta que Villegas advierte antes que «Tanto la estructura como el mundo de la novela se configuran sobre la base de un intento de transformar el mundo de la supuesta realidad en uno mitificado, alteración que, como consecuencia, hace evidentes las taras y los defectos de la realidad presentada» (64). En su análisis de *Tiempo de silencio* Villegas va verificando con detallismo la lista de mitemas dada por Campbell (65), al objeto de confirmar sobre el texto el esquema mitológico, así como la «iluminación mitificante» a que somete Martín-Santos el degradado mundo que presenta.

---

(60) Cfr. *La estructura mítica del héroe*, Barcelona, 1973, p. 83.
(61) *Op. cit.*, p. 230.
(62) *Loc. cit.*, pp. 218-9.
(63) *Ibíd.*, p. 219.
(64 *Ibíd.*, p. 204.
(65) Lo resume el crítico chileno en la p. 74 de su libro. Más adelante, refiriéndose en concreto a *Tiempo de silencio*, señala que algunos de los «mitemas más evidentes son: el viaje, el sumergirse en un mundo laberíntico o fantasmagórico, la aventura de la noche, la caída, la celda-muerte, el morir-renacer, el cruce del umbral, los personajes demoníacos, la persecución, el descenso a los infiernos, el personaje salvador. Estos mitemas sirven de mostradores del mundo hostil, degradante, en que transcurre la aventura de este héroe moderno» (pp. 217-8).

6

Es de admirar el ingenio de tales interpretaciones, máxime si ello implica la difusión de una tendencia crítico-literaria no muy conocida en España (66). Con todo, es de temer que las opiniones de Villegas no puedan vencer algunas objeciones. Si la aventura de Pedro tiene lugar en un «mundo mitificadamente desmitificado» (67) está por ver esto que parece ser punto de partida de reflexiones posteriores. Tal vez no se apoya debidamente la opinión de que «Toda la novela es concebida como una gran cosmogonía» (68), y me parece discutible que la clave (si claves existen) se encuentre en la famosa metáfora de la cosmogonía, que hemos analizado al hablar de la conferencia de Ortega y del cuadro de Goya. Da la impresión de que en éste y en otros casos se han tomado ciertas metáforas aisladas como muestra de un bien estructurado mundo mítico.

Los paralelismos que traza Villegas entre la odisea de Pedro y el discurrir del héroe mitológico son llamativos, aunque algunos someten la credulidad del lector a prueba (69) y tam-

---

(66) Aunque no hay que desconocer ni olvidar lo que René Wellek dijo de esta tendencia crítica, tan difundida en Inglaterra y Estados Unidos: «Jung himself was cautious in applying his philosophy to literature, but in England and in the United States his caution was thrown to the winds and whole groups of critics have tried to discover the original myths of mankind behind all literature: the divine father, the descent into hell, the sacrificial death of the god, etc». Cfr. *Concepts of Criticism*, Yale University Press, 1971[6], p. 360. Las exageraciones del «myth criticism» aplicadas a la literatura las resume así René Wellek: «The boundary lines between art and myth and even art and religion are obliterated. An irrationalistic mysticism reduces all poetry to a conveyor of a few myths: rebirth and purification. After decoding each work of art in these terms, one is left with a feeling of futility and monotony» *(ibíd., p. 361).*
(67) Cfr. pp. 204 y ss.
(68) Cfr. p. 207.
(69) Y no sólo estos paralelismos, sino pequeños detalles secundarios a los que Villegas se esfuerza en dar una significación acorde con el sentido mitológico del conjunto, como cuando, hablando de Cartucho, cree ver en este simple delincuente «una dimensión infernal o demoníaca que le aproxima a un dios vengador y dador de muerte» (p. 220), o cuando dice que las ratas portadoras del germen cancerígeno «no son ratas comunes» *(et pour cause!,* si no no le interesarían a un investigador), sino que «adquieren de inmediato una categoría mágica, poseedoras de una característica mágica y única» (p. 219).

poco es mucho lo que se adelanta en nuestro conocimiento de *Tiempo de silencio* diciendo, por ejemplo, que la detención de Pedro equivale al descenso a los infiernos y que la salida del mismo es como una resurrección. Aunque así fuera, ¿qué se logra con denominar de otro modo lo que el novelista escribió? Tal vez es más fructífero examinar la acción dentro del marco en que se encuentra, atendiendo a su forma y su función, que trazando semejanzas con datos externos a la novela. Se entiende bastante bien la trama de *Tiempo de silencio* concibiéndola como una pieza ancilar que está al servicio de dos elementos que ocupan un lugar más destacado: los personajes y las descripciones.

Se explica así la falta de detalles con que se narra la acción, en contraste con el interés con que el autor va poniendo de manifiesto la disposición interior del protagonista y va describiendo los lugares que recorre. De la acción se conserva la escrupulosa dependencia cronológica y causal entre unos acontecimientos y otros. Pero el narrador, en lugar de detenerse pormenorizadamente en cada eslabón de la cadena argumental, prefiere ver ésta en sus perfiles generales, ya desde la interioridad del protagonista, ya desde los ambientes que describe.

Desde el comienzo de la novela es evidente que la acción se menciona simplemente. En el monólogo inicial de Pedro, éste hace una presentación de sus proyectos de investigador y una aguda crítica del abandono en que se encuentra la investigación científica en el país. De un modo velado, aunque inequívoco, sabe el lector cómo comienza a articularse la acción novelesca. Pedro advierte que no hay ratones y decide ir a la chabola del Muecas en su búsqueda.

Aquí empieza el «llamado o despertar a la aventura» de que habla Juan Villegas (70). Pero al narrador le interesa servirse de las posibilidades que presenta la aventura y no seguir con docilidad un esquema. La marcha hacia las chabolas sirve para que Martín-Santos comience a lucir su arsenal lingüístico, primero a cuenta de las calles y habitantes de Madrid (págs. 26-31), y luego a costa de las chabolas mismas, donde despliega un sorprendente juego de metáforas (págs. 42-45, 48-60). El itinerario de Pedro no sólo se convierte en

---

(70) En *op. cit.*, p. 219.

instrumento presentativo de diversos ambientes, sino que también va poniendo de manifiesto la contextura de su personalidad (págs. 25-31, 45), tal como se refleja en sus reflexiones sobre las cosas y personas que lo rodean.

El siguiente escalón en la acción tiene lugar durante la célebre noche del sábado. Para Villegas existe aquí otro mitema, «la aventura de la noche» que, muy significativamente para él, comienza en un sábado, pues conlleva la idea de umbral y «ha de constituir la noche que ha de separar una forma de vida de otra» (71). Fuere de ello lo que fuere, no hay duda de que el nuevo sesgo de la trama permite al narrador ahondar alternativamente en el ser moral de Pedro y en la configuración social de la ciudad.

Desde la página 61, en que el protagonista abandona la pensión, hasta la página 118, en que pueden considerarse concluidas las peripecias de la alocada noche, no hay más que leves indicios del desarrollo de la acción. Pedro baja los tres pisos, recorre algunas calles, llega al café, comienza a beber, va a la buhardilla del pintor alemán, vuelve a la calle, se emborracha, llega al burdel, se escabulle dejando a Matías, llega a su casa, yace con Dorita, es despertado por Muecas y conducido a las chabolas, fracasa en su intento de salvar la vida a Florita y vuelve a la pensión. Lo que podríamos llamar sintagmas argumentales cabría en un breve párrafo. El resto de las casi cuarenta páginas lo ocupan reflexiones del narrador, monólogos de Pedro, diálogos de Matías y una rica variedad de descripciones.

Concluida la noche del sábado, la novela se centra luego en la casa de Matías y en los altos estratos sociales que éste frecuenta. Que el ambiente, y no el argumento, es lo que interesa al autor lo demuestra cumplidamente la riqueza de detalles con que se describe la casa de Matías, exponente de un mundo lujoso y sofisticado. Sólo después de una larga enumeración de objetos caros que hay en la casa indica el narrador qué está sucediendo: «No había hablado apenas Pedro en el trayecto hasta casa de Matías desde las lóbregas miserias de su alcoba mancillada» (pág. 123). De este modo sabe el lector que Matías

---

(71) Pues no hay que olvidar que «el sábado es el último día de la semana». Cfr. *op. cit.*, p. 220.

ha ido a buscar a Pedro a su pensión, en cumplimiento de «cierto plan ya madurado para ocupar la tarde y el comienzo de la noche de su amigo» (pág. 116). En este mundo de la alta sociedad están emplazadas varias descripciones importantes: el cuadro de Goya, la conferencia del filósofo, la fiesta subsiguiente. La necesidad de recuperar el hilo argumental se resuelve en unas líneas:

En plena fiesta

> Matías surge ante él alarmante... Le dice algo referente a un asunto grave, muy urgente. Alguien ha llegado que tiene algo que decirle. Muy importante... (pág. 141).

El paso siguiente es el propósito de Pedro de esconderse en el burdel de doña Luisa. Pero el narrador, al tiempo que no desperdicia la ocasión de juzgar la conducta del protagonista (pág. 149), vuelve a describir el burdel desde otra perspectiva y muestra la honda degradación que las relaciones humanas alcanzan en tal lugar, con lo que desarrolla una de las ideas capitales de la novela.

Desde la detención de Pedro (pág. 166) hasta su puesta en libertad hay una larga serie de incisos, que poco tienen que ver con el estricto desarrollo argumental. El encarcelamiento de Pedro es aprovechado como pretexto descriptivo de la prisión, y los largos monólogos a que se entrega son como una manifestación más de su personalidad.

Puesto Pedro en libertad (pág. 203), la acción se dirige hacia su fin, observándose las mismas características que antes. Lo que se relata ahora es la derrota total del protagonista, ante la confluencia de unas circunstancias adversas a las que no sabe hacer frente. Y también ahora el narrador pasa como por ascuas sobre la casuística menuda para dedicarse a explorar aspectos y males más profundos del país. Pedro es expulsado del centro de investigaciones. «Me veo obligado, en vista de las circunstancias, a no prorrogar su beca» (pág. 211), le anuncia el director. Pero este suceso va envuelto en una descripción de las instituciones científicas en España, y la larga perorata del director va encaminada a poner de manifiesto la pedantería de los rectores de la vida cultural.

Los últimos pasos de Pedro en Madrid coinciden con las más penetrantes páginas de reflexión sobre la moral social del país. Tienen lugar, como habíamos visto antes, durante la descripción de la revista, a donde acude Pedro por deseo de Dorita y su madre (pág. 219). Del teatro marcha Pedro a la verbena popular, complaciendo nuevamente a las dos mujeres, y ahí se insertan otras interesantes reflexiones sobre el amor (página 228). Muerta Dorita por Cartucho, Pedro abandona Madrid. En una línea da a entender que ha perdido la amistad de Matías: «Matías, qué Matías ni qué... No hay verdaderos amigos. Adiós amigos» (pág. 233). Entre líneas también va indicando que llega a la estación, que coloca su equipaje, que el tren avanza, que se aproxima a la Sierra. Pero el monólogo de Pedro es largo, y en él expone un amplio repertorio de preguntas sobre sí y sobre el momento histórico que le ha correspondido vivir.

Este sencillo resumen argumental nos convence pronto de que la acción está supeditada a la descripción de ambientes y a la caracterización de personajes. Idea que se confirma si echamos una ojeada a la manera en que se disponen los sucesos que le ocurren a Pedro. Se podría dividir la acción principal en cinco episodios básicos, cada uno de los cuales tiene, además de una clara causalidad interna, una cierta unidad temporal. Estos cinco núcleos expresan los hitos más señalados de la vida de Pedro en su aventura madrileña: 1) va a buscar los ratones a las chabolas, 2) actúa irresponsablemente durante la noche del sábado, 3) huye de la policía, 4) es detenido y encarcelado, 5) derrotado, abandona Madrid. Cada uno de esos motivos narrativos discurre en una unidad de tiempo breve y bastante bien determinada: 1) unos minutos de un día y la mañana siguiente, 2) la noche del sábado, 3) día y medio o, a lo sumo, dos días, 4) un tiempo inferior a setenta y dos horas, 5) un día desde la liberación hasta la verbena. Indeterminado desde aquí hasta el monólogo final (72).

Cada uno de esos cinco núcleos se ve intercalado por un número variable de acciones secundarias y descripciones. Va-

---

(72) Gonzalo Sobejano (*op. cit.*, p. 555) señala una distribución temporal que no coincide totalmente con la mía, aunque ambas se asemejan en varios aspectos.

mos a representar esto de una manera esquemática, numerando los motivos de la acción principal y dejando sin numerar las acciones secundarias, las descripciones y las digresiones. Esta labor parece un poco mecánica, pero se ve justificada por el hecho de que Martín-Santos no dividió su libro en capítulos, sino en 57 fragmentos separados entre sí por espacios en blanco, lo que permite intercalar motivos de la acción principal con hechos no directamente relacionados con ella. Esta distribución se hace con regularidad casi perfecta, de tal modo que cada fragmento es una unidad en sí con un tema generalmente independiente del fragmento anterior o el siguiente (73).

Núcleo 1.

1. Pedro decide ir a por los ratones (7-13).
   Descripción de Madrid (13-17).
   Reflexión sobre la gente pobre (17).
   Monólogo de la patrona (17-25).

2. Pedro camina por la calle de Atocha y alrededores (25-35).
   Pedro en la pensión (35-42) (74).

3. Llegada a las chabolas (42-45).
   Monólogo de Cartucho (45-48).

4. Conocimiento de Muecas (48-54).
   Descripción de la vida de Muecas (54-60).

---

(73) Hay, no obstante, pequeñas excepciones. Los espacios en blanco tienen por finalidad eliminar transiciones y nexos que constituyan materia muerta, lo que permite que se pase directamente de una situación a otra, en la que son distintos los protagonistas, o son otros los sucesos que se refieren, o ha cambiado el espacio y el tiempo en que tienen lugar, o aparecen descripciones y reflexiones más o menos autónomas. Cuando los elementos de dos secuencias se mantienen sustancialmente idénticos estamos ante una salvedad a la normal general. *Vid.* pp. 31-2, 65, 68, 71, 75, 92, 109, 111, 127, 151, 169, 211. La mayoría de estos casos suponen una modificación de la perspectiva de la narración, más o menos acentuada según los casos.

(74) Estas páginas, si bien están referidas al protagonista, no las consideramos como rigurosamente pertenecientes a la acción principal, porque son más bien una cala en el pasado inmediato de Pedro y tienen un valor preferentemente descriptivo.

Núcleo 2.

1. Pedro sale de la pensión hacia el café (60-65).
2. Llega al café. Charla. Sale (65-71).
3. Conoce al pintor alemán. Visita el estudio (71-75).
4. Se emborracha con Matías (75-79).
   Soliloquio de la patrona (79-82).
5. Llegada al burdel (82-86).
   Descripción de la sala de visitas (86-87).
6. Con las prostitutas (87-92).
7. Pedro vuelve a casa y se acuesta con Florita (92-96).
   Soliloquio de la patrona (97).
8. Pedro vuelve a su habitación (97-100).
   Muecas va a buscar a Pedro (100-104).
   Cartucho observa (104-106).
   Preliminares del aborto (106-109).
9. Pedro intenta salvar a Florita (109-111).
10. Pedro fracasa y abandona las chabolas (111-114).
    La pensión continúa su vida (114-117).
    Cartucho indaga sobre la muerte de Florita (117-121).

Núcleo 3.

1. Pedro va a casa de Matías (121-127).
   Descripción del cuadro de Goya (127-130).
   La conferencia (130-133).
   El problema del certificado de defunción (133-134).
2. Pedro asiste a la recepción (135-142).
   Descripción del cementerio (142-147).
3. Pedro se esconde en el burdel (147-155).
   Matías busca a Amador (155-157).
   Cuádruple búsqueda de Pedro (157-163).
4. Detención de Pedro.

Núcleo 4.

1. Primeros interrogatorios de Pedro (167-172). Descripción de la celda (171-175).

2. Pedro reflexiona en la celda (175-180). Dorita se interesa por Pedro (180-182). Digresión sobre los toros (182-183). Descripción de los guardias (183-186). Matías moviliza a sus amistades (186-193). Encarna-Ricarda va al cementerio (193-195).

3. Nuevo interrogatorio y claudicación de Pedro (195-199). Encarna-Ricarda en prisión (199-203).

Núcleo 5.

1. Salida de la cárcel (203-206).

2. Conversación con el director. Conversación con Amador (206-213).

3. Pedro preside la pequeña fiesta familiar (214-219).

4. Asiste a la revista (219-225).

5. Va a la verbena (225-232).

6. Soliloquio de Pedro (232-233).

7. Partida de Madrid (233-240).

Como se puede apreciar, de una manera casi gráfica, la narración de la acción principal alterna con la de otras acciones secundarias y con otros muchos fragmentos descriptivos, y sólo en el núcleo final se da una acumulación de sucesos. Una simple ojeada muestra la subsidiaridad de la acción con respecto a los otros dos elementos narrativos. Pero esta apreciación, que es de índole más bien cuantitativa, conviene apuntalarla con observaciones menos mecánicas y más sutiles. Vamos a analizar brevemente tres características de la acción principal: la velocidad, el orden y la perspectiva. Ellas confirmarán mejor las impresiones anteriores.

Podríamos adaptar a nuestros propósitos la definición de Genette sobre la velocidad narrativa, entendiéndola como la relación entre la duración cronológica de la historia contada y la longitud en páginas o líneas necesarias para referir los hechos (75). En este sentido se podría afirmar sin dificultad que la narración discurre con bastante morosidad, puesto que las 240 páginas del libro abarcan pocos días. Pero esta observación en sí misma dice poco. Lo que resulta más significativo es determinar la cantidad de tiempo verdaderamente aludido en la narración. La novela abarca, como digo, pocos días, pero relata de manera efectiva sólo unas horas. Así, el primer núcleo tomado en bruto dura un día y medio, aproximadamente, pero el narrador se centra en dos o tres horas, ignorando las demás: del soliloquio inicial de Pedro se pasa al día siguiente, y mientras esas veinticuatro horas se despachan de un plumazo, sin aludir a ellas siquiera, los sucesos de la mañana en que Pedro se dirige a las chabolas ocupan varias páginas. Es decir, que el narrador actúa muy selectivamente en el tratamiento del tiempo, de tal manera que en unos momentos imprime una extraordinaria celeridad al relato (un día en ni siquiera una línea), mientras que en otros actúa con mucha lentitud (14 páginas desde que Pedro se pone en marcha hasta que saluda al Muecas).

Esta desigualdad en el ritmo narrativo se mantiene hasta el final de un modo casi constante. El segundo núcleo ocupa una noche, desde el postre de la cena hasta el amanecer. Este núcleo, que es cronológicamente el más breve, es narrativamente el más largo (32 páginas), pues refiere con bastante detallismo la marcha de Pedro por las calles de Madrid, su estancia en el café, la efímera amistad entablada con el pintor alemán, la borrachera con Matías, la llegada al burdel, la permanencia y huida del mismo, la vuelta a casa, la desfloración de Dorita y la retirada al propio cuarto (76).

El tercer núcleo se desarrolla de manera análoga. Desde que Pedro va a casa de Matías, asiste a la conferencia, va a la fiesta subsiguiente, se esconde en el burdel y es detenido, transcurre muy poco tiempo. Podemos precisarlo con bastante

(75) Cfr. *Figures*, III, p. 123.

(76) Naturalmente, cuando digo longitud en páginas cuento exclusivamente las dedicadas a la acción principal, tarea nada difícil de realizar dada la disposición en secuencias de que he hablado. Así, esas 32 páginas van desde la 60 hasta la 121.

aproximación: Matías va a ver a Pedro a la mañana siguiente a la de la atolondrada noche, el domingo, pues. En esa misma tarde acuden a la conferencia y a la recepción. Como es en ese momento cuando se conoce el peligro que corre el protagonista, ambos deciden huir y acudir al día siguiente al burdel de doña Luisa («tras una noche de miedo y meditación»). Y suponemos que es el mismo lunes cuando Pedro es detenido. En total, no más de dos días. Para ellos 25 páginas, lo que supone bastante lentitud, habida cuenta de que más de la mitad de esas horas son objeto de simples alusiones.

No es fácil precisar el tiempo abarcado por el cuarto núcleo («un número de horas o de días o de noches difícilmente calculable»), que debe ser inferior a tres días, si la ley se cumplió en su letra y su espíritu. En rigor, la acción principal no comprende más que la entrada de Pedro en la Dirección General de Seguridad, sus reflexiones en la celda y el segundo interrogatorio, momentos narrados con lentitud para sugerir la angustiosa detención del tiempo. Comprenden 14 densas páginas, casi tantas como las que narran los acontecimientos que tienen lugar en el exterior. Este sencillo contraste muestra bien a las claras el diferente tratamiento temporal que el autor iba dando a los acontecimientos narrados.

El quinto núcleo muestra a la perfección cómo unas pocas horas pueden merecer varias páginas mientras días enteros se dan en palabras. Desde la salida de la cárcel hasta el pequeño festejo de la pensión transcurre un día («vendré a buscarte mañana», le había dicho Matías), durante el cual Pedro conoce su expulsión del centro de investigaciones científicas. Tras la fiesta familiar vienen páginas de gran densidad, que recogen los momentos en que el protagonista asiste a la revista, va a la verbena y ve morir a su novia. Diecinueve páginas para no más de ocho horas. De ahí pasamos al soliloquio final, quedándonos la duda de cuánto tiempo ha transcurrido desde la muerte violenta de Dorita hasta la marcha de Pedro, aunque debemos suponer que han transcurrido varios días. Es decir, que el quinto núcleo abarca varios días, aunque la narración se limita, a lo sumo, a dos.

Esta posibilidad de dar el relato en los huesos cuando se trata de hechos «que ni mudan ni alteran la verdad de la historia» (*Quijote* II, 3), o de descender a minucias cuando así conviene, se ve facilitada en gran medida por la división en secuencias, que permite incluir en los espacios en blanco que separan unas de otras el tiempo que no interesa narrar. Ahora bien, ese flexible tratamiento del tiempo tiene una función clara: independizar *Tiempo de silencio* de la trama argumental que lo sustenta. La mejor manera de no someter la novela a las exigencias de la fábula es no dar a ésta el tratamiento temporal que tendrían los mismos hechos en la vida real. Así la novela domina a los hechos, no a la inversa. Sabido es que la compleja realidad elaborada en *A la recherche du temps perdu* se logra manipulando el tiempo, de tal modo que la realidad sicológica se impone a la realidad objetiva, que se limita a ser una especie de telón de fondo de las evocaciones del protagonista (77). De modo análogo, la manipulación de la cronología en *Tiempo de silencio* deja relegadas a un segundo término las aventuras y pone en primer plano la vivencia que el protagonista tiene de las mismas o los lugares por donde discurre. Es decir, que la sicología y las descripciones medran a expensas de la acción (78).

Así se explica la lentitud con que se narran sucesos tan triviales como la marcha del protagonista por las calles madrileñas: es que, al tiempo que se narra, el autor centra su atención en los pensamientos de Pedro o en la realidad circundante que va observando. Por la misma razón, el relato se remansa cuando Pedro asiste a la conferencia, cuando es encarcelado, cuando va a la revista, cuando parte en el tren. Se narra, y se narra con lentitud, lo que permite superar la escueta relación de aventuras.

El examen de la perspectiva narrativa (referida sólo a la acción principal) también nos lleva a conclusiones parecidas. La capacidad de Martín-Santos de sugerir acontecimientos en tan breves pinceladas demuestra que era un consumado fabulador para el que no tenía secretos el arte de contar una histo-

---

(77) Es ésta una de las conclusiones centrales a que llega Genette en su estudio sobre Proust. Cfr. *Figures*, III, pp. 178-82. Esta capacidad de Martín-Santos de alterar las leyes que rigen en la vida real trae ahora a la memoria la conocida afirmación de Sklovski de que «Pour faire d'un objet un fait artistique, il faut l'extraire de la série des faits de la vie». Cfr. *Théorie*, p. 184.

(78) Lo cual no impide reconocer que ésta tiene su lógica propia, y que los acontecimientos relatados no son gratuitos.

ria con amenidad. Pero a veces da la impresión de que el autor tenía poca confianza en el interés de su historia y de que procuraba no gastar muchas palabras en ella. Se explica así tal vez la enorme funcionalidad del lenguaje de Martín-Santos, el hecho de que las palabras con que se cuenta algo se aprovechan también para otras cosas. Dicho en buen castellano, para matar dos pájaros de un tiro. Como si el simple contar le pareciera al autor asunto trivial que convenía despachar deprisa. Y quizá radica aquí la paradoja de que se siga con interés una historieta de perfiles deliberadamente melodramáticos.) Así sucede que varios momentos de la acción están vistos desde la perspectiva de Pedro, y algunos puestos en su propia boca (79). El propósito es claro: al tiempo que se narra se presenta al protagonista, siendo esto último lo más importante. El comienzo de la acción, el propósito de ir a buscar ratones, se camufla en el soliloquio inicial. Enmascarado en otro soliloquio, el final, va el desarrollo de los últimos acontecimientos. A través de un estilo directo algo alterado se van narrando algunos de los pasos de Pedro en su célebre noche de alcohol y literatura. Otras veces es el narrador el que adopta la perspectiva de Pedro y, en su nombre, nos va presentando las gentes de Madrid o una panorámica general de las chabolas.

Además de la velocidad y la perspectiva narrativas, el orden en que se cuentan los sucesos también merece alguna consideración. La acción principal de *Tiempo de silencio* discurre de manera perfectamente lineal, disponiendo sus partes en un riguroso orden causal y cronológico. Sólo hay un salto atrás, y éste afecta a una especie de inciso explicativo más que a un verdadero motivo de la acción. Tiene lugar en las páginas 35-42, en las cuales se refiere el tipo de relación que une a Pedro con las mujeres de la pensión, lo que indica un retroceso temporal con respecto al momento en que se interrumpe la narración, esto es, cuando Pedro ya está en marcha hacia las chabolas. Fuera de esta limitada excepción, la progresión cronológica es una constante de la novela.

---

(79) La distinción, que se basa en la que Genette hizo entre *mode et voix* (cfr. *Figures*, III, pp. 203 y ss.), es clara: en el soliloquio final Pedro ve y habla. En la marcha hacia las chabolas, el personaje ve, y en su nombre habla el narrador *(vid.* especialmente p. 26).

Los antiguos sabían muy bien que una manera de captar el interés del lector hacia las aventuras consistía en evitar la narración lineal. El procedimiento de la narración *in medias res,* que tomaba un acontecimiento por el medio y se retrotraía más tarde al comienzo, lo practicaron con notable éxito y profusión muy lejanos predecesores de la novela moderna (80). Así sucede en el octavo verso de la *Ilíada,* momento en que el narrador retrocede varios días, y así sucedía con muchas otras muestras de la épica antigua. En la novela del XIX el procedimiento es corrientemente utilizado por Balzac, el cual reprochaba a Stendhal no haberse servido de él en la *Chartreuse de Parme* (81) y en España tiene dignísimos cultivadores en Galdós y, sobre todo, en *La regenta,* que es un verdadero alarde de narración *in medias res* (82). Y nada digamos de la novela actual, que practica con la mayor audacia toda suerte de fragmentaciones temporales.

Pues bien, el propósito de Martín-Santos de narrar en derechura no es, nada lo es en él, accidental. Porque la narración rectilínea se aplica a rajatabla cuando se trata de Pedro pero no cuando va referida a personajes secundarios. Esta manera de presentar la acción, además de empalidecerla y relegarla a un segundo plano, sirve para subrayar la angustiosa incertidumbre en que está sumido el protagonista. Así se plasma la idea tan cara al existencialismo de que el hombre se encuentra arrojado en el mundo, actuando en él y viéndose obligado a decidir frente a un futuro que tiene que construir paso a paso (83).

---

(80) La idea de que la linealidad es característica de la novela «tradicional», mientras que la ruptura de la secuencia temporal es hallazgo propio de nuestro siglo merece, cuando menos, una revisión.

(81) Cfr. *Etudes sur M. Beyle,* Genève, 1943, p. 69. A este libro me ha guiado la mención que hace G. GENETTE en *Figures,* III, p. 80.

(82) Algunos procedimientos y efectos los ha estudiado ALARCOS LLORACH en «Notas a *La Regenta», Archivum,* II (1952), pp. 141-60.

(83) «Estoy arrojado en el mundo, no en el sentido de que permanezca abandonado y pasivo en un universo hostil, como la tabla que flota sobre el agua, sino, al contrario, en el sentido de que me encuentro solo y sin ayuda, comprometido en un mundo de que soy enteramente responsable, sin poder, por mucho que haga, arrancarme ni un instante a esa responsabilidad, pues soy responsable hasta de mi propio deseo de rehuir las responsabilidades.» Cfr. JEAN-PAUL SARTRE, *El ser y la nada,* trad. esp. de Juan Valmar, Buenos Aires, 1966, pp. 677-8.

Pedro, como hemos visto, se caracteriza especialmente por su actitud ante el futuro y por su incapacidad de trazar un sendero definido. Lógicamente, la mejor expresión de esa idea se logra tomando la narración en un punto cualquiera del presente y dirigiéndola siempre hacia el futuro y en ningún momento hacia atrás. Todo lo cual viene a demostrar, una vez más, que el autor concibió la acción en función, no de sí misma, sino de otros elementos narrativos, en este caso el protagonista.

Junto a la acción principal existen otras secundarias. Nuestro criterio para distinguirlas se acerca un poco al de Cervantes cuando definía los *episodios* como sucesos que surgían de la acción principal (84), aunque aquí sería mejor decir que desembocan en ella. En cualquier caso, la distinción entre ésta y las secundarias no ofrece ninguna dificultad en *Tiempo de silencio,* pues la primera refiere la vida del protagonista y las segundas las de los personajes secundarios.

En consecuencia, habrá que considerar acciones secundarias las maquinaciones de la patrona, los propósitos de Cartucho con respecto a Florita, el aborto de ésta, las gestiones de Encarna-Ricarda para enterrar a su hija, su confesión del verdadero culpable, la venganza de Cartucho y algunos otros pequeños sucesos. El comportamiento de todos estos personajes forma una madeja de acciones que desembocan en la principal, integrándose en ella, y es como una manifestación del mundo exterior que forma parte de la vida de Pedro.

Reúnen estas acciones secundarias algunas características que ya veíamos en la principal. No existe el mismo tratamiento de la velocidad narrativa, ni tampoco se da una tan marcada linealidad, pero sí hay varios ejemplos de perspectivismo subjetivo. El primer soliloquio de la anciana deja traslucir su propósito de casar a Pedro con su nieta, al tiempo que refleja su idiosincrasia. Cartucho, en su primer soliloquio, deja clara constancia de sus pretensiones sexuales, a la vez que expone su manera de ser. En sucesivos soliloquios de estos dos personajes se observa nuevamente cómo la narración se funde

---

(84) «Y así en esta segunda parte no quiso ingerir novelas sueltas ni pegadizas, sino algunos episodios que lo pareciesen, nacidos de los mesmos sucesos que la verdad ofrece, y aun éstos limitadamente y con solas las palabras que bastan a declararlos.» Cfr. *Don Quijote,* II, 44.

hábilmente en las palabras de los personajes monologantes. La persecución de Pedro permite ofrecer una rica galería de breves monólogos, que revelan los entresijos de diversas intimidades, mientras se va relatando lo que acontece durante la pesquisa.

Es decir, que tampoco en las acciones secundarias es decisivo el suceso, sino la sicología o la descripción ambiental. Los soliloquios citados contienen una rica descripción de la clase media y del subproletariado. Otras acciones secundarias, como el enterramiento o las gestiones de Matías, dan lugar a las sugestivas descripciones del cementerio y de las esferas gubernamentales, respectivamente.

Muchas de las acciones secundarias encierran pequeños relatos de carácter retrospectivo, que tienen como finalidad mostrar sucintamente el itinerario vital de los personajes. Esta capacidad de sugerir historias detrás de cada personaje, en las cuales predomina la selección de detalles significativos sobre la indiscriminada acumulación, muestra una vez más que Martín-Santos procuraba ver realidades humanas o intelectuales tras los sucesos relatados.

1.5. *El narrador.*

Desde que Lubbock escribió en 1921 que «The whole intricate question of method, in the craft of fiction» era «the question of the point of view, the question of the relation in which the narrator stands to the story» (85), era de temer lo peor. Y no sólo porque, como pocos años después advirtió Forster (86), Lubbock situaba «at the edge of the problem instead of at the centre» la crucial cuestión de la credibilidad de la ficción narrativa, sino porque el concepto de punto de vista que imperó a partir de entonces explicaba una parte mínima de la novela. Si, como quiere Genette, la expresión «punto de vista» contesta únicamente la pregunta: ¿quién ve? (87), es evidente que el problema de la novela y de su narrador va mucho más allá de estas cuestiones de ángulo visual. Después de todo, lo más fácil, en el caso del narrador, es averiguar sus

---

(85) Cfr. *The Craft of Fiction*, New York, 1921.
(86) Cfr. *Aspects of the Novel*, New York (Harvest Books), 1970, p. 79.
(87) Vid. *Figures*, III, p. 203.

fuentes de información y señalar si sabe tanto o más que sus personajes. Lo complejo empieza a la hora de determinar sus funciones en la novela, una vez deslindado lo relativo a la fuente de conocimientos.

Por los años veinte se desarrolla en el mundo anglosajón una concepción purista de la novela, especialmente atenta a detectar las intrusiones de los autores en sus relatos. Esta concepción, ceñuda, cayó pronto en exageraciones. De ahí provienen bien conocidos dogmas, como que mostrar (*showing*) es preferible a contar (*telling*), que el autor debe pasar inadvertido, que la narración debe ser objetiva, que hay que evitar transmitir al lector emociones o ideas... y un largo etcétera que no es preciso detallar (88). Lo que llevaba camino de convertirse en una auténtica preceptiva penetró en Francia y se arropó con concepciones filosóficas e ideológicas de amplio alcance. Así, Claude-Edmonde Magny, acercando más de lo debido la literatura a la sociología, condenaba el análisis sicológico (que exige un narrador con amplias atribuciones) por su vinculación con el espíritu y la mentalidad burguesas (89) y en parecidos términos se pronunciaba Jean-Paul Sartre (90), por más que su libro contuviera agudísimas interpretaciones del hecho literario. Nueve años más tarde que sus colegas franceses, José María Castellet anunciaba (90 bis) la llegada de una nueva era, en la cual el decimonónico y burgués autor omnisciente daba paso a otro, de talante más democrático, de quien cabía esperar un trato más liberal y menos paternalista con el lector. Con estos argumentos, la práctica y la teoría novelística de nuestro país, enterrado el viejo autor (¿o narrador?, nunca nos aclararon este punto), se disponían a afrontar una nueva era.

No es prudente creer que las tendencias literarias son irreversibles. Quienes se han empeñado en marcar unas direcciones de la literatura que estuvieran ligadas al avance de las ciencias y a las conquistas de la vida social, han sufrido siempre las más crueles desilusiones. La literatura no avanza, ni crece

---

(88) Cfr. *The Rhetoric of Fiction*, pp. 3, 165 y 271 y ss.
(89) Cfr. *L'âge du roman américain*, Paris, 1948.
(90) Cfr. *Situations*, II, Paris, 1948. Cito por la trad. esp. (Buenos Aires, 1950), *¿Qué es la literatura?*
(90 bis) En *La hora del lector*, Barcelona, 1957.

7

como los organismos biológicos (91), sino que fluctúa, según unas leyes que nada tienen que ver con una evolución progresiva de la civilización. Lo que se creyó desterrado para siempre puede resurgir en cualquier momento con inesperado vigor, como tantas veces se ha visto en la historia de la literatura. Una de las características más engañosas de ésta (y uno de los rasgos de mayor candidez en algunos críticos) es hacer creer que progresa y que alcanza «conquistas» que ya no se pierden (92).

¿Son superfluas estas observaciones? Al menos, deberían serlo. Es posible que la inquina contra el narrador omnisciente haya remitido y que muchas de aquellas opiniones de las décadas pasadas hayan sido arrumbadas en aras de una más serena valoración de la figura del narrador. Con todo, es de temer que el pasado desprecio del narrador omnisciente haya incapacitado para entender las funciones que cumple, que suelen ser mucho más complejas que las que corresponden al personaje-narrador, o al narrador-cámara del objetivismo.

Es obvio que en *Tiempo de silencio* tenemos un narrador omnisciente y omnipresente, cuyas fuentes de información no conocemos. Salvo casos excepcionales, jamás se somete a la perspectiva de sus personajes, a los que excede en conocimientos y en autoridad moral. Sin embargo, esta certeza que hubiera dejado satisfechos a críticos de ambos continentes no hace mucho tiempo, no nos resuelve a nosotros absolutamente nada.

Acudamos a Booth. Todo autor, a la hora de mostrar al lector su visión del mundo y persuadirlo de su validez, se sirve de un artificio, de una retórica. (Y tan retórico es Henry

---

(91) Erlich resume así la opinión de buena parte del formalismo ruso: «The general conclusion to be drawn from all this was clear: literary evolution is not a unilinear process; it is a twisted path, full of detours, of zig zags.» Cfr. *Russian*, p. 259.

(92) Todo este párrafo es una adaptación, a veces casi literal, de ciertas ideas que Néstor Luján expone sobre los cambios de... la moda en el vestir, y que se ajustan admirablemente a la idea que aquí queremos expresar. Cfr. «Una libertad que no se ataca», en *Sábado Gráfico*, núm. 899, 24 de agosto de 1974, p. 3. Se nos excusará este pequeño plagio, que no tiene más intención que recordar que la literatura, como actividad lúdica que es (y no sólo reflejo de la actividad social) pasa por verdaderas modas que no son más que eso, modas.

Fielding como Henry James.) Parte decisiva de esta retórica es la posición del narrador. Pero por posición del narrador hay que entender un complejo de problemas que van mucho más allá de la determinación de la persona narrativa o de su cantidad de información. Es preciso descender al detalle y mostrar qué función cumple ese narrador, aclarando diversas cuestiones: qué tipo de ideas y creencias comunica, de qué recursos se sirve, qué relación le une con el autor, cómo transmite su pensamiento, qué actitud guarda hacia la historia que cuenta, cómo selecciona los hechos que refiere, por qué deja de narrar otros, cuál es su relación con los personajes, a qué distancia o cercanía se mantiene de ellos, cuál es la actitud hacia el lector, de qué modo moldea sus creencias, cómo provee ideas y opiniones generales, cómo realza la significación de la obra, cómo asegura su mensaje, cómo establece comentarios sobre ella (93)... Como se ve, para contestar a estas preguntas no sirven criterios generales, siendo la única guía segura un examen del papel del narrador en cada novela.

No pretendo, en modo alguno, resolver todos los problemas que suscita el narrador de *Tiempo de silencio,* pues eso exigiría un desmesurado espacio. Me limitaré a señalar la función que cumple de cara a la construcción y al sentido de la novela. Para ello será necesario afrontar tres aspectos separados:

1. Relación del narrador con lo narrado.
2. Relación del narrador con el lector.
3. Relación del narrador con el autor.

1.5.1. *Relación del narrador con lo narrado.*

Afirmar la omnisciencia del narrador de *Tiempo de silencio* es insuficiente, puesto que esa omnisciencia recibe muchas modulaciones en el transcurso de la novela, debiendo tenerse en cuenta, además, que el narrador abandona esa posición en algunos momentos. Es digno de señalarse que su actitud hacia lo narrado experimenta continuas modificaciones, unas veces porque aumenta o disminuye la información y otras veces por-

---

(93) Cfr. *op. cit.,* pp. 169-266, junto con muchas otras observaciones dispersas en otras partes del mismo libro.

que demuestra mayor o menor simpatía. Y no hay que olvidar que los juicios críticos tampoco son siempre iguales, sino que varían en extensión y en notoriedad.

Comenzando por los personajes, se verá que el tratamiento otorgado es desigual. No me voy a referir aquí a la vertiente sicológica, aspecto que quedó tratado en el apartado 2 de este capítulo, ni a su función en la novela, a la que aludiré en el apartado 6, sino a la actitud del narrador para con ellos. Un primer rasgo digno de interés es el relativo al tipo de información que proporciona sobre cada uno.

Es indudable que no es siempre de la misma índole, lo que quiere decir que el trato que da el narrador a cada personaje no es homogéneo. Puede observarse que la descripción de Encarna-Ricarda está basada exclusivamente en una presentación de su pasado, en tanto que prácticamente no existe ninguna alusión a la vida anterior de Pedro, cuya caracterización reside en una observación del presente puesto en contraste con sus proyectos. Que se haya escogido en un caso el pasado y en otro el presente obedece a poderosas razones. No sólo porque una mujer aplastada por los años y las adversidades se entiende mejor a la vista de esos antecedentes, en tanto que en un joven lleno de ambiciones la proyección hacia el mañana es más definitoria, sino también porque se estudian en la mujer del Muecas los condicionamientos externos que anulan al individuo, mientras en el caso del protagonista se presta mayor atención al papel que la libre decisión desempeña en la naturaleza humana.

Este sencillo ejemplo pone de manifiesto que el narrador, sin perjuicio de obtener la caracterización más ajustada de cada personaje, y respetando la idiosincrasia de cada uno, trata de indagar más hondamente acerca de las diferentes formas en que el individuo vive en el mundo. En el caso de Encarna-Ricarda se pone de manifiesto la vulnerabilidad del ser humano ante el hambre y la miseria, mientras que con Pedro se resalta la responsabilidad que cada hombre tiene para consigo mismo. Es decir, que el narrador toca dos problemas de índole casi filosófica: cuál es la razón de quienes defienden una concepción determinista del hombre y cuál es la de quienes afirman el libre albedrío y la responsabilidad individual. Dejo para el segundo capítulo un análisis de la rica sustancia ideológica que se esconde tras este problema. Ahora será bastante con señalar el propósito que guía al narrador cuando muestra a los personajes en posiciones tan dispares.

Una de las mayores realizaciones del narrador omnisciente de *Tiempo de silencio* consiste en trazar muy convincentes retratos sicológicos al mismo tiempo que suscita preguntas acerca de la existencia humana. Este difícil equilibrio entre lo singular y lo general se da en la presentación de otros personajes.

En la formidable galería de vencidos que constituye *Tiempo de silencio,* Pedro y Matías son los únicos que podrían achacar su fracaso a debilidades propias. En todos los demás personajes los condicionamientos externos actúan de manera más poderosa en la orientación final de sus vidas. Pero a pesar de esto, el narrador no los presenta según un esquema uniforme, ni proporciona en todos los casos el mismo tipo de información. De tal manera que todos esos derrotados por «los años del hambre» no están vistos bajo el mismo prisma, es decir, en función de su pasado. No se explicaría, sino, el caso de Cartucho, uno de los personajes más degradantes de la novela, del que no existe ninguna alusión a su vida anterior. Antes al contrario, su caracterización depende fundamentalmente de su monólogo, que es el mejor medio de presentar a este hombre en una condición próxima a la animal, donde la vivencia del presente inmediato y la satisfacción de elementales impulsos es lo único que cuenta.

El pasado influye poderosamente en Muecas y en la patrona de la pensión, y en ambos casos es un decisivo elemento de caracterización individual. Pero en la medida en que Martín-Santos buscaba una exposición de diferentes tipos de condicionamientos sociales, el tratamiento literario de ese pasado que lleva a cabo el narrador difiere. En el caso del Muecas se refiere la consabida historia del hombre sin oficio ni cultura que malvive de los desperdicios de los más afortunados. Tan negra biografía basta esbozarla en lo esencial, y eso hace el narrador, utilizando una ironía distanciadora que le ayuda a no caer en el tópico. La patrona de la pensión es un caso más sutil de vileza, donde pesa más el deseo de conservar ciertos lujos, o el propósito de mantener el tono debido a su clase, que el simple hambre. Aquí presenta Martín-Santos la presión de las apariencias, de los prejuicios de pequeña-burguesía, que arrumban todo posible criterio moral. El narrador ahora adopta otra táctica, que consiste en inmiscuirse en las palabras del personaje y poner de relieve la mezquina hipocresía de una clase social que, en su decadencia, arrastra a sus miembros.

No sólo la naturaleza de la información proporcionada sobre cada personaje varía, sino que la manera de mostrar su interioridad ofrece algunas diferencias. En este sentido habría que preguntarse por qué el narrador otorga a unos personajes el derecho al monólogo y a otros no. Es cierto que tanto el monólogo como el soliloquio y el diálogo suponen una expresión directa del personaje sin interferencia del narrador, pero es indudable que a éste corresponde determinar quién habla y cuándo lo hace. Al existir un narrador dominante responsable del relato, las intervenciones de los personajes son un a modo de permisiones de aquél, y por tanto, calculadas manifestaciones de su omnisciencia. Por ello, no carece de interés averiguar también aquí la discriminación que introduce el narrador, y aunque no se pueda dar una explicación exhaustiva se puede aventurar alguna hipótesis.

Dejando a un lado casos de menor relieve, consideraremos los soliloquios y monólogos de: 1) Pedro en la cárcel y en el tren, 2) la patrona de la pensión, 3) Cartucho. Sin negar otras posibles funciones, se podría admitir esta explicación: las palabras de Pedro muestran al hombre en un momento crítico de su existir, cuando vuelve la espalda a su elección original y abdica de su responsable libertad; los de la mujer, la ruindad de quien está dispuesta a sacrificar la más elemental dignidad a cambio de ventajas sociales y económicas; el de Cartucho, como hemos dicho, la degradación absoluta de un ser envilecido desde sus orígenes. En los tres casos se pretende ofrecer distintos niveles en la derrota del hombre y distintas maneras de experimentar dicha situación.

Como puede observarse, el narrador contempla a cada personaje desde el ángulo y en la situación que mejor manifiesta los problemas de orden social y ético que el autor desea mostrar, lo que quiere decir que se encuentran en la novela, sin perjuicio de que se respete su autonomía, en función de las reflexiones que pueden suscitar en el lector y que Martín-Santos quería promover.

La omnisciencia del narrador con respecto a los personajes, lo vamos viendo, tiene mucho de actitud crítica y valorativa. No habrá que extrañarse, pues, de que reafirme esa posición emitiendo, de forma más o menos explícita según los casos, auténticos juicios de valor. También aquí hay que hacer distingos, pues la moralización está adecuada a cada caso concreto, según la característica del personaje y según la clase de apreciación moral que se desea efectuar.

El blanco predilecto de las críticas del narrador es Pedro, ya que su actitud suscita problemas dignos de meditada reflexión. Sobre su contenido insistiremos en el capítulo segundo, no interesando ahora más que señalar la manera en que el narrador juzga la conducta del protagonista. Esto se lleva a cabo de dos modos fundamentales: 1) criticando los actos de Pedro y 2) situando sus soliloquios en un contexto tal que las palabras se vuelven incriminatorias para quien las emite. De lo primero hay no pocos ejemplos, como cuando está en el café Gijón («el realismo de sus vidas no cuajaba en estilo»), cuando yace con Dorita, cuando asiste a la reunión mundana, cuando huye de la policía. Lo segundo se aprecia sobre todo en el soliloquio de Pedro en la cárcel (aunque hay en el último párrafo una significativa intervención del narrador) y en el del tren. Las palabras de Pedro, consideradas en sí mismas, tal vez se podrían prestar a otras interpretaciones, pero el contexto en que están las hace acusatorias, pues el narrador cede la palabra al personaje y se desliga de él con el fin de que resalte más claramente su poca lucidez.

Más o menos, el narrador adopta alguna actitud frente a cada personaje, no permaneciendo neutral en ningún momento. Su posición, lógicamente, varía en cada caso concreto. La crítica a Pedro tiene una raíz intelectual, como también lo es la de Matías y la del director del centro de investigaciones. En cambio, tratándose de personajes más anodinos, el sarcasmo ocupa su lugar, como sucede con la patrona de la pensión o con doña Luisa, merecedora de las despectivas ironías del narrador. Sucede, simplemente, que a más baja ruindad corresponde una crítica menos intencionada. Y, desde luego, no faltan movimientos de simpatía hacia un ser tan desvalido como Encarna-Ricarda (94) e incluso hacia Amador, al que el narrador se

(94) La opinión de Carlos Rojas de que Martín-Santos trata sin la menor humanidad a sus personajes no podría explicar el tratamiento dado a la mujer del Muecas, en donde se observa una indudable conmiseración. Cfr. del citado autor «Problemas de la

dirige con un gesto no exento de cordialidad por su sencillo vitalismo y buen corazón.

De todo lo hasta ahora dicho se deduce que la actitud del narrador hacia los personajes presenta una compleja variedad, tanto en lo que respecta a la información proporcionada como en lo que se refiere a la aprobación o condena de sus actos. Respecto a lo primero, se observa que el narrador estudia a los personajes de manera tal que queden mostrados aspectos problemáticos de la naturaleza humana, tales como la influencia de la realidad sobre el individuo o la importancia de la libertad personal frente a las presiones del exterior. Para hacer más rica la exposición de este problema, el narrador analiza a los personajes desde ángulos diferentes e informa de aspectos distintos de su personalidad y su pasado. Respecto al segundo punto, el de la actitud hacia los personajes, posición de simpatía o de antipatía, se nota que aquél siempre emite algún juicio de alabanza o condena, aunque la manera de hacerlo explícito varía continuamente, señal también de que Martín-Santos buscaba evitar a toda costa la reiteración en los procedimientos utilizados.

Con relación a otros elementos de la novela, tales como las descripciones o la acción, habría que hacer algunas breves consideraciones, aunque aquí ya no tienen tanto interés como en el caso de la relación narrador-personajes. Lo dicho en el apartado 3 a propósito de las descripciones ilustra adecuadamente cuál es la posición del narrador. Este no sólo selecciona cuidadosamente los objetos y realidades que describe, sino que además se esmera en captar la realidad que se esconde tras ellos. Esto es evidente no sólo en un caso tan notorio como la descripción de Madrid, sino que se da en situaciones menos importantes, como cuando se describen la calle y las tiendas por las que pasan Pedro y Amador (págs. 26 y ss). La posibilidad de penetrar el trasfondo de las cosas y el inequívoco deseo de presentar ideas y conceptos en lugar de objetos demuestra cuáles son los poderes del narrador. Poco tiene de sorprendente, entonces, que realce algunas situaciones por medio de

_____

nueva novela española», en el colectivo *La nueva novela europea,* Madrid, 1968. La crítica que Sobejano hace de Rojas sobre este particular me parece certera. Cfr. *Novela española de nuestro tiempo,* p. 556.

abiertos juicios de valor. Tal sucede, por ejemplo, cuando habla de «la cínica candidez del cielo» (pág. 26) que simula ignorar las lacras de la tierra, cuando prorrumpe en irónicas exclamaciones a propósito de las chabolas (pág. 43) o cuando, superponiendo el macho cabrío al filósofo, increpa a Ortega su alejamiento de la realidad social del país, todo ello so pretexto de describir el cuadro de Goya (págs. 127 y ss.).

La acción también le sirve al narrador para ir tejiendo toda suerte de opiniones y comentarios. Como diría Genette —siguiendo a Benveniste y, más de lejos, a Aristóteles— (95), el comentario (*discours*) predomina sobre el simple relatar (*récit*). Y ello, porque el narrador no evita «La moindre observation générale, le moindre adjetif un peu plus que descriptif, la plus discrète comparaison, le plus modeste peut-être, la plus inoffensive des articulations logiques...» (96). Antes bien, hace gala de comentarios de toda índole. No puede limitarse a relatar que Pedro bebe agua, sino que nos hace adivinar su pronta derrota al decir que «la bebía como si él también fuera un águila que había de volar muy lejos» (pág. 100). Por lo mismo, cuando refiere la conversación de Pedro y la madre de Matías, no se limita a referir lo que sucedió, es decir, las palabras realmente intercambiadas entre los personajes, sino que el comentario precede al relato:

> Y de improviso, cayendo al fin en la trampa, en el hacerse interesante, en el adornarse de plumas propias aunque pintarrajeadas añade:
> —Ayer noche he estado operando (págs. 140-41).

En fin, si Pedro escapa atolondradamente de la policía refugiándose en un burdel, el narrador puntualiza, al tiempo que narra:

> Sin saberlo, seguía Pedro el mismo camino que habitualmente recorre el delincuente que, tras cometer su crimen en otra esfera, regresa al mundo

---

(95) Cfr. *Figures*, III, pp. 62 y ss.
(96) *Ibíd.*, p. 67.

para el que está adaptado, como ciertos animales cuyos ojos faltos de uso han llegado a permanecer atróficos... (pág. 149).

Estos ocasionales ejemplos, que no es preciso reiterar dada su poderosa evidencia, demuestran cumplidamente qué lejos estaba Martín-Santos de escoger para su obra «esa señora vestida de seda negra que es la técnica objetivista» (97). Su narrador, que manipula y considera cosa propia la novela que cuenta, termina por adquirir corporeidad y convertirse en una especie de personaje más, del que no conocemos el rostro, pero sí su presencia, sus opiniones y hasta sus sentimientos. Estas características derivan, más que de la «omnisciencia», de la actitud del narrador hacia los demás elementos de la novela y de su manera de convivir con ellos.

Al concebir de este modo el narrador de su novela, Martín-Santos no sólo daba la espalda a la moda imperante en España y en buena parte de Europa hacia los años sesenta, sino que, saltando barreras del tiempo, enlazaba con el prestigioso ejemplo de grandes novelistas del pasado que se distinguieron, precisamente, por su voluntad de hacer del narrador algo más que un simple relator de sucesos. ¿Sería exagerado establecer alguna conexión entre *Tiempo de silencio* y novelas como *El Quijote, Tom Jones* o *Tristam Shandy*? No podemos demostrar la influencia de éstas en aquélla, exceptuando el caso de la novela de Cervantes, cuya técnica literaria en modo alguno fue desconocida por Martín-Santos. Pero, salvando todas las diferencias que se quieran, Cervantes, Sterne, Fielding y Martín-Santos se distinguen por el hecho de haber imaginado unos narradores llenos de vitalidad que, además de comportarse en ocasiones como unos auténticos personajes, hacen posibles unas obras notables por la profundidad de perspectivas alcanzadas y por la riqueza de significados humanos o intelectuales. Pues hay que decir que si *Tiempo de silencio* difiere tan considerablemente de la narrativa dominante en España en el momento de su publicación es porque sólo este tipo de narrador hacía posible la novela, y con ella su poderoso despliegue intelectual.

---

(97) Cfr. el prólogo de Salvador Clotas al libro *Apólogos*, Barcelona, 1970, p. 18.

Aunque Martín-Santos, a diferencia de sus antecesores españoles e ingleses de los siglos XVII y XVIII, no buscaba la ironía, sino la certeza, no pretendía jugar con la ambigüedad de la realidad, sino hallar un sendero en su laberíntica estructura. Esto nos lleva a tratar el problema de las relaciones del narrador con su creador.

1.5.2. *Relaciones del narrador con el autor.*

El narrador no sólo es responsable de la historia que cuenta, sino que también tiene a su cargo transmitir la visión del mundo que el autor quiere comunicar, tarea ésta no menos delicada que aquélla. En efecto, contra lo que aún suele pensarse, el narrador y el autor no son la misma figura (97 bis), y con no pocas frecuencia surgen discordancias entre ellos (98), lo cual constituye una poderosa razón para no identificarlos sin más ni más. Una rápida ojeada a algunas novelas famosas de la literatura española, correspondientes a distintas épocas y estilos, y dotadas de muy diferentes narradores, nos convence pronto de ello.

Comencemos por *Lazarillo de Tormes*. No niego que la polisemia de muchas situaciones y la pluralidad de niveles de interpretación de la novelita sea uno de los mayores acicate de su lectura. Pero me parece igualmente innegable que la imposibilidad de resolver ciertas dudas se debe al hecho de que el narrador no transmite fielmente la posición del autor ante ciertos temas de candente actualidad en la España del siglo XVI. ¿Estamos ante una obra que afirma ciertos valores religiosos, que los niega o que se limita a incidir en el anticlericalismo al uso? (99). ¿Existe verdaderamente una tesis en

---

(97 bis) Sobre este punto pueden verse FRANCISCO AYALA, «Reflexiones sobre la estructura narrativa», en *Ensayos*, pp. 396 y ss., y OSCAR TACCA en *Las voces de la novela*, pp. 35-63 y 64-71.

(98) Este supuesto, el caso del *unreliable narrator* que analiza Booth, constituye uno de los aspectos más originales de su *The Rhetoric of Fiction*. Cfr., especialmente, pp. 169-205, 211-5, 271-309 y 339-74.

(99) Contrástese: «La intención religiosa del *Lazarillo* y Juan de Valdés», de M. J. ASENSIO, *Hispanic Review*, XXVII (1959), pp. 78-102; F. MÁRQUEZ VILLANUEVA, *Espiritualidad y literatura en el siglo XVI*, Madrid, 1968, pp. 99-104; *Erasmo en España*, de

este libro, o algo que se le aproxime a ello? ¿De ser cierto, de qué signo? (100). ¿Y qué decir del tema del honor, del trabajo, de los méritos personales y heredados? ¿Defendía el anónimo autor los valores de una burguesía en ascenso (101), o se limitaba a proclamar la vanidad de los existentes y a propugnar un radical relativismo? (102). Ante la pregunta de las intenciones del autor, Alberto Blecua señala que «La propia constitución de la obra la hace ambigua, polisémica... susceptible de diversas interpretaciones» (103). Por mi parte me inclinaría a localizar el problema en la falta de garantías de un narrador que, si agudo observador, es también un redomado

---

MARCEL BATAILLON, trad. esp. 1966², pp. 609 y ss.; A. A. PARKER, *Los pícaros en la literatura. La novela picaresca en España y en Europa* (1599-1753), trad. esp., Madrid, 1971, pp. 34 y ss.; AMÉRICO CASTRO, *Hacia Cervantes*, Madrid, 1967³, pp. 118 y ss.; FRANCISCO RICO, *La novela picaresca española*, Barcelona, 1970², «Introducción», pp. LVIII-LXII; del mismo autor, *La novela picaresca y el punto de vista*, Barcelona, 1973², pp. 53-4; CLAUDIO GUILLÉN, «La disposición temporal del *Lazarillo de Tormes*», Hispanic Review, XXV (1957), p. 276; LÁZARO CARRETER, «Construcción y sentido del *Lazarillo de Tormes*», Abaco, núm. 1, pp. 129-30. Ahí se encuentran opiniones para todos los gustos: erasmismo, judaísmo, orientalismo, anticlericalismo, etc., que a veces se contradicen entre sí. Tal incertidumbre sólo es posible porque el autor no puede, o no quiere, hacer transparentes sus palabras a través del narrador.

(100) Cfr., además de los trabajos citados de Américo Castro, Lázaro Carreter, Claudio Guillén y Francisco Rico, el artículo de STEPHEN GILMAN «The Death of Lazarillo de Tormes», PMLA, LXXXI (1966), pp. 149-51.

(101) Opinión que Francisco Ayala expone en *op. cit.*, pp. 811-820.

(102) Como sostiene F. RICO en *La novela picaresca española*, «Introducción», p. LVI, y, sobre todo, en *La novela picaresca y el punto de vista*, pp. 53-55.

(103) Cfr. su «Introducción» a la edición del *Lazarillo*, en Clásicos Castalia, Madrid, 1972, p. 34. Me parece clave la duda que expone Blecua: «El problema radica en saber si el autor pretendió esta ambigüedad de lectura». Duda que, me temo, nunca se podrá resolver. A este respecto es muy significativo que cuando FRANCISCO RICO *(La novela picaresca*, p. LVI) intenta aclarar las ideas del autor se pronuncia en términos precavidos. Cauto también se muestra Lázaro Carreter al disociar al autor real del ficticio, oponiéndose así a DIDIER JAÉN. Cfr. *Construcción y sentido...*, p. 133.

bribón que no puede convincentemente pedir que aceptemos su visión de las cosas. Este *unreliable narrator* puede llegar incluso a contaminar con la duda partes de la obra no directamente referidas a sí o sus ideas. Un caso sencillo: ¿es el hidalgo un simpático fantoche o un «muy fino bellaco»? La pluralidad de interpretaciones a este respecto (104) demuestra que la postura del autor tampoco está transparentada aquí por las palabras de su narrador.

La ambigüedad o certeza que se desprende de las más importantes novelas de la época inmediatamente siguiente está directamente relacionada con el grado de identificación que se da entre el autor y su narrador. Si, al menos en lo esencial, las lecturas del *Guzmán de Alfarache* coinciden, al llegar al *Buscón* la polémica y la pluralidad de puntos de vista surge (105). Y es que el narrador ruin, a menos que esté ideado con finalidades ejemplares, como sucede en la novela de Alemán, introduce automáticamente la duda cada vez que toca alguno de los grandes problemas de su tiempo. Las afirmaciones serias pueden pasar como muestras de cinismo y las críticas fundadas no se desprenden nunca de un cierto aire de espúreas autojustificaciones. No es ciertamente fácil en todos estos casos deslindar las burlas de las veras y determinar qué pertenece al narrador y qué al autor (105 bis).

---

(104) Ideas prácticamente opuestas defienden Azorín, Martín de Riquer y Lázaro Carreter. Ver el citado artículo de este último, p. 131.

(105) Véase, por un lado, «Originalidad del *Buscón*», de LÁZARO CARRETER, en *Studia Philologica*, Homenaje a Dámaso Alonso, II, Madrid, 1960, pp. 319-38; MAURICE MOLHO, «Introduction», en *Romans picaresques espagnols*, Paris, 1968, pp. LXXXV y ss.; F. RICO, *La novela picaresca y el punto de vista*, pp. 125 y ss.; y, de otro lado, ALEXANDER A. PARKER, *Los pícaros en la literatura*, pp. 23-5 y 103-21.

(105 bis) O, como dice F. Rico: 'Estamos ante el viejo problema de la paradoja metalógica». «Los cretenses mentimos siempre». El aserto de Epiménides ¿es verdad o mentira? O bien: «Todo es relativo». ¿Incluso semejante proposición? «No hay valores sino referidos a la persona», viene a decirnos Lázaro... Entonces ¿el supuesto deberá aplicarse sólo a nuestro pregonero? Y, en tal caso, la idea, ¿quedará desvirtuada por proceder de un rufián? El «fruto» de la novela ¿será simplemente mostrar a qué deformaciones puede llegar una inteligencia perversa?'. Cfr. *La novela picaresca*, pp. 50-1.

No es preciso insistir aquí en el rico partido que supo obtener Cervantes de las ambigüedades narrativas y del cruce de varias voces en algunas de sus novelas, especialmente en el *Quijote* (106). Pero sí se notará con qué frecuencia este recurso somete al lector a insolubles dudas, muchas veces buscadas deliberadamente por el propio Cervantes, que de este modo evitaba dar la cara ante intrincadas cuestiones (107). En el *Persiles* ciertos pasajes que podían resultar inverosímiles o dañar severamente el ansiado equilibrio entre lo real y lo maravilloso, los esquiva el autor atribuyéndolos a narradores cuya credibilidad es dudosa. En cuanto al *Coloquio de los perros* ha señalado Riley que su incredulidad sustancial, aceptable para el lector moderno, preocupaba hondamente al autor, por parecerle una exagerada y peligrosa manifestación de lo maravilloso. Situación que esquivó convirtiendo a Campuzano en un narrador absolutamente carente de garantía respecto a la veracidad de lo oído (108). En cuanto al *Quijote,* la presencia de varios narradores y traductores tiene como uno de sus resultados que muchos pasajes sean dudosos y que queden abiertos a diversas interpretaciones. Para empezar ¿cómo considerar a Benengeli, «muy curioso y muy puntual en todas las cosas» (I, 16) y moro de quien «no se podía esperar verdad alguna» (II, 3)? Como en el caso del *Lazarillo,* aunque los resultados y los propósitos no sean los mismos, la presencia de un narrador no fidedigno impide conocer, en parte al menos, las ideas del autor.

Si nos remontamos a la novela actual, vemos nuevamente ejemplos que demuestran cómo la distancia entre el narrador y el autor puede ser grande y decisiva en la interpretación final de la obra. En *La familia de Pascual Duarte* la presencia de varios narradores que se contradicen entre sí impide deducir una ideología que no sea simplemente esa «duda sistemática»

---

(106) Cfr. «Cide Hamete Benengeli, autor del *Quijote*», en *Comunicaciones de Literatura Española*, Buenos Aires, 1972, y la bibliografía a que alude Oscar Tacca, de cuyo libro (p. 56, n. 13) tomo la referencia.

(107) Vid. Edward Riley, *Teoría de la novela en Cervantes,* trad. esp., Madrid, 1966, pp. 304 y ss.

(108) Cfr. *Teoría de la novela...,* p. 308.

de que ha hablado Spires (109), duda que es algo así como una solemne afirmación de autonomía literaria. En un caso tal es imposible vincular a Cela con alguno de los narradores y aplicar a la novela los criterios morales e ideológicos que aquél posee en la vida real. Esta estupenda muestra de ilusionismo literario en que consiste *La familia de Pascual Duarte* es otro caso más de lo ajeno que el narrador novelesco puede ser al sistema ideológico del autor que le dio vida.

El caso más claro, a mi entender, de la imposibilidad del narrador impersonal de transmitir de una manera perfectamente coherente y sin fisuras una compleja visión de la vida lo constituye *El Jarama*. A diferencia de las otras novelas que hemos visto, en las que el autor se oculta, aquí se observa nítidamente cómo el narrador no puede expresar todo lo que el autor quisiera, razón por la cual éste termina por intervenir, no en el relato, sino en sus alrededores. Si admitimos que el tema de esta novela «no es sólo el tiempo, sino también la vida y la muerte» (110) y que «enfrenta al hombre con las fuerzas telúricas y naturales» (111), hay que conceder que esa visión de la existencia se logra gracias al concurso de lo referido por el narrador (112) —es decir, el relato de una tarde

(109) En su artículo «Systematic Doubt: The Moral Art of *La Familia de Pascual Duarte*», *Hispanic Review*, XL (1972), pp. 283-302.

(110) Cfr. EDWARD RILEY, «Sobre el arte de Sánchez Ferlosio: Aspectos de *El Jarama*», en *Filología*, IX (1963), p. 218.

(111) Vid. DARÍO VILLANUEVA, *El Jarama de Sánchez Ferlosio. Su estructura y significado*, p. 147.

(112) Con respecto a esta novela, sería útil distinguir entre el que cuenta lo que sucede en las márgenes del río y el que sitúa esa historia de unos muchachos madrileños en un determinado contexto. Otra cosa distinta es que ese narrador muestre en ocasiones un conocimiento de las cosas que excede de sus posibilidades. (Cfr. RILEY, *art. cit.*, pp. 205-7 y 220-1, y VILLANUEVA, *op. cit.*, pp. 67-79.)
En lo que al título concierne, es interesante señalar que en *El Jarama*, como en otras novelas más o menos objetivistas, que pretenden comunicar un complejo de ideas además de mostrar fotográficamente la realidad, como sucede en *Laberintos*, de FERNÁNDEZ SANTOS, o *Tormenta de verano*, de GARCÍA HORTELANO, su simbolismo indica un propósito de canalizar la lectura en una determinada dirección. Y es que, a medida que enmudece el narrador, alguien tiene que decir lo que él no dice. Es una verdad axiomática. Las grandes novelas del siglo XIX, donde había un narrador bien dotado, podían permitirse unos títulos escasamente expresivos de su

de domingo— *más* las decisivas orientaciones para la lectura de *El Jarama* que da el autor: 1) el título, de carácter bien simbólico, 2) la cita de Leonardo de Vinci (que evidentemente no corresponde al narrador impersonal) y 3) las descripciones geográficas del río, que abren y cierran el relato, en donde se observa un verbo en primera persona (*describiré*) que contrasta grandemente con el pasado ficticio del narrador.

Los ejemplos vistos prueban elocuentemente cómo en la novela española de diversas épocas se ha planteado el conflicto entre el narrador y el autor. Esa tensión, lejos de parecer un demérito, creo que explica muchas de las virtudes (y algunas de las limitaciones) de todas las novelas mencionadas. Lo que aquí me interesa demostrar es que una novela como *Tiempo de silencio*, que posee una condensación ideológica pocas veces vista en la literatura española, no podía en modo alguno servirse de un narrador que no transmitiera fielmente la ideología del autor. Otra cosa supondría una ambigüedad que esta novela no podría asumir sin grave quebranto de su coherencia interna. Aquí el narrador y el autor marchan perfectamente compenetrados a lo largo de la novela (112 bis).

Reconsideremos lo dicho acerca de la relación entre el narrador y lo narrado. El modo en que aquél manipula los personajes, las descripciones y la acción es un verdadero prejuicio que canaliza la lectura de *Tiempo de silencio* en una determinada dirección. Pero, ¿qué dirección? Pues, simplemente, la ideología que el autor pretende comunicar. Los manejos del narrador al contar la historia, al sorprender a los personajes

---

contenido: *La regenta, Fortunata y Jacinta, Pepita Jiménez, Doña Luz, Sotileza, Peñas arriba...* Estos títulos no orientaban la lectura de las novelas, porque su rico contenido humano e intelectual estaba claramente expresado. Por el contrario, la narración impersonal tiene que acudir a diversos artificios para compensar el ascetismo informativo de sus narradores. Es curioso que WAYNE BOOTH *(op. cit.,* p. 198) ha señalado un fenómeno parecido en la novela contemporánea de habla inglesa. El estudio de los títulos en la novela actual, problema que encierra muchos más problemas de los expuestos aquí, merece un análisis que no se ha realizado todavía. El día que se haga se mostrará, entre otras cosas, la limitación esencial de la novela objetivista como medio de expresión de ideas complejas.

(112 bis) Razón por la cual me he referido a ellos casi indistintamente.

en disimulados escorzos morales o al insinuar profundos mundos tras los objetos cotidianos, nos resultan aceptables y nos merecen garantía en la medida en que están sustentados por un coherente y razonado pensamiento, casi, casi, un sistema filosófico, que se hace patente a lo largo de la narración. La justificación de las intromisiones del narrador se encuentra, a fin de cuentas, en la riqueza de ideas que se expresa a través de ellas.

Que el narrador habla en nombre del autor no parece difícil de probar. Su condición de portavoz se manifiesta de dos modos: canalizando lo narrado hacia la ejemplificación de sus ideas y deslizando por aquí y por allá toda suerte de comentarios. De lo primero algo se ha hablado, y más se dirá en el segundo capítulo, donde se analiza la sustancia ideológica de *Tiempo de silencio,* por lo cual no será preciso insistir. De lo segundo conviene señalar algunas particularidades del lenguaje que revelan la identificación del narrador con el autor. Nuestra atención se detendrá en las siguientes: 1) verbos en presente, 2) preguntas, 3) alusiones a una realidad extraliteraria y juicios de valor hechos desde fuera.

Una rápida ojeada a algunos tiempos verbales ayuda a reconocer mejor la proximidad del narrador para con el autor. *Tiempo de silencio* está narrado predominantemente en imperfecto e indefinido, junto con sus correspondientes tiempos compuestos. No contradice esta norma general la excepción que suponen algunos casos de narración en presente, que tiene por finalidad dar una impresión de inmediatez y de proximidad a los acontecimientos, como sucede cuando Pedro se dirige al café (págs. 62, 64) y a la pensión (pág. 93). Evidentemente tampoco hay que tomar en consideración el presente de los diálogos y de los monólogos. En cambio son altamente significativos algunos casos de presente y pretérito perfecto intercalados en pasajes donde dominan tiempos del pasado, ya que en tales casos hay que suponer, con Weinrich, que estamos ante auténticos tiempos comentadores (113) que, en el caso concreto de *Tiempo de silencio,* indican la presencia de juicios de carácter general. Así sucede en el siguiente ejemplo:

---

(113) Cfr. *Estructura y función de los tiempos en el lenguaje,* trad. esp., Madrid, 1968, pp. 66 y ss.

8

Comiendo esa pescadilla comulgaba más íntimamente con la existencia pensional y se unía a la mesa
de mártires de todo confort *que han hecho poco a
poco la esencia de un país que no es Europa.* El
uróvoros doméstico tenía una apariencia irónica,
sonriente. No se mordía la cola con verdaderas ga-
nas, sino delicadamente... (pág. 60).

La frase subrayada, que contiene unos tiempos verbales
distintos a los del resto del relato, indica una actitud diferente,
un verdadero cambio de posición por parte del narrador. Porque ese comentario supone una alusión a un presente extrano-
velístico, una referencia a España en cuanto país en que vive
quien la novela escribe, no como a un lugar en donde discurre
la acción. La apostilla «la esencia de un país que no es Europa»
supone una experiencia que no puede deducir el narrador de
lo desarrollado en la novela, sino que lo introduce en ella
como medio de reflejar el sentir de Martín-Santos acerca de
España. Ese juicio de valor, que más que integrarse en el
relato se superpone a él, podrá parecer a muchos una intromi-
sión innecesaria del autor. Pero en una concepción menos
estrecha de la narración puede interpretarse a distinta luz. Si
se tratara de un juicio ocasional podría ser considerada esa
frase como un desliz de escritor poco atento, que hace decir
al narrador más de lo que éste puede. Pero cuando vemos
que esa alusión al retraso de España se encuentra repetida, siempre de manera diferente, en otras partes de la novela, se nos
antoja, entonces, como un modo de manifestar inequívocamente
la posición del autor ante el atraso español, que es otro de los
temas de *Tiempo de silencio.*
Un ejemplo parecido al anterior lo constituye un breve
relato de las actividades de los pensionistas. La narración en
imperfecto se interrumpe para dar paso a un juicio ¿que el
narrador enuncia en nombre del autor? y que recalca otra
de las ideas más queridas del novelista: que la vida es, casi
siempre, una sucesión de desengaños y fracasos:

Mientras que algunos —los menos— trabajaban
fuera, otros —los más— permanecían en sus cuar-
tos dedicados a ocupaciones ignoradas y fingiendo

no saber nada de cuanto indudablemente sucedía. Posiblemente estas lentas horas serían ocupadas en la lectura, en largas y calenturientas siestas, en cuidadoso espionaje por la ventana interior o los balcones exteriores... en una ensoñación melancólica cien veces repetida, en la que irían apareciendo (para cada uno) con el halo de la desesperanza, los sueños de la juventud *que nunca la vida ha llegado a concretar* (pág. 215).

La interrogante que me planteaba antes deriva de la condición de la frase señalada, que he escogido como manera de mostrar que el cambio en los tiempos verbales indica una diferente actitud por parte del narrador (al menos en *Tiempo de silencio*). En efecto, la frase señalada puede interpretarse ya como una opinión del autor («la vida no concreta los sueños de la juventud»), ya como un sentimiento de los personajes («la vida no ha concretado sus sueños»). Si admitimos la primera de estas dos interpretaciones, se verá que el narrador se expresa de modo diferente cuando actúa de manera omnisciente frente a la vida oculta de los personajes que cuando actúa de manera omnisciente en nombre de las ideas del autor. La forma *no ha llegado* en lugar del esperable *no llegó* parece encerrar una opinión de carácter general. Tal juicio está expresado en nombre de alguien que posee una visión de lo humano más amplia que la que se deduce de la observación de los personajes. Me parece que ese comentario va más allá de la simple actitud omnisciente del que conoce todo lo referente al mundo novelesco que presenta. Es, de ser correcta la hipótesis anterior, manifestación de alguien que, desde fuera, expresa su sentir.

Si los casos anteriores suponen una posibilidad de que el autor manifieste su parecer de un modo muy directo, hay otros que no dejan lugar a dudas, por tratarse de auténticos incisos que contienen afirmaciones muy generales que preceden a su ejemplificación práctica en la novela. Esto sucede en un inciso de 17 líneas que sirve de pórtico al soliloquio de la anciana y que viene a ser como una teorización sobre la juventud bella y pobre a la que la menesterosidad convierte en rapaz, lo que preludia la imagen de Dorita dejándose utilizar por su abuela para atraer a Pedro:

La vida puede ser dura, pero, a veces, la gente del pueblo qué carnes tan apretaditas tienen *(sic)*... Esa engañosa belleza de la juventud, esa gracia de la niñez, esa posibilidad de que los ojos brillen cuando aún se soporta desde sólo tres o cuatro lustros la miseria y la escasez y el esfuerzo, confunden muchas veces y hacen parecer que no está tan mal todo lo que verdaderamente está muy mal (pág. 17).

De análoga forma hay que considerar la interpolación sobre los toros y su evolución en el tiempo (págs. 182-3). Es un fragmento en el cual dominan los verbos en presente, y, siendo independiente del argumento de la novela, guarda una estrecha relación de sentido con muchos pasajes en los que se habla de los toros como elemento característico de la idiosincrasia nacional (vid. págs. 8, 15, 74, 98). De tal manera que la opinión, original y compleja, que Martín-Santos tiene acerca de la fiesta taurina sólo se hace plenamente explícita gracias a este pasaje en el que el narrador transmite con todo lujo de precisiones su pensamiento.

Además de los verbos en presente, nos ayudan a descubrir la mayor cercanía del autor ciertas frases interrogativas incrustadas en el relato. Tal vez la afirmación de Tacca de que toda pregunta «no corresponde, en rigor, al narrador. Bien vista, puede siempre atribuirse al autor, al personaje o al lector» (114), peca de exagerada, porque todo depende de las específicas características de cada narrador. Pero sí me parece fuera de duda que ciertas preguntas, que el narrador de *Tiempo de silencio* se hace durante la novela, expresan muy claramente las ideas de Martín-Santos, puesto que tales preguntas implican un conocimiento de la realidad y una capacidad de crítica que desbordan la simple omnisciencia novelesca. El ejemplo más claro se encuentra en la página 183 (115), en el ya mencionado inciso sobre los toros. La sospecha de que los tiempos en presente indicaban que el narrador actuaba directamente como

---

(114) En *op. cit.*, p. 67.
(115) Otros ejemplos pueden verse en las páginas 27, 82, 95, 127, 128. La mayoría de estas preguntas indican un propósito del narrador de incluir al lector en sus reflexiones, no de expresar las ideas del autor.

portavoz del autor se acrecienta ahora al analizar unas preguntas como las que siguen:

> ¿Llamaremos, pues, hostia emisaria del odio po-
> pular a ese sujeto que con bicornio antiestético
> pasea por la arena...?

> ¿Pero qué toro llevamos dentro que presta su
> poder y fuerza al animal de cuello robustísimo que
> recorre los bordes de la circunferencia? ¿Qué toro
> llevamos dentro que nos hace desear el roce, el aire,
> el tacto rápido, la sutil precisión milimétrica... (pá-
> gina 183).

En tercer lugar, habría que considerar las numerosas llamadas a una realidad exterior a la novela que se incluyen dentro
de ésta. De ahí deriva la amplitud de alcances y la riqueza
intelectual de *Tiempo de silencio*. Si el narrador no fuera un
tan fidedigno portavoz del autor, la novela de Martín-Santos
sería otra muy distinta, menos ambiciosa intelectualmente. Hay
que tener en cuenta que el narrador, por muy lejos que lleve
su omnisciencia, no puede, por su propia naturaleza, exceder
los límites de la narración. No posee más conocimientos que
los referidos a la historia que cuenta, a los personajes, al tiempo
y al espacio de la misma. Ciertamente buceando en el pasado
de un personaje puede llegar muy lejos, como también puede
ampliar su perspectiva descubriendo las implicaciones contenidas en cada objeto o suceso, al modo de las cajas chinas que
contienen en su interior otras más pequeñas. Recordemos cómo
en el pasado de la patrona se resume la historia bélica de la
España contemporánea o cómo en la descripción de Madrid
se compendian siglos de la cultura nacional. Pero hay muchos
casos en que el narrador lleva a cabo esa tarea saliéndose
de los límites de su relato. Un gran número de metáforas, de
comparaciones y de metonimias, como las que hay en la descripción de las chabolas, en la de Madrid, en la del cuadro de
Goya, en la narración de la conferencia filosófica y en otros
muchos casos, implica un conocimiento de otros mundos que
se contraponen al de la novela. En suma, delatan un autor
con un sólido acervo cultural. Pues el ver «la espalda a las
cosas» (Ortega) no se puede hacer más que en función de

unas ideas externas a esas mismas cosas. Interpretar un fenómeno, y la novela de Martín-Santos es sobre todo una interpretación de la realidad (115 bis), no es más que integrarlo en un contexto más amplio.

A medida que se adentra en esa dirección y descubre horizontes complejos, el narrador necesita cada vez más un sistema de ideas que ordene sus hallazgos. Es decir, que las incursiones en la historia o la superación de los límites espaciales y anecdóticos de la vida madrileña ha de hacerse en función de un principio ideológico superior. De lo contrario, esos alardes informativos del narrador serían piruetas en el vacío. Es, en definitiva, el sistema ideológico del Martín-Santos el que da su razón de ser al propósito del narrador de abarcar una amplia realidad que supere los datos empíricamente observables en la vida cotidiana.

De este modo, lo que habíamos visto en el apartado anterior, es decir, la relación del narrador con el relato, está en íntima conexión con lo que hemos visto ahora, la relación del narrador con el autor. Porque la actitud del narrador en el primer caso se explica en función de su relación con el autor. La dignidad de aquél, sus amplios atributos y su compleja omnisciencia están en justa proporción a la hondura de ideas que trata de expresar. La riqueza del narrador es causa y efecto de la riqueza del mundo narrado.

No hay que olvidar que *Tiempo de silencio,* además de su riqueza ideológica, expone una tesis. Si se quiere, más que de *roman à thèse* se debería hablar de novela moralizante, escrita por un autor que muestra hondas preocupaciones por la actitud que el hombre ha de seguir en el mundo actual. Para llamar moralizante a *Tiempo de silencio* me baso en la amplitud de horizontes de la novela y en el ánimo correctivo que, como luego veremos, llega a sugerir una norma ideal de conducta.

Pues bien, para acometer felizmente esta empresa era necesario un narrador convertido en fiel traductor de Martín-Santos. Escribió éste su novela en un momento en que imperaba una poética del punto de vista diametralmente opuesta: «(el autor)... se borra totalmente de sus obras y su misión

---

(115 bis)   Como sostiene Paul Alexandru Georgescu. Véase la nota 58 de este capítulo.

queda reducida a registrar, con total y fría objetividad, los acontecimientos externos de los que son protagonistas sus personajes» (116). Estos preceptos los vulneró a ciencia y a conciencia, porque no escribía con propósitos puramente ficticios, sino con otros más ampliamente aleccionadores, como lo demuestra la frecuencia con que el narrador inserta críticas del autor, que es algo así como quebrantar el orbe cerrado de lo novelesco, si hubiéramos de dar crédito a lo que sobre este punto escribió Ortega (117).

Habrá que admitir un concepto amplio de novela, ya que en *Tiempo de silencio,* contra lo que Ortega exigía, coexiste el cosmos imaginado con el mundo exterior, y el autor nos pide que acomodemos nuestro aparato visual a ambas realidades. Su novela se propone simultáneamente como ficción narrativa y como reflexión ensayística sobre el hombre moderno. En la obra literaria de intención didáctica —y creo que no es inoportuno este calificativo aplicado a *Tiempo de silencio*— «la vida es contemplada desde fuera de ella, puesta entre paréntesis y vista en la firme realidad ideal del debe ser, no en la realidad problemática de su existir» afirmaba Américo Castro (118). Creo, sin embargo, que como obra didáctica *Tiempo de silencio* ofrece no pocas salvedades a esa formulación. Pues su autor se las ha ingeniado para hacer discurrir paralelamente vida y reflexión, ficción y ensayo, unidad de perspectiva y pluralidad de interpretaciones. En respetar la complejidad de la realidad y, al mismo tiempo, hacerla ver a la luz de una ética personal consiste su fórmula novelesca.

1.5.3. *Relaciones del narrador con el lector.*

En el lenguaje del narrador existen frases y palabras que no proporcionan información, sino que sirven para establecer una *sui generis* relación entre él y el lector. En tales casos se podría decir que la función estrictamente narrativa cede ante

---

(116) Cfr. J. M. Castellet, *La hora del lector,* p. 18.
(117) Vid. *Ideas sobre la novela,* en *Obras Completas,* III, pp. 410-413.
(118) Cfr. Américo Castro, *La realidad histórica de España,* México, 1954, p. 383.

lo que se podría denominar función conativa del relato (119),
ya que esas expresiones establecen una comunicación entre el
emisor y el receptor del mismo. El narrador de *Tiempo de
silencio* no hace llamadas directas al lector, tal como sucedía
en algunas novelas de los siglos XVII y XIX, pero eso no impide
reconocer que en ciertos pasajes de esta obra hay expresiones
que son una manera de dirigirse a él. Conviene analizarlas,
porque revelan otra de las funciones del narrador y ayudan a
entender mejor el sentido de la novela.

Indudablemente no todos los ejemplos que se van a citar
admiten una única interpretación. En un problema tan escu-
rridizo como es todo lo relativo a las funciones del lenguaje,
donde hay que habérselas con matices, tonos y dosis vertidas
en diferentes proporciones, no es posible hacer deslindes ta-
jantes entre las distintas funciones. Estas, y así sucede en el
lenguaje del narrador de *Tiempo de silencio,* conviven en cada
fragmento lingüístico en una relación compleja, no siempre
fácil de deslindar. Pero el riesgo debe ser asumido si con ello
se avanza en la comprensión de la novela.

Un caso bastante claro lo ofrecen algunos supuestos en
los que se usa la primera persona del plural con un sentido
claramente inclusivo. Cuando el narrador reflexiona sobre la
ciudad de Madrid, llega un momento en que desea incluir al
lector en sus reflexiones y hacerlo partícipe de ellas. Como si
se dirigiera a él, traza un esquema de conducta futura que,
lamentablemente, todos aparecemos condenados a imitar:

> Hasta que llegue ese día, con el juicio suspendido,
> nos limitaremos a penetrar en las oscuras taber-
> nas... a pasear hasta muy entrada la madrugada por
> la calle del Nuncio... a contemplar en una plaza gran-
> de el rodar ingenuo de los soldados... a abrazar a
> los borrachos que dimiten de la realidad, a contem-
> plar la airosa postura de un guardia... (pág. 15).

---

(119) Vid. ROMAN JAKOBSON, *Essais de linguistique générale,*
p. 216 y, para más detalles sobre las funciones del lenguaje,
pp. 213-22. Genette, basándose en la división de funciones pro-
puesta por Jakobson, trata de establecer un esquema parecido
aplicado al lenguaje narrativo. Vid. *Figures,* III, pp. 261-265.

Y tras enumerar una serie de acciones absurdas que parecen inevitables, el narrador se dirige al lector cuando trata de extraer algunas consecuencias:

> De este modo podremos llegar a comprender que un hombre es la imagen de una ciudad y una ciudad las vísceras puestas al revés de un hombre... (página 16).

Otro caso en el que el narrador se dirige al lector para incorporarlo amistosamente a sus reflexiones tiene lugar durante la contemplación de las chabolas:

> ¡Pero, qué hermoso a despecho de estos contrastes fácilmente corregibles el conjunto de este polígono habitable! ¡De qué maravilloso modo allí quedaba patente la capacidad para la improvisación y la original fuerza constructiva del hombre ibero! ¡Cómo los valores espirituales que otros pueblos nos envidian eran palpablemente demostrados en la manera como de la nada y del detritus toda una armoniosa ciudad había surgido...! (pág. 43).

El pronombre *nos* va referido, indudablemente, al lector español, y es una manera de que se sirve el autor para aludir irónicamente a la civilización hispánica, en cuanto elemento común entre uno y otro. Se notará, además, que en la frase en que figura el pronombre el narrador adopta un tono más cercano hacia el lector, en un claro deseo de hacerlo participar en su sarcástico comentario. Si bien la ironía de las frases anteriores supone una atención un poco mayor hacia el lector, mayor desde luego que la que se contiene en una simple frase enunciativa, la presencia del pronombre de primera persona refuerza considerablemente ese efecto.

En uno de los pasajes de mayor vivificación del narrador, cuando increpa a Ortega a través del cuadro de Goya, resulta notable ver cómo en su irritación y en su reivindicación de una cultura no elitista incorpora al lector y lo hace participar de sus sátiras. La escena es bien conocida: el narrador critica al filósofo y, de repente, utiliza la primera persona del plural:

Y mostrando la manzana a la concurrencia selectísima, hablará durante una hora sobre las propiedades esenciales y existenciales de la manzana. La quiddidad de la manzana quedará mostrada ante las mujeres a las que la quiddidad indiferencia. ¡Vayamos con las mujeres inquietas, con las mujeres finas, con las mujeres de la selección hacia el inspirado discurso! Inclinemos nuestras cabezas ante el gran matón de la metafísica y dejemos chorrear lustrales sobre nuestras cabezas sus palabras de hidromiel (pág. 128).

Este párrafo constituye una muestra de la crítica del sistema de pensamiento y, sobre todo, de la actitud intelectual de Ortega y Gasset. El comienzo de las frases exclamativas coincide con un cambio de actitud en el narrador, ya que surge una llamada al lector para que participe de su misma indignación. Los imperativos «vayamos» e «inclinemos», excelentes ejemplos de una función conativa, indican el deseo de que el lector se sienta solidario de su irritación y de que haga suya la crítica emitida.

A lo largo de la descripción del cuadro, el lenguaje del narrador muestra dos actitudes básicas: una es de distante ironía, la otra es de acalorada crítica, en la cual se pretende incluir más activamente al lector. La fuerza estilística de esta descripción radica, en parte, en la alternancia entre estas dos actitudes. Domina cuantitativamente la primera —crítica algo distanciada—, pero con hábiles incrustaciones de párrafos más acalorados, en los que o bien aparece un *nos* inclusivo del lector o bien aparecen preguntas («¿Y por qué ahorcados los que de tal guisa penden?») que están destinadas a suscitar sus reflexiones.

Otras veces el uso de la primera persona se da en incisos que tienen el propósito de establecer una especie de relación amistosa entre el narrador y el lector. Describiendo la chabola de Cartucho, el narrador, humorísticamente confidencial, se dirige al lector haciendo alusión a algo narrado anteriormente:

Lujo al que nunca llegaban estas subchabolas era la división en compartimentos, como la del ganadero que *hemos* visto bien compuesta de cocina-diningliving y dormitorio-tabernáculo-cámara de incubación (pág. 117).

Es también innegable que cuando el narrador explica cómo funciona el cementerio y cuál es su organización laboral utiliza un lenguaje claramente explicativo, un poco al modo de un profesor que explicara una lección a sus alumnos, sirviéndose de un tipo de razonamientos, unos verbos y unos pronombres («para hacernos una idea de los principios en que se basa», «podemos designar») que suponen una llamada directa al lector.

Pero hay otros recursos en la novela que también suponen una relación de confianza para con éste. No es difícil descubrir expresiones notables por su tono confidencial, que se dan sobre todo cuando el narrador rubrica o ratifica ciertos hechos. Así, cuando Muecas reprende a su hija por su locuacidad y le pide que imite la discreción de la madre («Mira tu madre qué callada está y qué poco molesta. Y, sin embargo, aguantó la misma pejiguera»), el narrador hace un aparte y se dirige al lector de manera amistosa, para confirmar la exactitud de las palabras anteriores:

> *Efectivamente,* la redondeada consorte del Muecas... escuchaba como si oyera la interpretación de una sinfonía aquella conversación (pág. 53).

Otras veces el narrador enjuicia aspectos de la realidad que no han sido presentados al lector, comentándolos un poco a media voz, como si deseara transmitirle confidencialmente una información que sólo él conoce. Cuando describe a Dorita enumera una serie de características que no definen su aspecto físico de manera clara hasta que, en tono algo íntimo, se deshace en un elogio: «Era muy bella» (pág. 36). Muy parecido es el procedimiento que sigue cuando, antes de describir el cuadro del pintor alemán, adelanta su opinión personal: «Era un cuadro realmente muy malo» (pág. 73).

En otro supuesto similar, cuando Pedro baja las escaleras de la pensión, el narrador hace un brevísimo alto en el relato para transmitir, a modo de aclaración particular, un dato que podría ser de interés:

Pedro bajó los tres pisos de oscura escalera ilumi-
nada apenas por anémicas bombillas. Los escalones
de madera vieja olían a polvo, algunos crujían. En
el descansillo de abajo, una pareja de novios se
apretaba en un rincón. *La criada del piso de abajo
y un soldado de paisano del mismo pueblo.* Salió
a la pequeña calle. Andando con paso rápido pasó
ante una taberna con cabeza de toro (pág. 61).

En rigor, no es del todo seguro que la frase subrayada pro-
ceda del narrador, pues muy bien podría ser un pensamiento
que cruza la mente de Pedro y que se reproduce en estilo
directo libre. El sintagma «piso de abajo» indica una proximidad espacial que se explica muy bien por referencia al piso de
arriba en que habita Pedro. Pero, por otra parte, el carácter
excepcional de esa frase, en un fragmento donde domina de
manera evidente la perspectiva del narrador, da sólido fundamento a la hipótesis de que se debe a él. Si es así, y así lo
vamos a creer, se trata de una información entre humorística
y confidencial que el narrador da al lector fuera de los canales
de conocimiento que éste puede obtener del desarrollo de la
acción. El objeto de este guiño sería establecer una especie de
complicidad amistosa entre uno y otro.

Estos incisos, informativos y al mismo tiempo irónicos, se
encuentran con cierta frecuencia a lo largo de la novela, sobre
todo en las primeras páginas, en las cuales se dan con alguna
reiteración. En la descripción de Madrid existen algunos (páginas 15-16) que tienen carácter de verdaderos razonamientos
del narrador, hechos en serio, aunque con un cierto desenfado.
Más adelante, cuando el narrador va refiriendo la marcha hacia
las chabolas (págs. 25-34, especialmente) aumenta el sentido
irónico de los mismos. Da la impresión de que Martín-Santos
vacilaba entre adoptar un tono abiertamente humorístico y seguir manteniendo la utilidad informativa de esos incisos. Es
decir, que existe una fluctuación entre dos propósitos, que si
bien no se oponen tampoco se reconcilian completamente. Así
sucede en el ejemplo que sigue, referido a Amador:

Seguro de su sexo éste, después de haberse probado a sí mismo su constante consistencia en mil
batallas nunca perdidas desde los campos de pluma

de los inmemoriales años de la adolescencia (si de adolescencia puede calificarse esa edad en los muchachos de su clase), no le eran obstáculo... (pág. 28).

Sin embargo, a partir de la página 35 el narrador va a dar a esos incisos un sentido más marcadamente humorístico, que por su misma naturaleza comunican una impresión de acercamiento y cordialidad. Así, al mencionar el carácter emprendedor de la anciana, señala irónicamente su condición «casi bulliciosa si tal epíteto pudiera ser aplicado a una anciana de natural monárquico y legitimista» (pág. 36). De manera análoga, al describir a Dorita comenta que «Como correspondía a su naturaleza dinámica, prometedora y ofrecida, la joven se sentaba en una mecedora» (págs. 37-8). Cuando Muecas recibe a Pedro y lo invita amablemente a su chabola, el narrador indica que «No de otro modo dispone el burgués los agasajos debidos a sus iguales haciéndolos pasar a la tranquila, polvorienta y oscurecida sala» (pág. 49).

Pero cuando este artificio alcanza su mayor eficacia, cuando los guiños familiares al lector son más convincentes, es allí donde carecen de toda utilidad informativa. Espigo algunos ejemplos representativos: al ser necesario desenterrar a Florita e interrumpir el ritmo de trabajo de las brigadas de enterramiento, el narrador acude a un manoseado tópico:

De este modo absurdo la Ley —siempre inhumana— interrumpía el ritmo de trabajo... (pág. 146).

Igualmente, cuando Pedro es detenido por Similiano, oye estas palabras:

—No alborote. Es mejor para usted, se lo aseguro.

Y añade el narrador:

Como dice el dentista: «Estése quieto», en el momento en que hinca el torno en el centro de la muela (pág. 167).

Plenamente jocoso es el comentario que hace cuando Encarna-Ricarda llora porque están haciendo la autopsia a su hija y gime que se «la están matando». El mozo del laboratorio replica jovial:

—Aquí, señora, no matamos a nadie.

Y remata el narrador:

Y decía la verdad (pág. 194).

En otro lugar remeda irónicamente el habla de uno de los personajes. Cuando describe el cuarto de «los militares retirados» dice que sobre una chimenea pendían «dos kris malayos cruzados sobre dos cacharros que también dejó el difunto» (pág. 35). El sintagma «el difunto» alude a la expresión que había utilizado en su soliloquio la patrona de la pensión, refiriéndose a su marido. Que el narrador use la misma denominación implica una burla benévola del personaje, a cuyas espaldas hace un gesto de complicidad con el lector.

Queda por indicar el porqué de estas confianzas del narrador. No creo que sea otro que la misma vitalidad de que da muestras a lo largo de la novela. El tratar el relato con la autoridad que lo hace y el ser depositario del complejo sistema ideológico del autor no parecen compatibles con una actitud neutral e impersonal con respecto al lector. No hay que olvidar que el narrador realiza una despiadada crítica del hombre y la sociedad contemporáneos al mismo tiempo que propugna una nueva moral. Tan serios propósitos van endulzados por esta afable capacidad de humor de que da muestras en todo momento. A diferencia de Guzmán de Alfarache, este narrador no sermonea al lector sino que, mucho menos dogmático (120), sugiere una posible norma de conducta. Por eso se hace simpáticamente familiar al lector, sin caer nunca en la «desalentadora camaradería» (121) a que fueron propensos muchos

---

(120) Sobre el dogmatismo sermoneador del *Guzmán de Alfarache*, puede confrontarse el artículo de Blanco Aguinaga, «Cervantes y la picaresca. Notas sobre dos tipos de realismo», en *NRFH*, XI (1957), pp. 313-42. Entre los muchos aspectos destacados por Blanco Aguinaga, ahora nos interesa todo lo concerniente a la actitud del narrador con respecto a la historia y al lector.
(121) Como dice Edward Riley en *Teoría de la novela en Cervantes*, p. 327.

narradores del siglo XIX. También aquí Martín-Santos demuestra un no escaso conocimiento de toda la literatura anterior a él, de sus hallazgos y de sus limitaciones.

1.6. *La construcción.*

La obra literaria no es una unidad sistemática y cerrada, sino una integridad dinámica, advierte Tynianov (122). Así obtiene este crítico el expresivo concepto de *dominanta,* para significar que dentro de la obra hay un grupo de elementos que se convierte en predominante a expensas de los demás y configura la arquitectura del conjunto (123). La afirmación es muy sugestiva, y en una novela con pretensiones moralizantes como la que ahora se examina está más que justificado sospechar la preeminencia de unas unidades narrativas con respecto a otras, ya que es característico de la obra didáctica, o de pretensiones didácticas, adelgazar ciertas piezas de la construcción a fin de que destaquen las ideas que se quieren exponer.

En principio, parece claro que el narrador es el elemento novelístico que agrupa en torno suyo a los demás y se erige en dominante, pues su control de los personajes, de las descripciones y de la acción parece ilimitado. Si hubiera que acudir —como la moda al uso gusta— a algún símil geométrico para representar la arquitectura de *Tiempo de silencio,* se podría decir que se trata de una pirámide de cúspide bien diferenciada, en cuya cima está el narrador, sometidos a él los personajes y las descripciones y en escalones más bajos tanto la acción principal como las secundarias, que son piezas dependientes de otros elementos.

Pero, metáforas a un lado, *Tiempo de silencio* no se puede dividir en bloques tan matemáticamente dispuestos. Lo que fundamenta la opinión de Tynianov es el hecho de que unas unidades de la obra ceden ante otras, y esto, en *Tiempo de silencio,* sólo se cumple, con reservas, en el caso de las acciones principal y secundarias, que son elementos ancilares. Porque los personajes, que están retratados con la hondura que se ha

---

(122) Cfr. *Russian Formalism,* pp. 90 y 159. También, lo que TYNIANOV sostiene en *Théorie,* p. 117.
(123) Cfr. *Russian Formalism,* p. 199.

visto, no se supeditan a ningún elemento de la novela, sino que gozan de verdadera autonomía, mientras las descripciones, por su amplio alcance, son mucho más que un simple telón de fondo.

Ni siquiera la acción principal está «loosely improvised» (124) como para considerarla un elemento totalmente dependiente de otros. Y es precisamente el notable desarrollo de las distintas partes de la novela lo que causa el dilema en que se encuentra quien la interpreta. Las distintas opiniones habidas hasta ahora sobre *Tiempo de silencio* se me antojan consecuencia de la atención concedida preferentemente a alguno de esos aspectos. No tiene nada de extraño que, por ejemplo, Gil Casado, al examinar lo que de social tiene la novela, dirija preferentemente su interés hacia las descripciones (125). Por la misma razón Villegas, centrándose en el desarrollo de la acción, llega a exponer el carácter mítico de *Tiempo de silencio* y su obediencia a esquemas mitificadores (126). Más interesada en el protagonista, Gemma Roberts ve en Pedro un personaje existencial e igual dimensión filosófica en el resto de la obra (127).

La supremacía del narrador, pues, no entra en colisión con el armónico y espontáneo desarrollo del resto del libro. Lo cual parece no pequeña paradoja. Generalmente en las novelas que poseen un narrador que controla todo y que muestra ostensiblemente su presencia, la voz de éste se sobrepone de tal modo que el resto del relato pasa un poco a la sombra. Mayormente si el narrador actúa con algún propósito ideológico. *Guzmán de Alfarache* es un buen ejemplo: su narrador anticipa los acontecimientos, define *a priori* a la mayoría de los personajes e inserta abundantes digresiones a las que, en muchas ocasiones, está absolutamente supeditada la acción.

En *Tiempo de silencio* parece como si el narrador se encon-

---

(124) Como exigiría Edwin Muir al arquetipo de «novel of character», que es, dentro de la tipología trazada por este crítico, al que más se aproxima *Tiempo de silencio*. Cfr. *The Structure of the Novel*, London, 1967², p. 27.

(125) Cfr. *La novela social española*, p. 474. Aunque el autor no desatiende otros aspectos de la novela.

(126) Cfr. *op. cit.*

(127) Vid. *Temas existenciales en la novela española de postguerra*, pp. 134 y ss., 152 y ss.

trara en las manos con unas colosales atribuciones de las que no quiere abusar. Se ve esto especialmente en los incisos y comentarios, que están adaptados al relato y son como derivaciones que se extraen de él, en modo alguno cauces por los que se lo hace discurrir. Si existen digresiones de cierta amplitud, como la de los toros, en este caso son independientes del desarrollo argumental y no condicionan su desenvolvimiento.

Decíamos antes que el narrador goza casi de los atributos de un personaje, que se mueve en medio de los verdaderos protagonistas de la obra. Esto, inevitablemente, lo coloca en un cierto plano de igualdad con los demás elementos de la novela. Su familiaridad tanto con el lector como con la historia que cuenta lo bajan del pedestal en que podría estar según su nivel de conocimientos. De tal modo que puede decirse que el narrador, si es superior por lo que sabe, es un igual por la actitud humanizada, irónica y desenfadada que adopta. Estructuralmente está al mismo plano que otros elementos de la novela, aunque ideológicamente se encuentra por encima de ellos.

Por eso creo que el elemento verdaderamente dominante en *Tiempo de silencio,* el que aglutina a todos los demás, el que los supedita sin por ello deformarlos, es la ideología de Martín-Santos. Sólo ella explica la pluralidad de significados de la novela, la autonomía de los diversos elementos narrativos y su integración en un todo coherente. *Tiempo de silencio* es, ante todo, expresión de un intelectual que se sirvió de la novela para expresar una intuición fundamental del hombre y de la sociedad, de la que se encuentran bastantes atisbos en ensayos teóricos y filosóficos dispersos (y muy imperfectamente estudiados).

Jugando un poco con las palabras, se podría decir que *Tiempo de silencio* no es novela de espacio, ni de personaje, ni de acción, sino, simplemente, de autor. De un autor que al mismo tiempo que crea un universo de ficción lo juzga e interpreta desde criterios ideológicos exteriores a él. Es tal su complejidad que todo el capítulo II irá dedicado a su desmenuzamiento.

1.7. *Del artificio de estilo.*

Pero atendamos un momento a ciertas peculiaridades de lenguaje no señaladas anteriormente. La originalidad lingüística de *Tiempo de silencio* no obedece, por lo general, a razones ornamentales, sino estructurales, como ya se pudo ver a propósito de las descripciones. Es cierto que en algunos momentos parece como si el autor buscara una prosa deliberadamente rebuscada, cuya única finalidad sería evitar el término habitual. En aquellos casos en que el repertorio de sinónimos parece agotado, esquiva Martín-Santos la palabra desgastada sirviéndose de algún circunloquio llamativo. Así tenemos, ya desde las primeras páginas, «galardón nórdico» (pág. 7) por premio Nobel, «receptor-emisor negro» (pág. 8) por teléfono, «adecuados líquidos reparadores de la fatiga» (pág. 26) por refrescos, «crecimiento vegetal de las pilosidades» (pág. 28) por barba, «agilidad de ciertos parásitos que con soltura saben cambiar de huésped» (pág. 27) por posibilidades de contagio, «tugurio habitacional» (pág. 28) por pensión, «irritaba la gelatina sensible de los ojos» (pág. 29) por veía, «bulto paralelepípedo» (pág. 31) por jaula. También hay algunas alusiones sorprendentes (128): «el retrato del hombre de la barba», por retrato de Ramón y Cajal, «el rey alto» (pág. 7) por el rey noruego, «el sordo» (pág. 223) por Goya, «el pintor caballero» (pág. 62) por Velázquez. No faltan términos extranjeros usados con valor más o menos metafórico: «kindergarten» (página 175) por sala donde se encuentran los niños de las encarceladas, «buco émissaire (pág. 127), «niu dial» (por *new deal*) (pág. 57), «ansisuatil» (por *ainsi soit-il*) (pág. 68), «yearling» (pág. 60), por ratones, «Gentleman-farmer» (pág. 56), etc. Y por aquí y por allá metáforas de diverso tipo.

Pero lo normal es que al servirse de metáforas, metonimias, sinécdoques, personificaciones o vivificaciones, lo haga Martín-Santos con el fin de resaltar algo de particular interés en el desarrollo del relato. Como hemos hecho un apartado especial para las descripciones, veremos ahora cómo funciona el lenguaje de *Tiempo de silencio* en algunos momentos de la acción o referido a algún personaje secundario.

Uno de los motivos esenciales de la acción es el cerco amo-

---

(128) Algunas las ha estudiado LEO HICKEY en su artículo «El valor de la alusión en la literatura», en *Revista de Occidente,* núm. 88 (julio de 1970),, p. 58.

roso que se le tiende a Pedro. El narrador presenta en sencillas y vívidas imágenes el modo cómo tres derrotadas mujeres ofrecen a una de ellas como cebo a cambio de un matrimonio dignificador para la familia.

Es de noche. Pedro, el huésped favorito, es el único admitido a la tertulia. Abuela, madre e hija lo rodean, le ofrecen el mejor asiento. En silencio, intercambian frases banales. La noche avanza a juzgar por un último ruido en la cocina, un chasquido de una puerta, una radio que enmudece. El recogimiento del rincón invita a la familiaridad. La madre cruza una pierna y enciende un cigarrillo rubio. La hija se balancea en la mecedora. Su falda descubre un fragmento de muslo liso «que la grasa no deformaba todavía» (pág. 39). Sigue meciéndose la joven. Echa hacia atrás su cabeza, de donde cuelgan «cascadas ondulantes». Entre los cuatro se producen leves enmudecimientos, silencios, sonrisas. El salón-comedor de la pensión se llena de un «como aroma visual» (pág. 38). Con miradas posesivas, pero por distintas razones, Pedro, la madre y la abuela contemplan aquel «oro derramado» (pág. 39). Todos gozan de una sustancia que transforma «la realidad opaca del salón-comedor» y «el hedor de comida apenas ingerida y naranjas recientemente abiertas en otro perfume... de banquete parisino con demimondenes y frutas traídas desde la violenta fecundidad del trópico» (pág. 38).

La realidad cotidiana en que se desenvuelve Pedro es una realidad desvaída. La componen aspectos tristes: unas mujeres mezquinas, una pensión de segunda clase, olores a comida barata... Contra este mundo sin alicientes debe elevarse Pedro y hacer realidad sus proyectos de hombre científico. Pero esa realidad triste y cotidiana lo atrae. Hay en ella aspectos incitantes, llamativos, con la llamarada del sexo cínicamente ofrecido. Pese a su falsedad, son atractivos. Las metáforas y comparaciones utilizadas resaltan lo único que hay de halagüeño en un ambiente desesperanzador. También sugieren el proceso que se da en el ánimo de Pedro: engañándose a sí mismo, éste va a disociar el oro derramado, el muslo liso, las cascadas ondulantes y el aroma visual del fondo de sordidez de que emanan. Va a pretender hacerse con esos encantos tentadores ignorando que al mismo tiempo comenzará a encenagarse en la chata realidad que pretende superar.

A partir de estas primeras páginas, y gracias a la fuerza

reveladora de unas figuras retóricas, se plasma la lucha que se da en el ánimo de Pedro entre la sugestión de los instintos y las exigencias de la razón. Este debate de perfiles gracianescos y calderonianos no se mueve, sin embargo, en el plano de las potencias del alma, sino que desemboca en la existencia concreta de Pedro, en la determinación de sus proyectos libremente asumidos. Literariamente, constituye uno de los motivos esenciales del argumento y de la caracterización de Pedro en cuanto héroe existencial que fracasa. Y es que aquellas metáforas tienen valor estructural, y son como motivos recurrentes que reaparecen en otros lugares.

Cuando Pedro se dispone a marchar a las chabolas buscando ratones para sus experimentos, va descendiendo por la calle de Atocha y paladeando en su recuerdo ciertas escenas atractivas de la casa de huéspedes, de algunas de las cuales fue testigo Amador:

> Acertó todavía a percibir Amador rastros poco precisos pero inequívocos de las protecciones afectivo-viscerales que en aquella casa recibía su investigante señor. Una mano blanca, en el extremo de un blanco brazo, manejó con cautela un cepillo sobre sus hombros. Unos gruesos labios, en el extremo de un rostro amable, musitaron recomendaciones referentes a la puntualidad, a los efectos perniciosos del sol en los descampados, a la conveniencia de ciertas líneas de tranvías, a la agilidad de ciertos parásitos que con soltura saben cambiar de huésped. Una voz musical, desde lejos, entonó una cancioncilla de moda que el investigador pareció escuchar con sonrisa ilusionada... (pág. 27).

Tres sinécdoques —una mano blanca, unos gruesos labios y una voz cantarina— aluden no sólo a las tres mujeres, sino que también señalan aspectos sensuales, lo único que ellas pueden ofrecer a Pedro con posibilidades de ser aceptado. El investigador sale de la pensión con un objetivo de carácter científico y un recuerdo complaciente. Aparecen en clara contraposición dos posibilidades, la perseguida consciente y laboriosamente y la aceptada indolentemente.

En un tercer momento, crucial en la novela, vuelve el narrador a poner frente a frente las dos posibles elecciones, que Pedro sabe irreconciliables. De vuelta de su disparatada noche con Matías, Pedro, borracho, entra con dificultad en la pensión, y al dirigirse a su habitación surge el recuerdo de Dorita, que duerme, intencionadamente, al lado. Viene a su memoria la imagen de la joven, «en sucesión casi indefinida de tertulias, de silencios, de palabras intencionadas de las madres, de batas de colores vivos sucesivamente estrenadas, sucesivamente aplicadas al cuerpo joven siempre floreciente» (página 95). Y justamente en el momento en que su mano diestra «quiere abrir la puerta de su alcoba ascética de sabio, es la mano siniestra la que con fruición acariciadora, entreabre el cáliz deseado» (págs. 95-6).

Así pues, aquellas metáforas examinadas anteriormente, junto con otras figuras que se les añaden a lo largo del relato, resaltan uno de los motivos centrales de la acción: el de la abdicación del protagonista ante una realidad mezquina que le ofrece unos señuelos de ilusión. Pues tanto en los preámbulos del acto sexual como (según se vio antes) en los de la tertulia, la fea realidad de la pensión, que simboliza una humanidad sórdida y envilecida, se presenta en toda su crudeza al protagonista. Antes de que Pedro entre en el cuarto de Dorita, «golpea su rostro el hedor violento y familiar de la casa. Los relentes de la cocina, los del lavadero, las respiraciones mezcladas del viajante y del matrimonio sin hijos, el perfume barato de la criada y el más caro —... de la niña de la casa» (pág. 93). Pero el protagonista, como impresionado por aquellas sencillas metáforas del narrador, sólo lleva en su mente la imagen de Dorita columpiándose en la mecedora, imagen que se superpone a su proyecto de construir «una vida más importante, de ir más lejos» (pág. 95), el cual abandonará, prácticamente, a partir de ahora.

Vemos así que cuando el narrador se servía de las metáforas «cascadas ondulantes», «aroma visual» y «oro derramado» no buscaba solamente unos vocablos poco gastados, sino que resaltaba de forma muy vívida uno de los temas esenciales de la novela, cual es la claudicación de Pedro ante una solicitación procaz y fríamente calculada, cuyas repercusiones en su futuro serán muy hondas.

El ingenio lingüístico de *Tiempo de silencio* tiene muy poco de gratuito y rara vez obedece a un prurito esteticista.

Cuando los rasgos de lenguaje no cumplen una función en un contexto amplio, suelen cumplir alguna otra función, no menos notable, en un contexto menor.

Es visible en *Tiempo de silencio* la presentación del mundo y de los objetos como entes incontrolables, que gobiernan a los hombres en muchas ocasiones. Ciertas personificaciones y vivificaciones rubrican esa impresión. El café de los intelectuales es un «octopus» (pág. 65) que detiene a Pedro pese a sus deseos. «Su rostro blando y múltiple... le contempla»... «ya las ventosas se le adhieren inevitablemente» (pág. 65). Ahí comienza su noche de desaciertos, en medio de un ambiente que hubiera querido evitar. Poco más tarde, en una pequeña tasca, «estimulantemente un letrero insistía: 'Gran copa de coñac a 0,50'» (pág. 76). Es el segundo traspiés nocturno, que lleva al protagonista a la borrachera total. Ese sábado lleno de acontecimientos, que tan fatídico será en la vida posterior de Pedro, es como un ser maligno que lo persigue: «Era un sábado elástico que se prolongaba en la madrugada del domingo, contagiándolo de sustancia sabática» (pág. 100). Esa noche del sábado, en la cual Pedro sucumbe a varias sugestiones venidas de fuera, juega un papel decisivo en el relato, y algunos de sus motivos están realzados por medio de esas vivificaciones.

Otras veces el mundo exterior presenta una faceta abiertamente hostil. O engañosa. La ciudad es un falso «recogeperdidos» (pág. 17), que, más que acoger al hombre, lo aniquila; dispone de «diez mil, cien mil pares de ojos» que observan al ciudadano y le permiten «encontrarse cuando más perdido se creía en su lugar natural: en la cárcel, en el orfelinato, en la comisaría, en el manicomio, en el quirófano de urgencia...» (página 17). Es también como un ser autónomo que «sólo a sí misma se admite» (pág. 118), como lo demuestra que a las gitanas viejas «las volvía a dejar caer desde su falda, como quien se sacude las migajas de lo que ha estado merendando» (pág. 118).

Análogamente sucede con la cárcel a donde va Pedro, pues tiene unas fauces engullidoras, bocas y gargantas donde se realiza una verdadera digestión del preso (págs. 170-1). Y con el tiempo cronológico, que lejos de ser un ente neutral «cada día con parsimonia o con generosidad aporta su carga de muertes» (pág. 143). El sol no es un simple astro, sino, unas veces, el «gran ojo acusador» (pág. 147) y otras, «el gran mentiroso» (página 148), y el cielo una «cúpula mentirosa» (pág. 26), capaz de ostentar una «cínica candidez» (pág. 26).

No siempre, sin embargo, las vivificaciones y personificaciones responden a esa finalidad. A veces señalan la artificiosidad de las costumbres entre las gentes de clase alta. Cuando la madre de Matías se presenta ante Pedro, a éste le sorprende su sofisticada compostura. Oye unos «pasos nerviosos, primero dubitativos» (pág. 124), y ve la «sonrisa amable que revoloteando la precedía» (pág. 124). También unas manos pueden cobrar una sorprendente vivacidad en mujeres de cuidadosa manicura: «estas manos, como animales vivientes, describían amplios giros... ambos juguetes voladores se perseguían» (página 132).

Esa misma impresión de artificiosidad puede darse por medio de un procedimiento casi inverso, que consiste en objetivar y hacer tangible algo abstracto: «la sonrisa que hasta entonces se había mantenido como coagulada o pegada con un alfiler al rostro blanco... desapareció bruscamente» (pág. 125). «Vigiló con ojos certerísimos la posible aparición de lo imperfecto en su imagen». Y, también ante un espejo, la misma mujer «volvió a componer la complicada aunque armoniosa estructura total de la idea de sí misma» (pág. 125). De este modo, en pocas líneas, se realza la artificiosidad de unas personas y de unos modos de vida acudiendo a procedimientos retóricos, distintos en su mecanismo, pero idénticos en los resultados que producen.

La sensualidad exacerbada de un ambiente resalta cuando los objetos eróticos apetecidos cobran vitalidad y se animan al igual que los sujetos del deseo. Así, el público admira en las vicetiples «la opacidad de la carne, la apariencia de eternidad de una forma que no pesa, que salta, que vuela, que se eleva en el aire» (págs. 219-20), igual que el paseante admira en la calle «las pantorrillas que... se despegaban del suelo ante nosotros con saltos de animales lustrosos» (pág. 219); y ante el «resplandor de los muslos blancos», las vicetiples «las llamas de un instinto perfectamente encaminado contra sí concitan» (página 220).

Uno de los aspectos más llamativos de las chabolas es la presencia de ciertos objetos lujosos en medio de la miseria general. La chocante posesión por sus habitantes de enseres caros y poco a tono con el medio se destaca atribuyendo al verbo un sentido de actividad; así, no se sorprende Pedro de que «cuerdas pesadamente combadas *mostraran* las ricas ropas de una abundante colada», «gruesas alfombras de nudo *apagaran* el sonido de los pasos...», «tras la puerta de manta militar se *agazaparan* (nítidos, ebúrneos) los refrigedarores...», imágenes de santos *escuchando* sin alteración de la tornasolada sonrisa la letanía grandilocuente y magnífica de las blasfemias varoniles...» (pág. 43).

Pero, como se señaló antes, el autor puede acudir a diversos recursos para destacar una misma parcela de la realidad. En la descripción de las chabolas, la sorpresa que producen algunos objetos o ciertas actitudes se realza también por medio de una forma de hipérbaton que consiste en hacer depender del verbo principal «encontrar» («Era muy lógico, pues, encontrar...»), varias frases cuya estructura es como sigue:

1. En primer lugar un participio, precedido o no de un adverbio.

2. Una serie de complementos del participio.

3. El complemento de persona, que es complemento directo del verbo principal y sujeto del participio. Este complemento de persona suele encabezar una oración de cierta complejidad:

          1   2

— presuntuosamente cubierta ‖ con cofia de doncella de buena

      3

casa ‖ a la hija de familia que allí permaneciera por ser inútil incluso para prostituta, ‖

   1   2   1

— cubierta ‖ con una bata roja de raso ‖ y calzada ‖ con ba-

           2   3

buchas orientales de alto precio ‖ a la gruesa dueña que luce en sus manos regordetas y anchas una alianza matrimonial que carece de todo significado, ‖

   1   2   3

— insensibles ‖ a toda conveniencia moral ‖ matrimonios en edad de activa vida sexual compartiendo el mismo ancho camastro con hijos ya crecidos ‖ (pág. 43).

En fin, la vivificación de las cosas puede estar destinada a otros fines que los de sugerir las asechanzas del mundo externo, la falsedad de ciertas actitudes o lo inusitado de ciertas posesiones. En la habitación del prostíbulo, realizar ciertos objetos supone poner de manifiesto el halo menos poético de la relación amorosa. No es extraño que un fragmento (páginas 165-6) en donde se incide en la aberración de la relación carnal mercantilizada, el narrador destaque todo lo que es apto para sugerir la ruindad de la situación:

> Los mismos objetos de porcelana blanca y brillante, que en un rincón del cuarto recordaban su higiénica utilidad... (pág. 165).

> bajo la luz rosada podían parecer pequeños animales domésticos acurrucados y a veces rumorosos... (pág. 165).

> el bidet dejaba oír su lamento interminable (página 166).

> Un alargado espejo... devolvía apenas en negro la silueta del cuerpo imaginado... como si desde allí espiara a la eterna pareja desencantada para bendecirla inútilmente (pág. 166).

Inexcusable parecería no aludir, siquiera de pasada, a formas metafóricas o comparativas no examinadas en los fragmentos descriptivos. Pedro es visto por Dorita como «ángel de la anunciación dotado de su dardo luminoso» y por la madre como «una epifanía un tanto rezagada ante el fruto de su seno», en tanto que la abuela podía esperar «su propia transfiguración gloriosa en lo alto de un monte» (pág. 37). Al mundo bíblico acude en otras ocasiones el autor buscando imágenes y semejanzas. Durante la noche del sábado, en donde Pedro echa en falta «el ángel viajero que le ayudara a sacar el pescado por las agallas» (pág. 68), su amigo el alemán es «arrebatado sobre un carro de fuego» (pág. 76), que no es sino una prostituta. Ante la posibilidad de que también Pedro y Matías conozcan un «posible ascenso a su propio monte Tabor» (pág. 76), se asen firmemente el uno al otro para poder sostenerse, y de esta borrachera sólo saldrán por «una llamada inimaginable —sólo comparable a la de las trompetas angélicas del día del juicio definitivo—» (pág. 77), después de la cual volverán a sus realidades cotidianas.

También a referencias bíblicas, y a otras mitológicas, acude Martín-Santos para relatar algunos momentos de la detención de Pedro, como cuando éste sufre la explosión de ira del policía que no consigue arrancarle la deseada confesión:

> Y tras la cegadora visión de Júpiter-tonante, Moisés -destrozante-de-becerros-aúreos, Padre-ofrecedor-de generosos-auxilios-que-han-sido-malignamente-rechazados-... Pedro... fue conducido al proceloso averno... (pág. 170).

Junto a metáforas basadas en la simple sustitución de unas palabras por otras, existen comparaciones establecidas sobre la superposición de situaciones más complejas. Al primer grupo corresponden, por citar unos mínimos ejemplos, «maritornes ceñuda» (pág. 116) por criada malhumorada, «bicha amarilla» (página 139) por envidia, «hada rubia» (pág. 141) por mujer rubia, «jardín encantado del Bosco» por cementerio. Como se ve, el *tenor* (129) suele ser algún término literario oculto. Lo mismo sucede con otras comparaciones de mayor extensión. Cuando Matías y Pedro solicitan cobijo en el burdel de doña Luisa se dice que eran como «dos pajes viajeros de paso para Tierra Santa que solicitan yacija en el alcázar y prometen distraer con sus gracias a las damas de la corte» (pág. 148). A doña Luisa, que permanece en la penumbra acariciando un gato y dirigiendo la actividad de la casa, corresponde según su alta jerarquía «acariciar la piel que cubre los lomos de los animales nobles desde siempre admitidos en palacio, los lebreles, las gacelas, los elegantes felinos indomesticables» (pág. 148). La cadena persecutoria que forman Matías, Amador, Cartucho y Similiano, todos ellos en busca de Pedro, es comparada ahora a un miembro de la escala animal, la procesionaria del pino: el ejemplo es tan célebre que no es precisa aquí su cita.

Esta comparación entre una situación real y otra imaginada resalta doblemente cuando tiene un sentido negativo. A Pedro le ofrecen un pequeño banquete en la pensión, para celebrar su liberación de la cárcel al tiempo que sus esponsales con Dorita, hecho que el narrador presenta en términos de lo que no es:

---

(129) Cfr. *The Philosophy of Rhetoric*, p. 123.

No pudieron organizar una comida servida por criados de librea (o al menos por camareros de smoking) en que hubieran ofrecido un menú de huevos, tres principios, caza y asado, ni cena de consomé, caviar, foie y langosta con champán frío... Tampoco pudieron organizar un cocktail con bebidas exóticas y whisky que aderezaran pequeñas y variadas suculencias picantes... Así que dispusieron una sana merienda española con chocolate espeso y humeante, rebanadas de pan tostado con mantequilla Arias, churros... (pág. 214).

Como puede verse, no basta con clasificar los recursos literarios que se van presentando, sino que, sobre todo, es preciso indagar su función. Puede así darse el caso, que tan agudamente observó Tynianov en otro lugar (130), de que formas idénticas cumplan funciones diferentes y, a la inversa, de que formas diferentes cumplan la misma función.

Junto a ciertas formas de zeugma («Amador salía con su carga de bombonas y de gasa y de pena» [pág. 119], «apenas protegida por un abrigo de paño y por su belleza» [pág. 181]), nada hay tan notable en la sintaxis de Martín-Santos como la anáfora. Por lo general, la anáfora en *Tiempo de silencio* tiene una doble función: enumerar las características de algo y plasmar un estado de ánimo, frecuentemente de irritación o dolor.

Muy ilustrativo es un ejemplo de construcción anafórica que tiene lugar durante la descripción de las chabolas. El narrador se formula la pregunta: «¿Por qué ir a estudiar las costumbres humanas hasta la antipódica isla de Tasmania?» (página 44), y nueve respuestas anafóricamente construidas vienen a continuación. Ya que el término repetido es «como si», éste exige inevitablemente una oración completa, y de este modo expone el autor una rica variedad de aspectos de la vida de las chabolas al mismo tiempo que, con dolorosa ironía, manifiesta su protesta por las miserables condiciones en que viven tantos hombres:

_____

(130) Cfr. *Théorie*, pp. 128-9.

Como si no fuera el tabú del incesto tan audazmente violado en estos primitivos tálamos como en los montones de yerba de cualquier isla paradisíaca.

Como si no se hubiera demostrado que en el interior del iglú esquimal la temperatura en enero es varios grados Fahrenheit más alta que en la chabola del suburbio madrileño.

Como si no se supiera que la edad media de la pérdida de la virginidad es más baja en estas lonjas que en las tribus del Africa Central dotadas de tan complicados y grotescos ritos de iniciación.

Como si la grasa esteatopigia de las hotentotes no estuviera perfectamente contrabalanceada por la lipodistrofia progresiva de nuestras hembras mediterráneas.

Y así hasta llegar a nueve casos. El efecto atribuido anteriormente a la anáfora me parece evidente, aunque la novedad del párrafo estriba en no pequeña medida en la sorprendente capacidad de Martín-Santos para establecer comparaciones insospechadas. Pero esto, la acumulación de varios recursos en un mismo fragmento, es casi una constante de *Tiempo de silencio,* que obliga a examinar algunos fragmentos varias veces y desde distintos ángulos.

La anáfora, frente a la simple enumeración, da al conjunto un carácter intensificativo que, en el ejemplo anterior, es como una multiplicación del horror que producen esas miserables condiciones de vida. Además, al ser la serie anafórica respuesta a una pregunta previa, el tono de argumentación que adquiere el fragmento aumenta la indignación que deja traslucir la voz narradora.

La anáfora indica en otro lugar la machaconería con que el narrador recalca el fracaso del protagonista, al no ser capaz de superar las limitaciones que impone el momento histórico:

La ciudad, el momento, la rigidez propia *de* una determinada situación, *de* unos determinados placeres, *de* unas prohibiciones inconscientemente aca-

tadas, *de* un vivir parásito pecaminosamente asumido, *de* un desprenderse de dogmas dogmática-
mente establecido, *de* un precisar de normas
estéticamente indeterminado, *de* un carecer de norte
con varonil violencia... los hacían tal como sin remedio eran (pág. 68).

Se refuerza la anáfora dominante, la de la preposición *de,*
con otras secundarias, como podrían ser la repetición de infini-
tivos, adverbios y participios en unas frases de idéntica arquitectura. Esto nos recuerda un fragmento ya ampliamente comentado, el de «Hay ciudades tan... tan... tan...» (págs. 13-5), en
donde las ideas que el autor expone relativas a la decadencia
del país se refuerzan gracias al paralelismo de las frases y al
uso de la anáfora.

La anáfora, en otro lugar, el que relata la borrachera de
Pedro y Matías en el momento en que comienzan a adquirir
una vaga conciencia de lo que los rodea, evoca ejemplarmente
el estado de semilucidez en que se encuentran y la manera
obsesiva en que ciertos signos del mundo exterior se van gra-
bando en sus mentes:

Verdad era que algunos taxis con su cuerno verde
amenazante amagaban próximos

verdad era que pasaban a su lado mujeres morenas
gruesas bajo abrigos de mutón doré

verdad era que los anuncios luminosos al neón de
diversos establecimientos lograban hacerse legibles
a la nubosidad de sus conciencias

verdad era que tenían una cierta noción de que después de un lapso indeterminado de tiempo... deberían regresar a unos lugares tibios (pág. 77).

También la anáfora sirve para recalcar la monotonía de
la vida de la cárcel, donde ocho párrafos sucesivos, distribuidos
en tres páginas (págs. 183-86), comienzan con «Y venían los
guardias», para indicar que los gendarmes acuden a las llamadas
de los detenidos, bien para encenderles un pitillo, bien para

acompañarlos al urinario, bien para darles el rancho o una manta parda para dormir.

Anafórica también es la presentación de la esposa del Muecas en la celda (págs. 199-203). La mujer recuerda las imágenes de su lamentable existir, desde una adolescencia relativamente tolerable hasta el embrutecimiento a que ha llegado. La repetición de *ella misma* es, por un lado, como una afirmación de la propia identidad de una pobre miserable que parece más un producto de la tierra que un ser racional; por otro, la anáfora recalca la progresiva degradación alcanzada por la mujer:

— ella misma bailando delante de la procesión
— ella misma rodeada de amigas
— ella misma solicitada por el tísico de su marido... que abusa y la domina en una tapia
— ella misma tan gruesa ya cuando se casaba
— ella misma pariendo, dando gritos y patadas
— ella misma pariendo otra vez en otro sitio, cuando iban corriendo por esas carreteras
— ella misma viendo cómo era de grande la ciudad vista desde fuera... desde el punto donde cada día robaba siete ladrillos
— ella misma haciendo la casa con las manos quemadas de la cal mientras el alfeñique bebía
— ella misma, pegada, golpeada, una noche, otra noche,
— ella misma cuando el hambre, viendo cómo las dos niñas chupan una raíz de planta
— ella misma partiendo en cuatro porciones un boniato y dando a las niñas y dando al alfeñique.

Y tras haber mostrado que la vida de Ricarda es como un incesante encajar golpes ciegos, el narrador alude ahora a su total ignorancia, que también presenta anafóricamente:

No saber nada. No saber que la tierra es redonda. No saber que el sol está inmóvil, aunque parece que sube y baja. No saber que son tres Personas distintas. No saber lo que es la luz eléctrica. No saber por qué caen las piedras hacia la tierra. No saber leer la hora. No saber que el espermatozoide y el óvulo son dos células individuales que fusionan sus núcleos. No saber nada. No saber alternar con las personas... (pág. 202).

No es posible terminar este breve repaso de recursos estilísticos sin aludir a uno especialmente llamativo: la enumeración. Es arma poderosa en manos de Martín-Santos, ya que le sirve para: 1) mostrar de forma analítica los elementos componentes de la realidad, 2) reforzar una idea o sensación por medio de un recurso reiterativo y amplificativo, 3) establecer algún ejemplo que aclare determinado supuesto.

1) Muchas de las complejas observaciones intelectuales, sociales e históricas de *Tiempo de silencio* no son, a fin de cuentas, más que felices casos de enumeración selectiva. Así sucede en la presentación de la historia de España del comienzo, donde se detallan 27 características y 7 subcaracterísticas que poseen las «ciudades que no tienen catedral». Un poco más adelante, cuando se pretende reflejar la atonía de la sociedad madrileña, y por ende, la de tantos españoles incapaces de encarar valientemente sus destinos, se mencionan 19 posibles modos de llenar el vacío de las horas, que van desde «pasear hasta muy entrada la madrugada» hasta «visitar el museo de pinturas con una chica inglesa», pasando por «contemplar la airosa apostura de un guardia» o «calcular cuántas piedras de mechero vende un enano en una esquina» (págs. 15-16).

A lo largo de la novela se repite esta disección analítica de realidades complejas en sus componentes más característicos. El mundo infernal del subproletariado, que agudiza el ingenio y aprovecha todo tipo de desechos para poder subsistir, queda eficazmente sugerido en el inventario de los materiales de construcción con que se edifican las chabolas (14 ejemplos en total), que comprenden desde las «maderas de embalaje de naranjas» hasta «sudor y lágrimas humanas congeladas» (pág. 42). La enumeración de cualidades del conferenciante (19 en total) sintetiza rápidamente el papel de Ortega en la cultura española de su tiempo, del mismo modo que las cuatro categorías de pájaros culturales (pág. 135) exponen las actitudes más características de cierta clase de pedantería. En fin, la vivisección del público de la revista, junto con la descripción de las distintas clases y profesiones que ahí se dan cita, presenta eficazmente la degradación general del país gracias al acierto del autor en seleccionar diez categorías diferentes de personas (hombres, mujeres, guardias, rateros, claque, tenderos, estudiantes, electricistas, matrimonios y barraganas).

2) Con cierta frecuencia enumera Martín-Santos objetos o cualidades para reforzar una idea o una sensación. Los supuestos no escasean. Los abigarrados comercios de saldos anuncian una mercancía pobre e inútil, a tono con el bajo nivel adquisitivo de un país subdesarrollado. Allí hace el narrador un inventario de nueve objetos de escaso valor (pág. 30). En cuanto a la sórdida melancolía que se desprende de la pensión, la pone de manifiesto la gama de inquilinos que la pueblan: «un hombre largo y triste», «un señor calvo» y «un militar retirado» (pág. 35). La llegada de la noche y el recogimiento de la pensión quedan delicadamente sugeridos gracias a ciertos signos inequívocos que indican el paso del tiempo: «un último ruido en la puerta de la cocina, el chasquido del interruptor en la luz del pasillo, el cierre por el representante de su aparato de radio» (pág. 41). Doce enumeraciones, correspondientes a otros tantos motivos, indican por qué la familia del Muecas duerme en el mismo colchón, con lo que la miseria de la vida en la chabola se pone sobradamente de manifiesto. También es de gran expresividad la mención de todo lo que la ciudad ofrece a los habitantes del extrarradio:

> basuras, detritus, limosnas, conferencias de San Vicente de Paúl, cascotes de derribo, latas de conserva vacías, salarios mínimos de peonaje no calificado, ahorros de criadas-hijas fidelísimas (pág. 58).

Poderosamente sugeridor de la sensación de lujo y comodidad es el recuento de materiales que soportan el peso de Pedro: «capas de plumón de pato, de acogedores almohadones y de muelles de fabricación británica totalmente silenciosos» (página 123). No menos expresiva resulta la variedad de gestos, actitudes, hechos y personas que se dan cita en el café Gijón, desde «los restos de todos los fenecidos ultraísmos» o el fantasma de Ramón Gómez de la Serna, hasta la «pedantería derramándose» o «las uñas cargadas de negro» (pág. 67), con un total de nueve ejemplos. Por no hablar del sinfín de comparaciones, metáforas (alrededor de veintisiete) y adjetivos (catorce) con los que se desmenuza la naturaleza de la sala de espera del prostíbulo y se sugiere el mundo del sexo y de la protitución. Y nada se diga de la hediondez doméstica de la casa, que golpea a Pedro cuando llega de la calle. La gama de olores la detalla con precisión el siguiente inventario:

> Los relentes de la cocina, los del lavadero, las respiraciones mezcladas del viajante y del matrimonio sin hijos, el perfume barato de la criada y el más caro... de la niña de la casa y el de la vieja que es como a violetas (pág. 93).

Se realza la precaria situación en que se desangra Florita, enumerando, a modo de contraste, las condiciones óptimas que concurren en un laboratorio sueco, con lo que se hace más patente el abandono en que se halla la muchacha (pág. 106). Por vía igualmente enumerativa se presenta el mundo de la clase alta: en la casa de Matías se detallan las características del mayordomo (la ajustada chaqueta gris, el andar, su habilidad manual), del corredor (alfombras, cortinones, lámparas) y del salón (sillas, mesas, objetos varios); de los despachos ministeriales se anotan los signos más expresivos de la suntuosidad: arañas, muebles, cabezas de guerrero, animales mitológicos esculpidos, pisos de mármol bruñido y un no pequeño etcétera (página 186).

La captación de algunos aspectos característicos de la actividad carcelaria se alcanza a veces por el mismo procedimiento enumerativo. Un verdadero inventario de ruidos diversos (ocho, suman) subraya el amenazador silencio que domina la estancia de los condenados del sótano (pág. 174). Como es igualmente cierto que la imposibilidad de movimientos del preso queda más patentemente demostrada al citarse las actividades a que puede dedicarse:

> ejercicios respiratorios, yoga, swing de golf con palo imaginario, ataques epileptiformes voluntariamente simulados, precipitación al abismo y subida de nuevo a la montaña (pág. 174).

Y al mismo tiempo, en perfecto contrapunto temporal, Matías observa en los escaparates de la Gran Vía una cierta abundancia de objetos caros (se mencionan doce) que evocan, rápida y certeramente, un sofisticado mundo lleno de posibilidades lujosas al alcance —sólo— del dinero.

Una de las más sugerentes enumeraciones con carácter intensificativo se da en el caso de la descripción de Encarna-Ricarda. Su patética ignorancia se pone de manifiesto haciendo ver las nociones de cultura elemental que no posee:

> No saber que la tierra es redonda. No saber que el sol está inmóvil... No saber que son tres Personas distintas. No saber lo que es la luz eléctrica... No saber leer la hora (y así hasta diez ejemplos) (pág. 202).

Del mismo modo resulta conmovedora la lista de actividades, tristes y monótonas, que han compuesto la existencia de esta mujer: nacer, crecer, bailar el día del Corpus, hundirse, enterrarse en grasa pobre, caminar, huir, llegar a una ciudad, rodearla, formar parte de la tierra movediza, esperar y gemir.

3) El gusto por la ejemplificación, como medio de aclarar un dato, como manera de establecer analogías, a veces sorprendentemente lejanas, se observa también en varios lugares, con una curiosa tendencia a buscar la triple enumeración. Un huésped podría interrumpir la tertulia nocturna en la pensión para buscar algún objeto olvidado: «un encendedor, una carta, una cinta rosa» (pág. 39). El ingenio de los habitantes de las chabolas, pese a su bajo desarrollo cultural, es capaz de superar al de los más inteligentes animales: «las hormigas, las laboriosas abejas, el castor americano» (pág. 44). Pedro, seducido seductor de Dorita, es como el gallo que canta en lo alto de la tapia mientras, burlones, lo contemplan ciertos animales: «el gato, el zorro, la raposa» (pág. 98). Doña Luisa, a tono con su regia jerarquía dentro del burdel, acaricia el lomo de un gato, del mismo modo que una noble dama de palacio haría lo propio con «los lebreles, las gacelas, los elegantes felinos indomesticables» (pág. 148). A los encubridores de la muerte de Florita se ofrecen, nítidas, tres posibilidades: «falsificación de documento público, soborno a profesional colegiado no implicado... sepelio clandestino fuera de sagrado» (págs. 133-4). Cuando Pedro camina por las calles cercanas a la Glorieta observa que los trajes de los viandantes ofrecen unos colores

indefinibles, que oscilan entre «el violeta pálido, el marrón amarillento y el gris verdoso» (pág. 26) y piensa que deberían utilizar otras gamas: «el color rojo rubí, azul turquí y amarillo alhelí» (pág. 26). El mismo personaje es agasajado en casa de Matías con un vaso donde aparecen «una bebida opalina, agua espumosa y trozos de hielo» (pág. 123). Cuando se muestra agradecido hacia doña Luisa siente que llora de agradecimiento «aunque no salía ningún hipido de su boca y ni siquiera las lágrimas asomaban a sus ojos y tampoco su pecho se conmovía» (pág. 153). A Amador le transmite su padre «un cierto amor a la vida, una cierta capacidad de risa, una abundante potencia bebestible» (pág. 156). De un tranvía bajan varias personas: «Eran obreros antiguos de la construcción, o electricistas o fontaneros» (pág. 156). En el centro de investigaciones los jóvenes científicos dan a conocer «fórmulas de nuevas partículas elementales, antiuniversos y semielectrones» (página 207), y disponen como instrumentos de trabajo de «unas veces unas ratas desparejadas, otras veces unos volúmenes en alemán, otras veces una colección incompleta de una revista norteamericana», desarrollándose esta actividad en un edificio que a falta de mejores útiles dispone de «amplias ventanas, escaleras y pasillos» (pág. 207).

CAPÍTULO II

SENTIDO DE *TIEMPO DE SILENCIO*

Si, como quiere Sartre, la interpretación de una obra literaria supone la reconstrucción de un mundo (1), no hay mejor punto de partida ni meta más acertada para analizar el significado de *Tiempo de silencio*. En esta novela, como si se tratase de una verificación del principio físico de Newton, cada cosa es el lugar de cita de las demás. Por eso las peripecias de Pedro en Madrid durante unos días de otoño tienen tan honda significación. Ocurre, simplemente, que Pedro, sin dejar de ser quien es, se nos presenta sobre todo como un destino individual que lucha por afirmarse, a través del cual Martín-Santos noveliza el problema de la vida en su hacerse paso a paso. Pero, claro está, la visión de lo que es el hombre individualmente considerado y de lo que por vida ha de entenderse remite a postulados filosóficos de gran trascendencia.

Tiempo de silencio, novela publicada en 1961 y ambientada en 1949 (2) contiene como en embrión las dos corrientes filo-

_____

(1) Cfr. *L'idiot de la famille,* Paris, 1971. Como decía Ortega, «para entender lo que alguien quiso decir nos hace falta saber mucho más de lo que quiso decir y saber de su autor más de lo que él mismo sabía», puesto que «es forzoso salir del texto, abandonar nuestra pasividad y construirnos laboriosamente toda la realidad mental no *dicha* en él, pero que es imprescindible para entenderlo más satisfactoriamente». Cfr. *Obras Completas,* IX, Madrid, 1962, p. 752.

(2) Esta precisión cronológica, además de venir indicada en la contraportada del libro, se fundamenta en la conferencia de Ortega, que tuvo lugar durante el curso 1949-50. Más abajo, en 2.1.4, doy indicaciones más precisas sobre este extremo.

sóficas más en boga por esas fechas tanto en Europa como en España: el existencialismo y la razón vital de Ortega. La primera de ellas es más visible, pues Martín-Santos estaba muy familiarizado con el pensamiento de Heidegger y, sobre todo, de Sartre. La segunda posiblemente no es tan explícita, pero sea porque Martín-Santos estaba influido por el vitalismo orteguiano, sea porque entre esta corriente y el existencialismo existen puntos de contacto (3), lo cierto es que en la novela se pueden encontrar párrafos que son como una ampliación práctica de opiniones formuladas por Ortega y Gasset.

Si en el protagonista, y en los personajes secundarios, se plantean problemas de hondura filosófica trenzados al discurrir de sus vidas, el marco geográfico y humano de la novela encierra toda una interpretación social. Madrid, ya se ha visto, no es sólo Madrid. Presentar una ciudad en su estratificación social implica la presencia de unos determinados conceptos sociológicos y políticos que permitan entender esa realidad de una cierta manera. Martín-Santos, a consecuencia de su presunta filiación socialista (4) y, sobre todo, como hombre culto que vive en una época en la que el marxismo ha divulgado extensamente ciertos conceptos, deja ver en su novela abundantes muestras de una explicación marxista de los fenómenos sociales.

Digo explicación y no concepción o ideología. A estas alturas del siglo xx no es preciso creer a pies juntillas *El manifiesto* ni jurar sobre *Das Kapital* para que en el acervo cultural de cada uno exista una buena docena de ideas cuyo árbol genealógico se pierde en esos libros. Ni los más recalcitrantes se atreverían seriamente a negar la benéfica corrección que el marxismo ha introducido en varias ciencias sociales, así como su poderosa contribución a la hora de mostrar la fisiología del

---

(3) Cfr., simplemente, JULIÁN MARÍAS, *Historia de la filosofía*, Madrid, 1966[19], p. 428; GARCÍA BACCA, *Nueve grandes filósofos contemporáneos y sus temas*, II, México, 1947; FERNANDO VELA, *Ortega y los existencialismos*, Madrid, 1961.

(4) Si hemos de tener en cuenta lo que afirma sobre este particular PAUL WERRIE, en su artículo «La nouvelle vague espagnole», en *La Table Ronde*, núm. 225 (octubre de 1966), p. 148. Martín-Santos se autodefinió como democrático y reformista. Cfr. «Luis Martín-Santos and the Contemporary Spanish Novel», de JANET WINECOFF DÍAZ, en *Hispania*, XI (1968), p. 237.

cuerpo social. En este amplio sentido de la palabra se puede decir que en *Tiempo de silencio* existen vetas de pensamiento que entroncan con la filosofía del gran teórico.

Pero esta vertiente marxista de *Tiempo de silencio,* en sí misma considerada, tendría poco de original. A fin de cuentas, todos los ejemplos socialrealistas de la «generación de la berza» se basan, con más o menos talento, en una literaturización de tales postulados. Lo original de Martín-Santos estriba en haberse apropiado de algunos instrumentos conceptuales del marxismo y, acto seguido, interpretar críticamente la ideología que a partir de ahí se ha elaborado. En concreto, nuestro autor parece haber echado su cuarto a espadas en uno de los célebres debates de la época: el que ha puesto frente a frente marxismo y existencialismo (5). La visión del hombre que subyace en *Tiempo de silencio* reposa, en buena medida, en una armonización dialéctica de ese par de antinomias.

Es cosa sabida también que los pocos días en que tiene lugar la acción de *Tiempo de silencio* encierran varios siglos de historia nacional. Nuevamente vemos aquí que esta novela no es mímesis de actos, conversaciones o sucesos cotidianos, sino de interpretaciones de la realidad. Mímesis de segundo grado, valdría decir. *Tiempo de silencio* expone una muy coherente interpretación de la historia de España, desde los siglos medievales hasta nuestros días, interpretación que no es otra que la de Ortega y Gasset, tal como este ensayista la dio a conocer en múltiples notas y comentarios dispersos, además de algunos libros dedicados al tema. Ahora bien, Martín-Santos no acepta íntegramente esa visión histórica, sino que la matiza y altera en muchos aspectos y, además, cruel ironía, introduce en su novela al gran pensador español, para criticarlo. Esto quiere decir que las descripciones históricas de *Tiempo de silencio* son como una continua polémica de teorías, metodologías y opiniones puestas en forma literaria.

Y todo va de esta manera. Quien lea *Tiempo de silencio*

_____

(5) Cfr. *Critique de la raison dialectique,* Paris, 1960, y, también de SARTRE, su célebre artículo «Matérialisme et révolution» *(Situations,* III, Paris, 1946, pp. 135-225), así como sus debates con Roger Garaudy y otras figuras del marxismo francés. Martín-Santos contribuyó con una pequeña aportación, «Dialéctica, totalización y conciencia»; vid. *Apólogos,* pp. 136-40.

ha de tener a la vista un buen pedazo de cultura europea y española. Sin ello, la interpretación de la obra se descarría irremisiblemente. Para comprender un lenguaje literario hay que conocer también el contexto, el destinatario y el emisor. En nuestro caso, hay que historiar *Tiempo de silencio* para saber lo que las palabras quieren decir, para averiguar su *étimo* cultural. No es que se trate de una obra en clave, sino de una novela muy ambiciosa, que desarrolla una ficción al mismo tiempo que alberga complejas referencias a la cultura de la época. Sin el conocimiento de ésta, el lenguaje se hace ininteligible.

De este modo, aclarar el sentido de *Tiempo de silencio* es simplemente poner al descubierto su contexto. Este es múltiple, porque múltiple es la realidad contemplada: física, fisiológica, social, económica, nacional, histórica, filosófica y literaria. Ahora bien, del mismo modo que la construcción narrativa muestra una ordenación y cierta disposición jerárquica, análogamente sucede con el componente ideológico. El objetivo de Martín-Santos es el hombre, pero el hombre en la dimensión vital o existencial de la filosofía moderna. Es decir, en cuanto proyecto libre y personal. El autor, según espero demostrar, ha recreado con auténtica minuciosidad todo lo que es exterior a la conciencia (6), al objeto de mostrar el abanico de condicionamientos que determinan el modo en que se ha de desplegar el yo. Este, en cuanto reducto o hueco que subsiste a partir de determinados datos previos, es, esencialmente, el objetivo de *Tiempo de silencio*. Dicho en términos sartrianos, el para-sí en cuanto opuesto al en-sí.

Martín-Santos propone en su novela una honda reflexión sobre las posibilidades del individuo de llevar adelante su proyecto, teniendo en cuenta que «la realización del proyecto es para el hombre la realización de su ser» (7). A este fundamental problema del existir humano dedicó diversas obras, pero nada es tan coherente y ambicioso como su novela, a cuya mejor comprensión ayudan, sin embargo, diversos ensayos y

---

(6) Utilizo el término conciencia en la acepción que le da SARTRE en *El ser y la nada*, y que parece haber seguido MARTÍN-SANTOS en su ensayo *Libertad, temporalidad y transferencia en el psicoanálisis existencial*, Barcelona, 1964, pp. 15 y ss.

(7) Cfr. *Libertad...*, p. 26.

trabajos a los que aludiremos en repetidas ocasiones, ya que así se hace más transparente el universo conceptual de Martín-Santos (8).

La reflexión central de *Tiempo de silencio* es metafísica, y, por tanto, universal y aplicable a cualquier hombre de cualquier época. Pero es también histórica, porque todo hombre lo es, en la medida en que toma en cuenta las circunstancias específicas de un concreto país en un determinado momento. En Pedro se plantea, de un lado, el enigma del ser humano; de otro, la existencia de un intelectual español en la segunda mitad del siglo xx.

Desde ahora conviene distinguir conceptualmente esas dos dimensiones del hombre, que en su vida marchan indisolublemente unidas. A fin de lograr la mayor claridad, el presente capítulo se dividirá en dos apartados: el primero irá destinado a la exposición de las facticidades que rodean la conciencia, y el segundo a la presentación del proyecto individual.

2.1. *La facticidad.*

2.1.1. *Hombre y naturaleza.*

«Una gran parte de mis facticidades afectan a mi cuerpo. Mi carne es la primera facticidad que tengo que aceptar», declara Martín-Santos en su célebre ensayo *Libertad, temporalidad y transferencia en el psicoanálisis existencial* (9). Al estudio de este condicionamiento dedica el autor muy penetrantes, y pesimistas, atisbos, tanto si analiza las peculiaridades físicas y sus más severas imposiciones como cuando pone de relieve las matizaciones del plexo instintual. El comienzo de la novela sumerge al lector en una selva de datos fisiológicos que ya no podrá olvidar en adelante, como si se tratara de recordar desde el principio cuál es la ley de gravedad de las más altas empresas individuales.

---

(8) Pero entiéndase bien: lejos de explicar *Tiempo de silencio* a partir de otros libros, intento simplemente, con ayuda de ellos, reconstruir el orbe intelectual del que la novela es acabada expresión.
(9) Cfr. p. 18.

La dimensión física del hombre es un dato demasiado elocuente, que ningún humanismo integral puede ignorar. Esta presencia de la fisiología, tan vigorosamente anunciada en las páginas iniciales, se mantiene como una constante a lo largo de *Tiempo de silencio*. En lo que respecta al soliloquio inicial de Pedro se dan ahí tres distintos modos de concebir la facticidad del cuerpo: 1) lo que podríamos llamar una visión filosófica del mismo, 2) una contemplación más propiamente técnica y 3) numerosas imágenes visuales y olfativas que sugieren plásticamente su presencia y limitaciones.

El arranque del soliloquio de Pedro plantea uno de los insolubles dilemas a que se enfrenta como científico: en cuanto ser racional trata de investigar las causas de una enfermedad, el cáncer, que consiste esencialmente en una descontrolada rebelión del tejido celular (10). Pedro, contemplando a través del binocular las mitosis coaguladas, es como un símbolo del hombre que se enfrenta, en desigual lucha, con los misterios de su propio organismo. Y, suprema ironía, no puede seguir investigando las causas del mal porque los ratones mueren muy deprisa: la muerte artificialmente provocada en las cobayas se escapa del control humano y aniquila rápidamente el objeto vivo de la investigación.

En las palabras del protagonista y en las de Amador se nota una abrumadora presencia de términos médicos y semimédicos. Aunque la profesión del autor puede explicar su familiaridad con esta terminología, lo que aquí interesa no es constatar este dato, sino descubrir la visión del hombre que revela su utilización, así como el modo de plasmación literaria.

La concentración de vocabulario médico y fisiológico en las primeras páginas es muy acusada. Las preocupaciones de Pedro van de las «mitosis coaguladas» (pág. 7) a la «cepa cancerosa» (pág 8) que se agota, mientras especula con la posibilidad de que las hijas del Muecas muestren ciertos «tumores

---

(10) Se han avanzado algunas interpretaciones simbólicas de esta enfermedad, con el propósito de ver ahí una referencia a males de carácter sociológico y económico (como hace FÉLIX GRANDE en su reseña de *Cuadernos Hispanoamericanos*, núm. 158 [febrero de 1963], p. 341, n. 3) o de índole moral y social (como quiere JOSÉ ORTEGA en «La sociedad española contemporánea, en *Tiempo de silencio* de Luis Martín-Santos»; *Symposium* [Fall, 1968], 256).

inguinales» (págs. 9, 13) producidos sorprendentemente por un «virus recognoscible» (pág 11), que sería el causante de la aparición de esas «gruesas tumoridades secretoras de toxinas» (pág. 12), lo que mostraría que el mal «que sume a las familias humanas en la desolación y al individuo afecto en el dolor físico y en la autofagia progresiva de su propia sustancia viva hasta la muerte» (pág. 12) es localizable, y, por tanto, aislable y curable. A tan noble empeño como es buscar la vacuna salvadora consagra Pedro sus días de investigador. El ambiente, los medios y las circunstancias, no obstante, no pueden ser más desfavorables.

El protagonista levanta sus ojos del microscopio y otea a su alrededor. A la «falta de créditos» (pág. 7) que permitan continuar la investigación se une un desolador panorama, que ejemplifica bien la miseria física que percibe dentro y fuera del laboratorio. Dentro, porque los perros de experimentación mueren sufriendo inútilmente. Víctimas de «una violenta carga afectiva» (pág. 9), estos animales no orinan, sino que transpiran con la lengua fuera, eliminando sus esencias por el sudor, cuyo olor invade toda la estancia (pág. 9). Todo ello a causa de un fémur de poliestilbeno o polivinilo, absurdamente injertado, pues «ya sabios, en los laboratorios transparentes de todos los países cultos del mundo han demostrado que el polivinilo no es tolerado por los tejidos vitales del perro» (pág. 10). Fuera del laboratorio, a Pedro se le ofrece una humanidad miserable, en lucha con las más penosas limitaciones orgánicas. Dígalo si no ese «pueblo pobre» (pág. 7), «desnudo de proteínas» (pág. 8), cuyo alimento primordial consiste en una monótona dieta de «tocino y gachas» (pág. 8). O las hijas del Muecas, «ninguna de las dos con dieta adecuada durante la gestación en vientre toledano» (pág. 11), a cuyos cuidados se debe la milagrosa pervivencia de los ratones de la cepa de Illinois, lo que puede ser causa de que en sus ovarios de «muchacha toledica mal nutrida» se localice un posible virus cancerígeno.

Hay en estas palabras iniciales de Pedro una marcada tendencia a aludir a realidades fisiológicas de todo tipo, como si tratara de recalcar más fuertemente su sombría experiencia de las limitaciones humanas. En más de una ocasión se entrega a amargos juegos de ingenio, basados en referencias corporales. Aludiendo al cáncer, habla de la mitosis torpe que destruye «las carnes frescas de las todavía menopáusicas damas, cuya sangre periódicamente emitida ya no es vida, sino engaño, engaño» (pág. 8). Poco más adelante, asociando ideas, se felicita de la no existencia de «desteñidas vírgenes no cancerosas, no usadas, nunca sexualmente satisfechas» (pág. 10), de la Sociedad Protectora de Animales, que podrían impedir el martirio de los perros. Y, después, casando sugestiones eróticas con otras patológicas, imagina en las hijas del Muecas «una tal dulzura ayuntadora, una tal amamantadora perspicacia, una tan genesíaca propiedad que sus efluvios emanados bastan para garantizar el reencendido del ardor genésico» (págs. 12-3), refiriéndose al hecho de que los ratones procrean guardados en una bolsa escondida en el seno de las muchachas. Este vaivén de lo erótico a lo patológico evoca gráficamente los dos extremos en que se mueve el organismo humano, capaz de vida y placer al mismo tiempo que de muerte y dolor, oscilación que el morboso razonar del protagonista muestra a las claras.

Incluso la comparación entre la pobreza de la investigación en España y la abundancia de medios que recibe en Estados Unidos se hace, parcialmente, contrastando imágenes fisiológicas. Mientras los ratones eran cuidados allí por «rubias mideluésticas mozas» (11) en luminosos laboratorios, aquí son atendidos en una chabola de Madrid por dos toledanas no rubias. Si en aquéllas se da una «correcta emigración de neublastos hasta su asentamiento ordenado en torno al cerebro electrónico de carne y lípidos complejos» (pág. 9), en las hijas del Muecas se producen «mitosis... carenciales, en el momento de la emigración de las motoneuronas hacia el córtex» (pág. 8). Si éstas no tuvieron una dieta adecuada durante su permanencia en el vientre materno, aquéllas gozaron de «proteína abundante durante el período de gestación de sus madres de origen sueco o sajón y en la posterior lactancia y escolaridad» (pág. 9).

Pedro muestra una aguda sensibilidad hacia los menores aspectos de la dinámica corporal. En un par de poderosas metáforas destaca los «belfos» de Amador (pág. 7) y su «sonri-

---

(11) Como fácilmente reconocerá el lector, el adjetivo «mideluésticas» es una adaptación a la fonética, la ortografía y la morfología españolas del sintagma inglés *middle west* zona donde, justamente, se encuentra el estado de Illinois, de donde proceden los ratones que ha recibido Pedro.

sa de merienda, sonrisa gruesa» (pág. 7). A su aguda vista no escapan tampoco ciertas «gotitas de saliva» que ponen en duda la educación y la inteligencia de su servidor (pág. 8). Su olfato descubre olores corporales de índole diversa, y sus obsesiones le hacen representar, en desordenado revoltijo, mitosis, cánceres, perros, ratones, vientres, ovarios, fémures, células, virus, ingles, lenguas, neuronas, microorganismos, sistemas nerviosos, sangre, vida y muerte, todo ello en permanente dinamismo. A través de los sentidos, las sensaciones y las reflexiones del protagonista, el lector irrumpe bruscamente en un mundo ingrato, cuya poderosa influencia se sentirá en diversos momentos de la narración.

Pero de ese amplio abanico de facticidades corporales destaca sobremanera una idea: que el cuerpo tira del hombre hacia abajo, hacia la deformación, el sufrimiento y, en último término, hacia la muerte. Sin duda Martín-Santos, como filósofo, se identificaba de buen grado con algunos postulados caros al existencialismo, como el sugestivo existenciario heideggeriano del hombre en cuanto ser-para-la muerte (12). Pero, como novelista, se veía abocado a mostrar la dimensión carnal del hombre no sólo en cuanto característica constitutiva que no necesita ser valorada en ningún sentido, sino como factor gravemente obstaculizador de su armonioso desarrollo. La consciencia de las limitaciones que lleva implícitas el cuerpo humano indica, por parte de Martín-Santos, una ligera corrección del ideario existencial.

Tras la triste constatación del comienzo, el autor va a seguir ampliando, desde diversos ángulos, la visión de la facticidad de la carne, con el objeto de mostrar una comprensión rigurosa de este hecho tan decisivo. No falta, por ejemplo, una presentación hecha en términos científicos o semicientíficos. Así, la patrona de la pensión traza con bastante exactitud los

---

(12) Hay que mencionar aquí su artículo «La psiquiatría existencial», recogido en *Apólogos* (pp. 108-135), donde se hace una aplicación médica de los principales conceptos del filósofo alemán. Ese ser-para-la-muerte del individuo se recoge, dentro de la novela, en la alusión al «berbiquí incesante horadándonos de parte a parte, mientras que hacemos como que no lo oímos» (229). También expresa la misma preocupación el breve, pero sustancioso, apólogo titulado *El médico y el paciente.* Cfr. *Ibíd.,* 29.

trastornos físicos y, sobre todo, síquicos, que suponen el «derrumbe definitivo de mi vida de mujer» (pág. 22) o, para ser más precisos, la conclusión definitiva de sus reglas, episodio que constituye un magnífico exponente de cómo un proceso fisiológico altera la astuta y calculadora inteligencia de una persona. Más adelante, cuando el narrador describe algunos aspectos de la vida de las chabolas, compara «la grasa esteatopigia de las hotentotes» con la «lipodistrofia progresiva de nuestras hembras mediterráneas» (pág. 44). En la metafórica playa cultural que es el café literario, cada uno de los pedantes, que es para sí y para los demás un sol que irradia ideas, experimenta la ebullición y el estímulo que produce la nocturna droga del café, un poco a semejanza de la gama ultravioleta «que penetra hasta una profundidad de cuatrocientas micras de interioridad corpórea activando provitaminas» (pág. 65). La borrachera de Pedro y Matías es presentada como «una peligrosa tendencia a proyectar su vertical fuera de la limitada base de sustentación que poligonalmente circunscriben los dos invisibles trípodes óseos del pie derecho y del pie izquierdo, torpemente conducidos por unas fibras nerviosas funcionando con rendimiento inferior al habitual» (pág. 77). Cuando Pedro pretende recuperar la lucidez con abluciones de agua fría, evoca ciertos remedios primitivos: «la telaraña en la herida, la sábana entre las piernas, la saliva en el mordisco, el pichón abierto en la fluxión del pecho, la sanguijuela en la apoplejía, la purga en el cólico miserere» (pág. 99). Sometido a un interrogatorio policial, se hace plenamente consciente del extrañamiento de su propio cuerpo, como lo muestra un párrafo que es preciso citar completo:

> Así pues, lo que él notaba como pequeña sensación de cansancio en ambas corvas, tensión de la bolsa del párpado inferior, picores prolongados a lo largo de ambas hendiduras palpebrales, ausencia absoluta de hambre sobre superficie de lengua vuelta objeto extraño en cavidad bucal repentinamente contraída, incapacidad para comprensión de preguntas sencillas..., suciedad pegajosa en axilas y en pies no por falta de jabón, sino por sudor nuevo nunca antes eliminado... proximidad excesiva de los zapatos a los pies que han perdido aparentemente toda utili-

dad traslatoria ya que no es movido a impulsos de una voluntad que se transmite a los músculos de las piernas... proximidad excesiva del cuello de la camisa al de la carne que ha perdido también sus naturales propiedades..., no eran sino los indicios internos de ese mismo terror que deformaba los rostros de los que él podía ver, hijos de esa raza despreciable en la que todo hombre puede ser trasmutado por la culpa públicamente descubierta, hecha patente y en ruta hacia el castigo (pág. 168).

Este fragmento, donde Martín-Santos pone en juego no sólo sus conocimientos médicos, sino también alguna experiencia personal, realza estilísticamente la falta de control de la conciencia con respecto al cuerpo por la generalización que se da a las palabras y que se muestra, sobre todo, en la ausencia de artículos.

Por citar algunos ejemplos más de descripción médica, convendría mencionar aquí la fría objetividad con que se presentan las reacciones que experimenta la hermana de Florita cuando es golpeada brutalmente por su padre, lo que muestra lo vulnerable que es el organismo humano al padecimiento físico:

La tiró al suelo, donde empezó a llorar a grandes gritos que luego se convirtieron en lamentos inarticulados, en convulsiones y en un ataque de nervios disparatado, insoportable, mientras arañaba, mordía, desgarraba su ropa, se orinaba y el Muecas daba ciegas patadas en aquella masa viviente y agitada, sin conseguir cortar el paroxismo (pág. 114).

Uno de los consejos que Martín-Santos querría que los pedantes literatos del café Gijón dieran es «nunca obra literaria alguna escribas en que el elemento sexual esté completamente ausente» (pág. 66). Y en verdad que el autor de *Tiempo de silencio* lo llevó a la práctica. Como tantos otros escritores contemporáneos no ahorró detalles en la descripción de actividades eróticas. Pero, a diferencia de lo que va siendo frecuente en tantos novelistas, la valentía con que se afronta el hasta hace poco espinoso tema no va acompañada de ninguna aureola de optimismo y plenitud. Es cierto que en *Tiempo de silencio* se apunta una actividad erótica noble, grandiosa, integrada en una relación personal enriquecedora. Pero lo más frecuente, en contra de ciertas formas de idealismo literario, es que la vertiente puramente física del sexo esté vista de una manera pesimista, más atenta a las imperfecciones que a las iniciales sugestiones. De esta manera el sexo, que en cuanto manifestación amorosa merece a Martín-Santos las mayores alabanzas, en cuanto actividad fisiológica le inquieta porque participa de las penosas limitaciones de la carne.

El sexo, en su impulso primario, aparece simplemente como una oscura fuerza anónima, en la que el hombre no se comporta como individuo, sino como miembro de una especie. Si Pedro, contemplando los consultorios populares de la calle de Atocha, piensa en «las funciones más bajas de la naturaleza humana, aunque no las menos satisfactorias» (pág. 31), el narrador considera a los clientes que frecuentan el burdel gavillas a las que une «una misma naturaleza humana impúdicamente terrenal» (página 82). No es extraño, pues, que de aquí derive un sentimiento de vergüenza. A los varones que acuden a las prostitutas los empuja una necesidad imperiosa, que se satisface entre miradas huidizas (pág. 84), silencios avergonzados (pág. 84), el «habitual sonrojo de la especie satisfecha» (pág. 167) y huidas apresuradas (pág. 92), «como si una maldición los persiguiera». A esta anonimidad y a esta vergüenza culpable se suma el desencanto que produce «lo que de sobra sabemos —nosotros animales— que es feo» (pág. 95).

Lo cual, a mayor abundamiento, puede traer humillantes sufrimientos, como bien supo el marido tronera, «que tuvo que ver con una tagala convencido de que era jovencita pura», la cual, en las lejanas Filipinas, le transmitió una infección que «se la pasó toda a caballo, sin lavados y sin cuidado ninguno hasta que se le emberrenchinó y le llegó a tupir los conductos» (pág. 18). O como saben los «pechos viriles» que acuden a los consultorios económicos de grandes letreros que rezan «Fimosis, Sífilis, Venéreo», donde «los lavados con permanganato», prolongando el tiempo de la cura, «intensifican la emoción que deben producir... estos espaldarazos del erotismo recién hallado» (pág. 31). No, no todo es ennoblecedor en «el placer más violento al hombre concedido» (pág. 96), pues, realizado al margen del amor, puede llegar a quemar «lo más libre del espíritu» (pág. 96). En el mejor de estos casos, «el campanillazo brutal de la especie» sólo sirve para seguir comprobando «otra vez lo mismo» (pág. 166).

Pero Martín-Santos no cae nunca en la monotonía condenatoria del moralista. Se limita, con desengañado humorismo, a contrastar la mentirosa realidad con las ilusiones eróticas de sus personajes. En los cuales, como era de esperar, el sexo es vivido por cada uno de manera diferente, como también distinta es la manera en que cada uno cede a su solicitud apremiante. Una vez más, se muestra aquí que el propósito del novelista no es encerrar la realidad en unos conceptos previos, sino captarla en toda su variedad e interpretar los datos recogidos.

La vieja de la pensión evoca el tiempo en que «embobada con la boca abierta» (pág. 19) ante la marcialidad esquiva —y las palizas— de su añorado difunto se estremecía de felicidad cuando éste tocaba «la parte esta mía del muslo... y hacía como que la mordía» (pág. 80), a la vez que lamenta con tristeza la época en que tenía que contentarse, ya ida su vida de mujer, con esporádicos pellizcos de algún agitanado (pág. 23). Ahora, hecha una «dueña algo pesada» (pág. 24), tiene que conformarse con imaginar la felicidad de su nieta y con gozar con el cosquilleo que producen las burbujas de las sales de baño (pág. 117).

Amador goza igualmente de una vida sexual exenta de problematizaciones, como corresponde a quien vive a un elemental nivel. Como en el caso del personaje anterior, la actividad erótica se reduce a la simple activación del instinto, esta vez en forma de repetidas y fugaces aventuras con criadillas. Igualmente primaria, aunque con más rudeza y violencia, es la vida sexual del Muecas y de Cartucho, bajo la forma del incesto y del estupro. En lo que a las formas se refiere, es más refinado Matías, que se dirige a las prostitutas en latín o que sabe extasiarse ante rubias lánguidas que hablan con suaves maullidos; pero en cuanto al contenido de sus vivencias es tan incapaz como los anteriores a la hora de integrar el sexo en una relación total, en una atmósfera de libertad y mutuo conocimiento. Y, justamente, libertad y conocimiento son los dos ideales que quedan fuera del alcance de Pedro en sus respectivas experiencias con Dorita (donde pierde su libertad) y con la prostituta (que lo soporta con el mismo desconocimiento que él le dedica a ella). En general, todas las experiencias eróticas de la novela no son más que una rudimentaria actividad sexual, pura satisfacción fisiológica que distrae al hombre de otras posibles empresas más acordes con su esencia libre y racional.

Porque, por encima de estos repetidos fracasos, planea en las páginas de *Tiempo de silencio* la sombra de un ideal erótico superior, nunca alcanzado por las limitaciones de los personajes. «Caracteriza a la especie humana —decía el autor en otro lugar— (12 bis), frente a las especies animales más próximas, tanto un 'plus' de capacidad intelectual cuanto un 'plus' de capacidad sexual. El hombre no es sólo el animal capaz de entender que el cuadrado construido sobre la hipotenusa tiene la misma superficie que la suma de los construidos sobre los catetos. Es también el único capaz de realizar cotidianamente un acto sexual...». Este plus de base biológica de que goza el hombre puede ser independizado de la ciega mecánica reproductora de los animales y formar parte de un esquema de conducta libre y personal. Pero, también, puede sujetarlo con más rigor, y encerrarlo en un círculo fatal. Esto, que es lo normal, está abundantemente ejemplificado en *Tiempo de silencio,* y se da en igual medida en las risueñas aventurillas de Amador, en la sofisticada degeneración de Matías, en los gratos recuerdos de la anciana, en la brutalidad de Muecas y Cartucho o en la angustiosa vacilación de Pedro. Pero en las palabras del narrador, y en su crítica del comportamiento de todos, se encuentra propuesto como horizonte ideal de referencia un superior objetivo erótico, cuyo incumplimiento muestra qué pesado lastre puede llegar a ser la fuerza de Eros.

Siendo la prostitución la forma más degradada de la actividad sexual, es lógico que sus más tristes destellos fisiológicos resplandezcan durante la descripción del burdel. Aquí no sólo fustiga Martín-Santos la mercantilización, la rutina y la solapada violencia que se esconde en el comercio carnal, sino que pone de manifiesto lo nauseabundo de sus manifestaciones.

La impresión de asco empieza por experimentarla el aturdido cliente, cuando advierte que el objeto de su instinto «des-

---

(12 bis) Me refiero al artículo «El plus sexual del hombre, el amor y el erotismo», p. 119. En adelante citaré abreviadamente por «El plus sexual». Se encuentra publicado en el colectivo *El amor y el erotismo (Tiempo de España,* III), Madrid, 1965, páginas 119-30.

ciende las escaleras, acompañada de otro hombre al que acaba de servir» (pág. 83) en su ausencia. Se intensifica con la irrespirable atmósfera del salón de espera, donde «las emanaciones de los cuerpos acumulados desde media tarde», «el humo del tabaco», «el polvo levantado», «los perfumes baratos», «las toses repartidas en mil partículas esféricas» y «la brillantina chorreante de muchas cabezas masculinas» (pág. 84), forman una masa viscosa que se realza con el silencio avergonzado de la escena.

Pero el macho comprador (pág. 84) puede descubrir aún nuevas sorpresas en camino hacia las «ergástulas amatorias» (página 85). Ante todo, deberá entregar alguna propina para las «acólitas portadoras de toallas y cubos de agua» (pág. 85). Ya en la habitación, no deberá reparar en la parte baja de la colcha, «marchitada por los sucesivos pies no descalzos que, durante algunos meses, había soportado» (pág. 165), ni en los «objetos de porcelana blanca y brillante, que en un rincón del cuarto recordaban su higiénica utilidad» (pág. 165), ni en el «polvo de los suelos», ni en el «hule surcado de grecas y cenefas», ni en el «alargado espejo», «oxidado y lleno de manchones pardos» (pág. 166). Tampoco deberá alarmarse si percibe la añorada materialidad corpórea bajo una apariencia no del todo favorable: con «pelo desteñido a dos tonos y boca fruncida con dentadura rota en mesilla de noche» (pág. 83), o con «bozo en el bigote discretamente desarrollado», o con «pechos caídos bajo blusa de seda de color verde». En fin, deberá agradecer a la luz rosada de la lámpara que desaparezcan «los puntos de la nariz» o «las arruguillas de los ángulos de los ojos» (página 165), o que estén como obturados «los orificios de la nariz y de la boca» (pág. 166) (13).

La crítica que el autor hace de la regentadora del burdel no se basa en una diatriba de carácter moral, sino que consiste en hacer repulsivo el cuerpo de esta sacerdotisa del placer, por medio de un sencillo, pero eficaz, arte, que consiste en captar algunos detalles significativos. Partiendo de una imagen relati-

---

(13) En conexión con este último debe leerse el cuentecillo titulado *El amor totalmente explicado*, *(Apólogos*, pp. 54-5), donde irónicamente se alude a ciertos aspectos ingratos de la proximidad amorosa.

vamente benigna, el narrador va mostrando su ser cotidiano que, más que maldad, refleja sordidez.

En efecto, la aparición de doña Luisa en la ajetreada noche del sábado no carece de un cierto aire irónicamente ennoblecedor. Cuando, en medio del pasillo, regula la entrada de la ansiosa clientela, alcanza toda su grandeza, pues «el dragón del deseo la golpea(ba) con sus alas rojas y lengüetazos de fuego chamusca(ba)n sus nobles guedejas grises» (pág. 83). Sin embargo, a medida que el narrador, como si una cámara cinematográfica fuera, va presentando más de cerca a este personaje, la miseria de su condición asoma en rasgos cómicamente demoledores. Cuando Pedro acude al burdel por la mañana, la sorprende en la cocina, sentada al sol, en actitud de «ídolo búdico» (pág. 149), entornando los «ojos de batracio» con un gato negro sentado sobre sus «rollizos muslos» (pág. 148), en actitud de alta dama de palacio que acaricia el lomo de los animales nobles e indomesticables. Las sucesivas aproximaciones al cuerpo de doña Luisa serán otros tantos embates a su falsa majestuosidad del comienzo.

Con burlona indiscreción nos revela el narrador que doña Luisa lleva «cintas violetas..., encajes de color albaricoque..., ligueros pudorosamente rosados» (pág. 151), recubiertos por un vestido de color negro. Al abrirse, sus «ojos batracios» despliegan el «abanico rizado de los párpados» y muestran el brillo («sapientísimo») de las pupilas (pág. 151). Cuando, con falsa ternura, decide ayudar a Pedro, arteramente alarga su «mano cargada de alhajas» (pág. 152) y coge la de Pedro, que tiene que dominar un gesto de repulsión. Para afianzar su control sobre el joven, con su «brazo grueso» le oprime la cabeza contra «los blandos almohadones de los pechos» (pág. 153) y le aprieta la nariz contra «la piel arrugada de su cuello, haciéndole respirar la mezcla residual de los perfumes que ella había echado sobre su carne» (pág. 153), mientras Matías, divertido, estampa un beso burlón en la «mejilla lacia» de la anciana.

Además, doña Luisa tiene que dedicarse a algún que otro prosaico menester, como atender a la cesta de la compra y comprobar el grado de madurez de los tomates. Cuando el narrador la abandona la vemos entregada de lleno a domésticas faenas: después de llamar a Andresa y Alicia («grandes bocas rojas», «afilada lengua», «brazos alargados» y «grasienta cadera» [página 154]) distribuye hogazas de pan en las que deja una impronta de «grasa de chorizo», tras lo cual, con dificultad de movimientos, se levanta, guarda un resto de vino en la alacena y se retira.

Además del sexo, pero con más brío, el hambre «condiciona la agitación del día y de la noche» (pág. 104). Sus efectos varían en intensidad: puede producir una de sus muchas formas de enfermedad, como «tuberculosis, escrófula, latirismo, eruptos de sangre, temblor progresivo de los calcañares, dolor de puñalada en el estómago y caer sin haber comido, etc., etc.» (pág. 58);) puede ocasionar que los rostros lleguen a deformarse y tomar el «aspecto bestial e hinchado de los fantasmas que aparecen en nuestros sueños»; puede, en casos más benignos, desarrollar en algunos hombres una sorprendente capacidad para aguantar la «humillante patada» en el «huesudo trasero de hambres atrasadas» (pág. 224), o para provocar una belleza «hecha de gracia más que de hermosura» (pág. 17), «en la que puede parecer que es sólo vivacidad lo que ya empieza a ser rapacidad» (pág. 17).

Es en la presentación del barrio de chabolas donde las alusiones al hambre son más directas. Ya Amador advirtió a Muecas lo dura que estaba la vida en Madrid (pág. 33), tan dura que ni siquiera podía compadecerse de las niñas, que tenían «unas piernecitas que daba grima verlas» (págs. 32-3). Estas, en los tiempos malos, lloraban de hambre porque no había qué comer. Por fortuna, «luego se han repuesto algo» (página 33), gracias a la industria del padre, que logró concertar un acuerdo para aprovechar la sustancia valiosa de un basurero próximo (págs. 29, 42, 48), gracias a la habilidad de las pequeñas para chupar «una raíz de planta» extraída de cerca de un desagüe de cloacas (pág. 201), y gracias a la providencia de la madre, capaz de dividir un boniato en cuatro porciones y de aprovechar, tras cocerlas, las cáscaras sobrantes (pág. 201).

Junto a esta hambre inmediata, que deforma el cuerpo llegando a aniquilarlo del todo, existe otra hambre latente, amenazante, cuyo fantasma dirige la vida de muchedumbres enteras. En rigor, la actividad de las gentes que se apresuran en las calles (pág. 26), que viven en las chabolas (págs. 42 y ss.), en las cuasi chabolas en forma de casas (pág. 32) o en las subchabolas en forma de cuevas (págs. 117-8), está presidida por la amenaza del hambre, a la que con mayor o menor dignidad se hace frente, de la misma manera que son paréntesis en la lidia con el hambre la distribución de pequeños placeres y descansos: un baile de criadas (pág. 130), unas patatitas fritas como aperitivo (pág. 115), un chato de vino en una taberna sucia (pág. 212) o una gaseosa en una verbena (pág. 229).

Por otra parte, en su desarrollo cotidiano, el organismo depara al hombre toda suerte de ingratitudes. Desde la pequeña incomodidad que supone para el varón el «crecimiento vegetal de las pilosidades» (pág. 28), hasta las mucho más graves que aquejan a la mujer, tales como la pérdida de la virginidad (página 47), la menstruación (pág. 29) el parto (pág. 47 y la menopausia (pág. 24), que pueden llegar a provocar el desdén o el asco de sus más allegados. Común a ambos sexos es el sometimiento a las leyes del hambre, de la sed, el sudor (págs. 26 y 31) y de los malos olores corporales (pág. 54). El reflejo defensivo del vómito puede presentar a un joven y prometedor universitario «mancillado por sus mismas deyecciones» (pág. 117), mientras que el reparador sueño puede adoptar la modalidad de los «ronquidos» (pág. 117). La edad, en su progresión indetenible, lo mismo causa el paro laboral (pág. 32) que la inhabilidad para el ejercicio de la prostitución (pág. 87), y lo que a fin de cuentas aporta es un largo capítulo de trabajos y fatigas (páginas 105, 229). La enfermedad puede traer desde el cáncer siniestro hasta el incómodo prurito de ano (pág. 234).

Y, como corolario, la muerte (14). Además de los cuatro puñales amenazadores —hambre, sexo, enfermedad y miserias orgánicas—, además de los condicionamientos sicológicos que derivan de la constitución anatómica y fisiológica, el hombre ha de llevar su «carcasa» amorosamente cuidada (pág. 136) al polvo de que había surgido (pág. 146), demostrándose así que no era más que un «fantasma engañoso de carne tentadora» (pág. 146). Y ahí, como una confirmación de lo limitada que es la naturaleza humana (pág. 77), rodeado de tierra por arriba, por abajo y por ambos lados iniciará, como último gesto, los secretos movimientos de la descomposición (pág. 144), como punto final de un itinerario que consiste, sustancialmente, en

---

(14) Además de todo lo indicado anteriormente en la nota 12, debe confrontarse lo que GEMMA ROBERTS expone en *Temas existenciales,* p. 143.

ir «hacia donde se van todas las florecillas del mundo» (página 238).

El cuerpo, ese «nuestro-ser-en-el-mundo» (15), con sus condicionamientos, exigencias y flaquezas, depara a Pedro y a los demás personajes de la novela tristes experiencias. La libertad, el proyecto personal, encuentra aquí el primer obstáculo para su despliegue exitoso. Desgraciadamente, no es el único.

2.1.2. *Hombre y prójimo.*

Hay una serie de terrores primitivos que atenazan al ser humano: el terror cósmico, el terror al vacío, el terror a la falta de sentido..., pero entre todos ellos, el terror a la mirada, esto es, el miedo a ser objetivado en la interioridad consciente de quien me mira, es uno de los fundamentales, como agudamente nos ha mostrado Sartre. Este terror permanece en el trasfondo de la conciencia cotidiana, como se demuestra en la generalidad de la actitud paranoide... Este fenómeno arroja una luz desoladora sobre la naturaleza humana, puesto que hay razones para creer que la actitud paranoide no brota como *consecuencia activa* del fenómeno morboso, sino como *liberación pasiva* de un mecanismo prefigurado en su existir. La locura paranoide brota a consecuencia de la ruptura de los mecanismos defensivos, mediante los que normalmente dominamos nuestra angustia ante el otro. Entre estos mecanismos, tiene especial importancia el ejercicio del erotismo. En gran parte gracias a su refugio en lo erótico, gracias al reconocimiento de la mirada ajena como fenómeno benéfico en el erotismo, puede creer el hombre en lo humano general que le rodea» (16).

La cita es larga, pero valía la pena. Ahora sabemos que para el pensamiento existencial y para el conocimiento sicoanalítico,

---

(15) Cfr. J. P. SARTRE, *El ser y la nada*, p. 389.
(16) Cfr. «El plus sexual», pp. 120-21.

tan importantes a la hora de interpretar *Tiempo de silencio,* el hombre lleva dentro de sí ciertos terrores nada fantasmagóricos, cuya existencia es tan real como la posesión de unas vísceras o de una determinada estatura. El hombre *tiene* angustia (16 bis). El descontrol de ésta lleva a la paranoia. Y, para sujetarla, el individuo necesita de alguna manera de otros hombres, del prójimo.

Pero la relación con el otro es problemática. En el centro del pensamiento filosófico contemporáneo se encuentra una insistente reflexión sobre las relaciones entre el yo y el otro, que Martín-Santos siguió muy de cerca (17). Limitándonos ahora a su novela, vamos a examinar las diversas formas conflictivas que adopta la relación interpersonal (18), teniendo en cuenta que, aunque se trata de tensiones de apariencia cotidiana, sólo se entienden cabalmente si se interpretan a la luz de esos postulados de raigambre existencial.

Esto es particularmente cierto en el caso del amor, paradigma de la relación entre dos personas. No me atrevo a compartir, con Gemma Roberts, la idea de que «el amor no tiene un papel esencial en la novela» (19), pues me parece uno de los núcleos ideológicos de la misma, que forma parte de la constelación de facticidades que determinan la situación (20)

(16 bis) «Sólo en la angustia el hombre capta la totalidad de su ser», afirmó Martín-Santos, siguiendo de cerca a Heidegger. Cfr. *Apólogos* («La psiquiatría existencial»), p. 127.

(17) *El ser y el tiempo* y *El ser y la nada* son los principales puntos de referencia en lo que se refiere a la filosofía europea. Dentro del pensamiento español hay que citar aquí las conferencias de ORTEGA dadas entre 1949-1950 en el Instituto de Humanidades y que fueron recogidas posteriormente en libro bajo el título de *El hombre y la gente;* cfr. ahora *Obras Completas,* VII, en especial, pp. 174 y ss. Por parte de MARTÍN-SANTOS, sus mayores aportaciones teóricas son el libro *Libertad, temporalidad...* y el artículo «El plus sexual», ambos ya citados.

(18) Por interpersonal entiendo aquí la relación de individuo a individuo haciendo abstracción (en la medida en que es posible) de los enfrentamientos entre personas en cuanto pertenecen a clases o grupos sociales antagónicos.

(19) Vid. *op cit.,* 167.

(20) Adopto este vocablo en la acepción que suele tener en la terminología sartriana y que, sin duda, encaja bien en el orbe intelectual de *Tiempo de silencio;* cfr. *El ser y la nada,* p. 660

del hombre. A lo sumo, se podría conceder que su importancia como dato narrativo no es grande, pero eso no impide reconocer que su función ideológica es de primera importancia, tanto si se lo estudia como facticidad del hombre como si se lo analiza a la luz del proyecto existencial (21).

Nadie ignora la esencia de la concepción sartriana del amor: el ideal del mismo consiste en la apropiación del prójimo en cuanto prójimo, es decir, en cuanto subjetividad mirante. Como tal, este ideal sólo puede llevarse a cabo en la medida en que es un encuentro con el prójimo-sujeto, no con el prójimo-objeto. Pues el amor, lejos de ser una abolición de la libertad del otro, es su asimilación y pide el espontáneo autosometimiento de la misma (22). Su grandeza, y su paradoja, radica en el difícil arte de conjugar los dos términos de la antítesis (23).

Volvamos a la cita anterior de Martín-Santos. El hombre, que sólo lo es en la medida en que vive en sociedad, no puede confiar en «lo humano general que le rodea». Sin embargo, sólo puede dominar su angustia ante el otro por medio del otro, como sucede en el acto benefactor de un erotismo concebido como verdadero «baño de libertad» (24). Está, pues, condenado a acudir al prójimo y a correr el riesgo de que éste se convierta en un factor amenazante que transforme su incierta angustia en una dolencia más concreta.

Ninguno de los personajes de *Tiempo de silencio* vive la experiencia iluminadora del amor, sino que, sin excepción, todos cultivan formas degradadas del mismo. El sadismo, el masoquismo, la trivialización del deseo erótico y la indiferencia son las actitudes más comunes en el comportamiento amoroso, o simplemente sexual, de los personajes. Los examinaremos a continuación en sus aspectos más característicos.

(y también 336, 623 y 669). En este contexto no desentona, antes bien añade claridad, el concepto orteguiano de la *circunstancia*. Vid. *Obras Completas*, I, Madrid, 1946, pp. 322 y ss.

(21) Esto último se llevará a cabo en 2.2.

(22) Cfr. *El ser y la nada*, pp. 467 y 500. Compárese con «El plus sexual», p. 120.

(23) Vid. *El ser y la nada*, pp. 457 y ss.

(24) Cfr. «El plus sexual», p. 121. Respecto al problema de la desconfianza entre los hombres es de recomendar la lectura del divertido, y profundo, cuentecillo titulado *Costumbres extrañas de algunos pueblos primitivos*, recogido en *Apólogos*, p. 44.

La esencia del sadismo, como ha mostrado Sartre (25), consiste en pretender que la libertad del otro se envisque, se encarne en el propio cuerpo por medio de la fuerza, no gracias a un acto personal y libre. A lo que en última instancia aspira es a que el otro, gracias a la violencia ejercida, se limite a ser la carne que el sádico quiere que sea. Como forma de relación entre hombre y mujer supone una negación radical de la libertad (26) y, además, busca la consecución del placer en ausencia de la relación interhumana. Un ejemplo relativamente claro de actitud sádica lo ofrece Cartucho. Y no pienso ahora en los momentos en que golpea con cierta complacencia a su embarazada pretendiente, sino en los instantes en que rumia sus planes con respecto a Florita. Extraigo ahora las frases más significativas, a este respecto, del monólogo inicial de Cartucho:

> Yo tan tranquilo... Ya le había dicho a la Florita, la del Muecas, que estaba por ella... Yo pensando en la hartá de tetas que me iba a dar la Florita. Na más salir. Y en eso que llega el padre... Y ella que es menor. No quiero líos. Me doy de naja. Pero es que me camela. No es como la otra. Me tiene miedo. De vez en vez me doy una hartá. Si el Muecas me pilla... Pero esa Florita me sigue en las mientes... Y que no se le acerque alguno que lo pincho sin remisión (pág. 48).

También conviene evocar las palabras del narrador cuando, en otro momento posterior, reconstruye los sentimientos de Cartucho, mientras éste vigila la chabola de Muecas «con una mano tocándose la navaja y con otra la hombría que se le enfriaba»:

> Y dale a las blasfemias espantosas..., y a las visiones de la suave piel de Florita que él había conocido y estaba buena y él sabía muy bien cómo era... Entre la hartá que se iba y la hartá que se venía él la iba recorriendo, aunque no la hubiera

---

(25) En *op. cit.*, p. 500.
(26) Cfr. *El ser y la nada*, p. 500, y, con más detalle, 495 y ss.

todavía conocido por miramiento, que ni se sabe cómo, porque era tan hombre y a ver si siendo tan hombre, iba a haber estao trabajando para otro (página 105).

En su rudo pensamiento Cartucho ofrece no pocos rasgos de comportamiento sádico. Por de pronto, hay que señalar su intención de suprimir la libertad de elección de Florita para escoger un hombre de su agrado. Este derecho no se le pasa ni por las mientes al pendenciero delincuente, que ve ahí una invasión de su propiedad y un justificado motivo para usar la navaja. Pero en su modo de coartar la libertad de Florita va más lejos. Esta le tiene miedo, y los favores que obtiene son concesiones del miedo. Ya ha anulado de raíz toda libertad en la relación erótica que los une y en su lugar aparece la coacción.

Esta coacción, por otra parte, tiende a limitar a la muchacha a su carne, a hacer que su ser libre se encierre en un cuerpo y en una postura violentamente provocadas. Su ser, es decir, su cuerpo y su libertad, han de ponerse en situación de facilitar la «hartá de tetas» que Cartucho busca (en espera de más decisivos beneficios). Muy significativamente, también, el ratero persigue las masas de carne menos diferenciadas, menos capaces de movimiento espontáneo. Justamente ha señalado Sartre los senos, las nalgas, los muslos y el vientre como la imagen de la facticidad pura (27). Es decir, que Cartucho, después de haber limitado drásticamente la espontaneidad de la muchacha, la reduce a la actitud que él desea y funde su libertad en una de las partes más inermes de su anatomía, cumpliendo así con los requisitos esenciales de la actuación sádica.

Otra forma degradada de relación entre hombre y mujer es el masoquismo, que constituye una inversión del fenómeno sádico. La negación de la libertad parte ahora del yo, que renuncia a ella para anegarla, para en-carnar-la en la actitud complaciente, obscena, tolerante o humillante que cree que

---

(27) En *El ser y la nada,* p. 492. Recuérdese que en ese mismo libro se señala que uno de los objetivos de la conducta sádica es la consecución de lo obsceno; cfr. pp. 496-8. Sobre este tema debe leerse otro apólogo de MARTÍN-SANTOS: el titulado *El púdico Mamerto.*

puede agradar al otro. La esencia del masoquismo estriba en el propósito de objetivarse, de hacerse cosa que no tiene fundamento en sí, sino que delega en el otro la misión de hacerla existir y darle un sentido. Es, como diría Sartre (28), un desembarazarse de la subjetividad en un afán —que el filósofo francés considera irrealizable (29)— de hacerse absorber por el otro.

El prototipo de conducta masoquista lo ofrece en la novela la dueña de la pensión, rememorando su vida conyugal. Como esposa «legítima» (pág 19), que asentía «embobada con la boca abierta» a todo lo que decidía el marido, renunció completamente a ser ella, dejando en manos de su consorte la justificación y el sentido de su vida. Su yo consistía en ser «mujer de», «legítima de». Para llevar más lejos la abdicación de la propia libertad se identificó con las actitudes físicas que más podrían agradar al añorado militar, apresurándose a anticiparse a sus menores caprichos, y deseando ser una de las mujerzuelas con que la engañaba. La consentidora pasividad y el deseo de renunciar a la propia personalidad, para vaciarla en el molde que mejor podría complacer al marido en un momento dado, se muestra bien en el ejemplo siguiente:

> lo que me hacía sentir un estremecimiento en la espalda como en tiempos del difunto cuando llegaba a escondidas por la noche y se me metía en la cama y me mordía en un hombro, antes casi de que yo me hubiera podido despertar y en sueños me sentía como una tagala tierna que come un antropófago (pág. 23).

El masoquismo de este personaje reposa, en último término, en una concepción pasiva de la mujer, que le lleva a renunciar a su libertad por entender que su yo depende de la actitud del varón para con ella y que sólo en él se encuentra la razón de su existir. Basta dejarse llevar por las consecuencias de esta creencia para que el deseo de halagar se transforme en masoquismo. En esto la vieja revela una absoluta coherencia de

---

(28) En *op. cit.*, p. 471.
(29) *Ibíd.*, p. 472.

principios y actos. Si de buena gana constriñe su libertad al hombro, el muslo o la blanca carne que el marido busca (páginas 23, 80) es porque entiende que la mujer es mujer en la medida en que agrada al varón, que será tanto más hombre cuanto más fogoso se manifieste (págs. 18, 20). A partir de estas premisas, su comportamiento no se aparta un punto del ideal afirmado. Aplaudirá los golpes del consorte (pág. 20), reirá sus escarceos con las tagalas (pág. 22), se estremecerá de placer al ser tratada como un objeto (pág. 23) y considerará sin sentido la vida desaparecido aquél (pág. 24). Y del mismo modo que aguardaba en el lecho la llegada del calavera, pondrá a su hija en la cama de unos y otros y reservará para la nieta (a su vez reservada para Pedro) el mejor colchón de la casa. Porque, al fin y al cabo, «Dios ha hecho así el mundo» (página 80), y no deja de ser una desgracia que «los hombres de ahora», con tanta paz y la alimentación floja, «no hubieran estado en conquistas y violaciones» (pág. 81) y traten a la hembra con tan inoportunos dengues.

La trivialización del deseo erótico es otra forma degradada de relación entre el hombre y la mujer. El objetivo del deseo es, según Sartre (30), la posesión. Pero posesión no de un cuerpo en cuanto simple carnalidad, sino en la medida en que la conciencia del otro se ha identificado libremente con el propio cuerpo tal como es deseado. El deseo se convierte así en la tentativa de apoderarse de la libre subjetividad del otro bajo la forma de su objetivación carnal. En consecuencia, la meta ideal del deseo es, como la del amor, antitética: poseer la trascendencia del otro a la vez como libertad y como cuerpo, como indeterminación y como objetivación. Es reducir al otro a su facticidad carnal, y al mismo tiempo pedir que esa facticidad sea una encarnación de su inaprehensible trascendencia. La caricia, el abrazo, el contacto, expresan el utópico propósito de palpar una libertad que, por su naturaleza, es intangible y desbordante.

Esta tensión es lo que configura el deseo sexual. Su nobleza procede del afán de captar la libertad, encarnada, del otro. Y lógicamente, la desatención hacia la interioridad es lo que lo

---

(30) Compárese *El ser y la nada,* p. 455 y 490 y ss., y «El plus sexual», pp. 122-3.

trivializa, como sucede con frecuencia en *Tiempo de silencio*. Las experiencias sexuales de Pedro constituyen buenos ejemplos de este fenómeno. En particular, los instantes que preceden al momento en que Pedro yace con Dorita deben ser analizados con cierto pormenor, dado que en ellos hay referencias abundantes a la filosofía y a la terminología existencialista, que dan una particular significación al episodio.

Al volver a casa, el protagonista marcha empujado por el deseo, apremiante e impreciso, de una mujer. Esa indeterminación demuestra que el objeto que persigue no es la libertad encarnada de una persona elegida, sino la carne indiferenciada de cualquier hembra. El deseo no va impulsado por un fin a que dirigirse, sino que está activado por sucesivas impresiones y reacciones: un café solo, varias ginebras (pág. 69), algún apestoso coñac de orujo y rabos de uva (pág. 76), la imagen de una modelo desnuda que posa para un pintor (pág. 73) o la «compacta redondez de la madam que suda» (pág. 95) allá en el burdel. Un poco al azar, dirige su atención a Dorita. Cuando, como queriendo alejar de su memoria el triste espectáculo de su habitación, Pedro cierra los ojos de una manera «aparentemente externa e inoperante», la imagen de la muchacha se ilumina en su aturdido cerebro. Borracho (pág. 92), «calentado pródigamente como las ratonas del Muecas» y «acariciado de putas», se dirige con paso torpe a la cama de Dorita.

El deseo sexual se degrada. En vez de ser un impulso hacia el conocimiento del otro, es un acto ciego que ignora la subjetividad acompañante. Lejos de pretender «la unificación sensorial y el descubrimiento de la totalidad de sus posibilidades» (31), Pedro ignora el otro cuerpo, no controla el suyo y se limita a verlos «desde algún resquicio lúcido del espíritu», lejanos, ajenos y perdidos, mientras se estremecen «íncubosucubinalmente» (pág. 96). El ideal erótico, que reside no sólo en el juego admitido de la libertad, sino en la ambición de un conocimiento total (32), ha fracasado una vez más.

Pero la trivialización del deseo no sólo priva al individuo de la influencia benefactora del erotismo, sino que, además,

---

(31) Cfr. «El plus sexual», p. 122.
(32) Cfr. *art. cit.*, pp. 128-9.

provoca la náusea, como señala Gemma Roberts (33). La náusea es, en su forma más decantada, una manera de revelación de nuestra existencia como cuerpo, que surge cuando el mundo de la conciencia se siente amenazado en su fluidez por la facticidad opaca y brutal del «en-sí» (34), es decir, del mundo de las cosas, de lo que tiende a la cosificación y a la paralización de la libertad.

El coito de Pedro acaba en el vómito, que es el resultado a que conduce la vivencia de la náusea (35). Es el final, expresivo final, de un itinerario en el que su libertad se va encenagando progresivamente, viéndose sometida a la asimilación de las cosas, de los cuerpos y de la mediocridad de una situación mezquina que busca el acabamiento de la libertad. Martín-Santos ha descrito este proceso de una manera plástica, buscando imágenes sencillas, que comunican emotivamente la sensación de sofocamiento de la libertad de Pedro.

Así, cuando éste entra por la noche en la pensión, dos cosas le sorprenden: el silencio y el hedor (a cuerpo, a cocina, a respiración, a lavadero y a perfume barato) que «golpea su rostro al abrir la puerta» (pág. 93). El olor, obviamente, evoca la facticidad de la carne, que en este crítico momento amenaza con ahogar la libertad de Pedro, y recoge los aspectos más prosaicos y sórdidos de la misma. En cuanto al silencio, sólo en apariencia lo es. Lejos de indicar confiado descanso, sugiere la amenazadora presencia de una facticidad que conspira contra la libertad del individuo de manera callada y envolvente. En efecto, Pedro se encuentra «sumergido en la domesticidad tibia que le hace oficio de hogar» (págs. 93-4). Ha entrado en un escenario hostil, pues la «casa entera vive» (pág. 94) y «todo está sincronizado, calmo, en la expectativa ciega y sorda de su llegada» (pág. 94).

Creo que la adjetivación y las personificaciones no tienen nada de gratuitas, pues intentan sugerir el desigual choque entre una substancia opaca y anónima que permanece alerta (la facticidad, el mundo del «en-sí») y una libertad que cede, que renuncia, que marcha ciega y sorda. El hogar se hace, cada

---

(33) En *op. cit.*, p. 168.
(34) Como sintetiza bien GEMMA ROBERTS. Cfr. *op. cit.*, p. 168.
(35) La relación entre uno y otra la pone de relieve SARTRE, en *op. cit.*, p. 427.

vez más, un enemigo de apariencia amable y dulce, que atosiga con suaves ademanes: «La casa insiste en su silencio macizo como un estuche. El terciopelo invisible o violeta de la penumbra la tapiza». Tras algunas vacilaciones, Pedro pone sus manos sobre Dorita y entrega luego «como una hostia a un perro negro» la libertad para, acto seguido, caer rendido (pág. 96). Cuando, poco después, la muchacha lo despierta, siente en la boca «la náusea del coñac que le llena toda la boca de una baba salada» (pág. 96). Más tarde, lo encuentran envuelto en vómitos, que inundan la habitación de un olor desagradable y ácido (pág. 116). El proceso de encenagamiento de la propia libertad se ha cumplido en todos sus pasos.

Paralelo al concepto de náusea es el de viscosidad. Como recuerda Gemma Roberts, lo viscoso simboliza el peligro de que el hombre se vea tragado y absorbido por la facticidad, «llámese ésta cuerpo, cotidianidad, costumbre o pasado» (36). La náusea y lo viscoso están plenamente presentes en esta parte de la novela, como conceptos existenciales y como sensaciones cotidianas, ya que Martín-Santos pretendió aquí poco menos que una novelización de páginas memorables de *L'être et le néant*. La presencia de personas, actos, olores y objetos viscosos es notable para quien lea con detenimiento las páginas que relatan la llegada de Pedro a la pensión, la entrada en la habitación de Dorita y su introducción en la cama (págs. 92-96). Ahora conviene recordar la manera en que Sartre representó el comportamiento de lo viscoso:

Lo viscoso es dócil. Sólo que, en el momento mismo en que creo poseerlo, he aquí que, por un curioso viraje, es *él* quien me posee. Aquí aparece su carácter esencial: su blandura hecha ventosa... Aparto las manos, quiero soltar lo viscoso, pero se me adhiere, me bombea, me aspira; su modo de ser no es ni la inercia tranquilizadora de lo sólido, ni un dinamismo como el del agua, que se agota en su huida; es una actividad blanda, babosa y femenina de aspiración; vive oscuramente entre mis dedos y siento como un vértigo: me atrae a él como

---

(36) Cfr. *loc. cit.*, p. 173.

podría atraerme el fondo de un abismo. Hay como una fascinación táctil de lo viscoso. No soy ya dueño de *detener* el proceso de apropiación: éste continúa. En cierto sentido, es como una docilidad suprema de lo poseído, una fidelidad perruna que *se da* aun cuando no se quiera más de ella; y, en otro sentido, bajo esa docilidad, hay una taimada apropiación del poseyente por el poseído... En ese instante capto de pronto la trampa de lo viscoso: es una fluidez que me retiene y me pone en compromiso; no puedo deslizarme sobre lo viscoso, pues todas sus ventosas me retienen... (37).

La experiencia de Pedro con la prostituta es, más que trivialización del deseo, simple indiferencia. Aquí lo característico es el desconocimiento del otro (38), experiencia que se pone sobradamente de manifiesto por el hecho de que los cuerpos no llegan, en rigor, a tocarse, ni las miradas a encontrarse, limitándose el cliente y la profesional a permanecer «atónitamente ajenos uno de otro», «en una oscura ignorancia de la compañía íntima» (pág 166), mientras charlan, aburridos y con gesto indiferente, de las cosas anodinas de cada día. La indiferencia hacia la intimidad del otro es la tónica normal de las relaciones mercenarias, sentimiento que conocen todos los clientes del burdel. Sin embargo, algo marcha mal incluso en tan estereotipados intercambios. Pues las legiones de hombres que allí acuden no sólo evitan el mirarse unos a otros (pág. 82), sino que también tratan de defenderse de la mirada desnuda de las mujeres (pág. 84) y, una vez cumplidos sus afanes, se despiden de ellas hoscos y huraños, «como si una maldición los persiguiera» (pág. 92). Incluso cuando se compra el cuerpo del otro como si de un objeto se tratara, la problematicidad de la relación hombre-mujer reaparece inesperadamente.

La relación erótica es, a la luz de *Tiempo de silencio*, todo problemas. Fracasa con Cartucho porque deriva hacia el sadis-

---

(37) *Op. cit.*, pp. 739-40.

(38) «Debemos partir del reconocimiento de que no es posible una plena satisfacción de la tensión libidinosa mediante la realización aislada del acto sexual, ni aun en su forma más perfecta y maduramente genitalizada». Cfr. *Libertad, temporalidad...*, p. 60.

mo, con la dueña de la pensión porque degenera en masoquismo, con Pedro porque el deseo se trivializa, con Muecas porque se llena de violencia, con Amador porque encierra mentiras e infidelidades, con Matías y otros asiduos del burdel porque es mal disimulada compraventa. Y lo más inquietante de todo es que nadie puede sustraerse a la necesidad de acercarse, al menos una vez, al otro de sexo contrario, sabiéndose, como se sabe, que por muchos recelos que se manifiesten y precauciones que se adopten, el fracaso deja siempre alguna pequeña huella dolorosa. Porque incluso el anónimo menestral que se desahoga por cinco duros en un sábado, experimenta vergüenza, malestar y deseo de desaparecer en la noche, que «pudiera limpiarle(s) del mismo modo que limpia el océano» (pág. 92). De esta oscura vergüenza a la incontenible náusea que sufre Pedro hay una escala de sentimientos, todos los cuales tienen en común la íntima experiencia del fracaso y empastamiento de la libertad (39).

Esta visión pesimista de la relación amorosa entronca con algunos conceptos centrales del pensamiento existencialista. Como es ahí donde se encuentra la explicación de todos los pasajes de *Tiempo de silencio* relativos al amor, será conveniente un ligero excurso por algunas célebres páginas de Sartre, así como un cotejo con algunos trabajos teóricos de Martín-Santos.

En *L'être et le néant* Sartre considera imposible la plasmación del ideal amoroso. La dificultad de su realización deriva de que el amante no desea poseer al amado como se posee una cosa, sino que reclama un tipo especial de apropiación: poseer una libertad como libertad. Quisiera ser amado por una libertad y reclama que esa libertad, como libertad, no sea ya libre. Quiere a la vez que la libertad del otro se determine a sí misma a convertirse en amor y, también, que esa libertad sea cautivada por ella misma y revierta sobre ella misma para querer su propio cautiverio. Esto hace que el amor sea, esencialmente,

_____

(39) Idea que comparte de lleno MARTÍN-SANTOS, cuando se hace cargo de la dificultad que entraña la realización amorosa, incluso en una época que erige el erotismo como un ideal humano ambicioso. Cfr. «El plus sexual», p. 130.

conflicto (40). Conviene citar ahora en estilo directo para ver la procedencia del conflicto:

> Hemos señalado, en efecto, que la libertad ajena es fundamento de mi ser. Pero, precisamente porque existo por la libertad ajena, no tengo seguridad ninguna, estoy en peligro en esa libertad; ella amasa mi ser y me *hace ser,* me confiere y me quita valores, y mi ser recibe de ella un perpetuo escaparse pasivo a sí mismo. Irresponsable y fuera de alcance, esa libertad proteiforme en la cual me he comprometido puede comprometerme a su vez en mil diferentes maneras de ser. Mi proyecto de recuperar mi ser no puede realizarse a menos que me apodere de esa libertad y la reduzca a ser libertad sometida a la mía (41).

El amor es un medio de superar la contingencia y la futilidad de la existencia, del mismo modo que una actividad científica o artística puede dar sentido a la vida de quien la practica. «El ideal del sabio y el ideal del que quiere ser amado coinciden», dice Sartre (42). En el amor nos sentimos plenamente necesarios para el que nos ama, y de este modo nuestra presencia en el mundo tiene una justificación. Ahora bien, el amante no sólo encuentra en el otro su razón de ser, sino también una fuente potencial de angustia. ¿Y si me deja de amar? ¿Cuál es entonces mi justificación para existir?

El amante quiere ser amado (43). Esto significa que pretende existir *a priori* como límite objetivo de la libertad del otro. No quiere manipular esa libertad, sino ser su horizonte. Exige, en definitiva, que la libertad ajena, espontáneamente, se envisque en sí misma, y no traspase jamás la valla tácitamente fijada.

---

(40) Vid. *op. cit.*, pp. 457 y ss.
(41) *Op. cit.*, pp. 457-8.
(42) Y acertadamente recuerda GEMMA ROBERTS, en *op cit.*, página 166.
(43) Las hondas implicaciones de tan sencilla constatación las examina SARTRE en su ya citado libro, pp. 459 y ss.

No sólo entiende Sartre que el amor es insuperablemente conflictivo. Una de sus manifestaciones más elocuentes, el deseo, también está condenada al fracaso (44). El deseo, como es sabido, supone una tentativa de apoderarse de la libre subjetividad del otro en cuanto se me ofrece objetivado en su cuerpo. El coito, que ordinariamente termina el acto de posesión sexual, es a la vez su culminación y su fin. El placer sexual, a causa de su violencia, produce la aparición de una conciencia reflexiva del propio placer, que, inevitablemente, motiva que el goce se convierta en objeto, en atención a la propia encarnación y en olvido de la libertad encarnada del otro (45). Lo que constituye un peligro permanente del deseo, en tanto que tentativa de comunicación con el otro, es que la conciencia, al someterse a la tensión del placer, pierda de vista al otro, su libertad y su cuerpo, y se centre exclusivamente en la propia carnalidad.

En sus reflexiones teóricas, Martín Santos sigue bastante de cerca lo dicho por Sartre a propósito del amor y el placer sexual.

¿Es correcto interpretar los lances amorosos de *Tiempo de silencio* a la luz de las teorías sartrianas? No hay, a mi entender, mejor modo de hacerlo. Sería difícil determinar si Martín-Santos aceptaba en un cien por cien los postulados del filósofo francés. De lo que no hay duda es de que le impresionaron fuertemente y se contagió de su lúcido pesimismo. En 1964, tres años después de la aparición de *Tiempo de silencio,* roza el tema del amor en su ensayo *Libertad, temporalidad y transferencia en el psicoanálisis existencial,* y se pronuncia en unos términos más esperanzadores en lo que respecta al deseo:

> El reconocimiento del auténtico tú, no impide la realización objetal, sino que la ennoblece y la dota de calidad sublimatoria, aun cuando siga actuando como comportamiento sexual real (46).

En 1965 aparece un artículo dedicado íntegramente al tema del amor («El plus sexual del hombre, el amor y el erotismo»), en donde se anuncia la llegada de una época en la que el ideal

---

(44) Véase *op. cit.,* p. 493.
(45) *Op. cit.,* pp. 493-4.
(46) Cfr. p. 60.

erótico «ha de seducir más y más a la humanidad..., al menos en cuanto que atmósfera colectiva cultural» (47). Pero ni aquí deja el autor de reconocer la enorme dificultad de su exitosa realización individual, ni en el libro anteriormente citado se encuentra una afirmación clara que contradiga las ideas de Sartre.

Por el contrario, el fracaso de la realización amorosa es una constante en *Tiempo de silencio*. Ese difícil, tal vez utópico, equilibrio entre la libertad y su limitación no se da jamás. La libertad se pierde, bien en la dirección del sadismo, bien en la del masoquismo, cuando no se anula desde el primer momento de la relación amorosa. El acceso sincero y salvador a la intimidad del otro no se logra, pues todos los amantes guardan, en mayor o menor grado, una recelosa reserva. En cuanto al deseo sexual, más que una búsqueda del otro, es una liberación de humores y una rutina fisiológica.

En lo que al deseo y el coito respecta, Martín-Santos parece haber llevado a sus últimas consecuencias las teorías sartrianas, con una radicalidad mayor, si cabe. La intensidad abrumadora del orgasmo, que inevitablemente aleja a la conciencia de la atención hacia el otro y la sumerge en la sensación de la propia carnalidad, la representa por medio de dos expresiones enormemente gráficas: «el más violento placer al hombre concedido» (pág. 96), cuando Pedro yace con Dorita, y «campanillazo brutal» (48) (pág. 166) cuando está en cama con la prostituta. Casualmente o no, en los dos casos los protagonistas del acto amoroso se ignoran completamente. La experiencia con Dorita es particularmente dolorosa, pues los cuerpos se agitan solos, como poseídos por algún demonio (pág. 96). Además, el placer irradia y quema a Pedro «a través de la distancia, allí mismo donde se refugia, en el pequeño espacio donde lo más libre de su espíritu se defiende todavía» (pág. 96). El placer, si alguna vez alcanzado, hace caer rendido al joven, con lo que la ignorancia de la intimidad del otro es, no ya trágica, sino grotesca.

Aunque la relación erótica es la protofigura de toda relación auténtica entre libertades, no es la única. «Otras constelacio-

---

(47) Cfr. p. 130.
(48) La misma expresión se encuentra en «El plus sexual», página 123.

nes permiten al hombre coexistir auténticamente en ausencia del erotismo. Tales relaciones pueden alcanzar diferentes niveles de concienciación del otro y diferentes niveles de sublimación del flujo instintivo que les presta dinamismo, posibilitando su coherencia. Entre ellas podemos citar la amistad, la dirección espiritual, la camaradería, la integración libre en una obra común, tal como puede darse entre hombres de Iglesia o de Partido, etc.» (49). Sin embargo, en *Tiempo de silencio* ninguna de esas relaciones obtiene mejor suerte que las amorosas anteriormente vistas.

Por afinidad cultural, Matías es el amigo más próximo a Pedro. Juntos acuden al mismo café literario, a la misma conferencia de filosofía, a la misma reunión mundana. Los dos saben hablar de literatura, burlarse del expresionismo pictórico malo y extasiarse ante un cuadro de Goya, con la misma buena compenetración con que se emborrachan o se extravían en un burdel. Como amistad, no obstante, su relación reposa en una cierta rutina. Si Pedro sigue al lado de Matías en la noche del sábado es porque «tenía ese calor adhesivo que le obligaría a continuar a su lado por un lapso de tiempo indefinido, pero indudablemente largo» (pág. 68). A lo largo de esas horas, Pedro se limita a seguir dócilmente a su emprendedor amigo, cuyo superior conocimiento de la vida madrileña le da categoría de líder en la aventura nocturna. La amistad se demuestra aquí no «como comprensión espiritual, sino como calor animal» (página 77), ya que el momento de mayor contacto de ambos calaveras tiene lugar cuando mutuamente contrabalancean sus cuerpos en el desequilibrio de la borrachera.

De la amistad se podría predicar lo mismo que del amor: que es «conciencia, claridad, luz, conocimiento» (pág. 98). Si estas cualidades han de exigirse a la letra, entonces habría que decir que Matías y Pedro son, más bien, compinches de la intelectualidad. No hay que sorprenderse, pues, de que tal camaradería resulte algo quebradiza en cuanto cesan los estímulos de urgencia. Matías revela preocupación por la suerte de Pedro y se desvive por ayudarlo en su desamparo... hasta que cierta rubia arrebata su atención. Siente, y sinceramente, la soledad del amigo encarcelado (pág. 190), pero lo abandona cuando

---

(49) Vid. *art. cit.,* p. 122.

parte hacia la soledad, más punzante, de una ciudad de provincias (pág. 233). Es, como Pedro, un cordial y espontáneo compañero, pero, también como él, incapaz de establecer las bases de una relación duradera, lo que explica que su amistad no resista el embate de ciertas adversidades.

Pedro no sólo no encuentra la amistad, sino que en algunos casos es culpable de no intentarla (50). La figura del pintor alemán, por ejemplo, resulta patética no sólo por su ridiculez, sino por la cruel indiferencia con que es tratado por Pedro y Matías, absolutamente incapaces de adivinar qué se esconde tras su apariencia de artista desamparado (51). Esa misma imposibilidad de penetrar en la interioridad de las personas que lo rodean lleva a Pedro a desconocer, culposamente, la maligna influencia de las mujeres de la pensión, las argucias de doña Luisa o la capacidad de engaño de Muecas, todo lo cual viene a ser como una reacción de los demás para con su desinterés por lo humano.

El desinterés y la absoluta falta de ayuda a su discípulo, bien lejos de la verdadera dirección espiritual, lo ejemplifica el director del centro de investigaciones cuando expulsa, entre amables palabras, a Pedro y lo aleja irremediablemente del mundo de la investigación médica, condenándolo a una oscura práctica profesional en alguna ciudad de provincias. La indiferencia se observa igualmente en diversas agrupaciones de individuos. Entre los intelectuales adopta la forma de la soberbia, la pedantería, el no escuchar nunca al otro, el mofarse cruelmente del menos dotado y el hacer chistes sangrientos a costa de los débiles (págs. 65-6). En la reunión de alta sociedad la superficialidad revela unas relaciones humanas acorchadas, donde cada uno se protege con un chato egocentrismo. A nivel de los ejecutores de la política del país, la prudencia política y el frío cálculo no dejan paso a ninguna preocupación por el prójimo.

Sorprendentemente, sólo en la angustia de la cárcel el hombre parece capaz de compasión del semejante. Son los guardias

---

(50) En 2.2. tendremos ocasión de insistir sobre ello.

(51) Además de esta faceta individual, sólo vagamente apuntada a decir verdad, este personaje parece una alusión paródica a la intelectualidad alemana, tal como expongo seguidamente en 2.1.4.

que vigilan el pasillo de los detenidos los únicos que parecen mostrar un espontáneo movimiento de simpatía hacia un desconocido como Pedro, sea entreteniéndole con el relato de alguna dolencia visceral, sea ofreciéndole una cerilla para el cigarillo. Sólo estos servidores del terror, que proceden de la incultura y el hambre y conocen de cerca el miedo, muestran una comprensión del otro que no se da en más refinados ambientes.

De la facticidad del cuerpo hemos pasado al estudio del otro en cuanto facticidad. Si aquél depara ingratas sorpresas, el prójimo rara vez libera al hombre de las angustias que lo atenazan, y en no pocos casos es fuente de nuevos sufrimientos, que van desde el desprecio hasta la puñalada en el costado. Lamentablemente, la biografía de Pedro aún debe conocer otras contingencias no menos dañinas.

«¿El hombre lobo para el hombre?», se pregunta el protagonista (pág. 232). No responde a esta pregunta sino de un modo alambicado e irónico, a través del tortuoso razonamiento de un soliloquio angustiado: «El hombre es la medida de todas las cosas: Mídase la boca de un lobo con la boca de un hombre y se hallará que es cuatro veces más grande y que la parte del paladar, tan tierna y sonrosada en la boca del hombre... es en el lobo, por el contrario, de un alarmante colorido negruzco» (página 233). El fragmento se presta a dudas, pero me parece que el novelista, más que afirmar «lo esencial de la condición humana» (52), está señalando esa situación en la que cada individuo se convierte en una facticidad para otros.

2.1.3. *Hombre y sociedad.*

La sociedad está dividida en clases, cuyo antagonismo se manifiesta de manera variable a lo largo de los tiempos. Si del pensamiento existencialista tomó Martín-Santos muy agudas percepciones acerca de la naturaleza del hombre, del marxismo aprovechó su análisis de las actuaciones colectivas y su sensibilidad para detectar los condicionamientos sociales que pesan sobre cada individuo. Una diferencia, sin embargo, habría que señalar en la manera de experimentar el novelista esos

---

(52) Como sostiene GEMMA ROBERTS, en *op. cit.*, p. 144.

influjos. El del existencialismo es preciso, concreto, verificable en determinados pasajes de determinadas obras. La influencia del marxismo, en cambio, es más amplia y difusa, como corresponde a una forma de conocimiento que ha penetrado hondamente en capas diversas del pensamiento moderno. La veta existencialista de Martín-Santos supone una afirmación decidida de una postura, mientras que la marxista se limita a recoger (aunque con arte original) experiencias e intuiciones que desde hace años flotan en el ambiente.

Desde el libro de Gil Casado sobre la novela social española, es común señalar que en *Tiempo de silencio* se da una visión crítica de las diferentes clases sociales existentes en Madrid hacia los años cuarenta. En la novela aparecen cinco (53) estratos bien diferenciados: la alta burguesía, con conexiones en el mundo intelectual y gubernamental (págs. 121-127, 130-33, 135-41, 186-88), una clase media de profesionales universitarios, como Pedro, el abogado y algún funcionario de segunda clase (Similiano), una pequeña burguesía venida a menos, que representan las propietarias de la pensión, sus amigos e inquilinos (págs. 17-25, 35, 214-19) y un subproletariado miserable, ejemplificado en el variopinto mundo de las chabolas y en los miserables que deambulan, intentando subsistir, por las calles (págs. 16-7, 42 y ss., 104-5, 107, 199-202). Como sombras que discurren por el fondo de la acción hay una legión de empleados y obreros, que forman una especie de proletariado visto de manera anónima (págs. 26, 27, 82-3, 229). Aparte, queda una serie de subalternos y servidores de difícil catalogación sociológica.

Pero mucho más interesante que esta radiografía estática es la dinámica de las relaciones de clase, a las que apunta la crítica del autor con más profundidad.

La época en que tiene lugar la novela, el final de los años cuarenta, fue un momento histórico con escasas alternativas en lo que a la transformación social se refiere (54). La España

---

(53) Para establecer ese catálogo me baso no sólo en los factores económicos *strictu sensu,* sino en su combinación con factores de índole profesional y cultural.

(54) Para una comprensión de este período puede consultarse el libro de RAMÓN TAMAMES, *La República. La era de Franco,* Madrid, 1974³, pp. 407 y ss., y, en especial, 458 y *passim,* así como 503 y ss. y 393.

que se perfila como telón de fondo del discurrir de Pedro muestra una rígida estratificación social y una total inmovilidad histórica. Las clases no presentan ningún dinamismo combativo, sino que aparece cada una atrincherada en su posición, bien sea ejerciendo un indiscutido dominio, bien sea sufriendo las consecuencias de su inferioridad. Al no jugar un papel más activo en la transformación social, cada una se dedica a adoptar determinadas actitudes características, con lo que la parálisis general se resuelve en actividades que jalonan el compás de espera.

En lo alto de la pirámide social, detentando el poder decisorio en lo económico y en lo político, se encuentra la alta burguesía. Lo distintivo de esta clase es la ociosidad, que se consume en actividades seudointelectuales y en la creación de un universo sofisticado y artificioso. En esta clase no se observa ningún anhelo de reforma nacional o de dirección intelectual, siendo el parasitismo y la superficialidad los rasgos más característicos de sus miembros. La familia de Matías, sus amigos y parte de los asistentes a la conferencia y a la recepción posterior son los más caracterizados representantes de este grupo social, cuyos miembros ofrecen un sorprendente vacío de ideas y una total sumisión a las convenciones sociales, rígidas a despecho de su desenfadada apariencia.

La clase media de profesionales liberales, que estaría representada por los intelectuales, los investigadores médicos, el abogado y el propio protagonista, muestra una gran incertidumbre y una marcada inclinación a fluctuar entre las distintas categorías sociales. Ya sirven y halagan a la alta burguesía, ya se acercan con gesto generoso a los desposeídos, ya tratan de establecer una forma de vida propia, independiente de los afanes de otros estamentos. Su indecisión, su mezcla de lucidez intelectual y de miopía histórica, su continuo fluctuar entre los halagos del dinero y las exigencias de sus genuinas ocupaciones, reflejan claramente el crítico momento histórico que hacia los años cincuenta se estaba dando en la clase media española (55).

---

(55) Que de un marcado tinte republicano antes de 1939, y tras las importantes pérdidas posteriores a esa fecha, pasaron a una clara actitud «pro-régimen», tal como señala TAMAMES, en *op. cit.*, p. 385. El momento en que vivió Pedro marca, posiblemente, el momento álgido de ese cambio de actitud.

Esa actitud ambigua la ejemplifican bien Pedro y el filósofo. La posición del protagonista hacia todas las clases sociales es ambivalente, sin que llegue a decidirse por una o por otra. Cuando, por ejemplo, observa la escasa renovación de vestuario y la precaria asistencia médica de las clases obreras (páginas 26-31), establece unas reflexiones ingeniosas, que revelan tanto comprensión intelectual como distanciamiento afectivo de sus problemas. Análoga actitud tiene con respecto al lumpemproletariado. Su visita a las chabolas le hace ver en directo cómo el hambre deforma al ser humano (pág. 45), pero en su ánimo pesa más la fría curiosidad que la protesta o la simpatía, aunque esto no impide que acuda desinteresadamente en ayuda de la hija del Muecas y trate de salvar su vida. Respecto al microcosmos pequeñoburgués que se da cita en la pensión, Pedro revela una complacencia que va más allá de lo esperable en un hombre de su profesión. Y la alta burguesía le inspira tanta envidia como desprecio, sentimientos que le invaden al entrar en contacto con el mundo de Matías. En conjunto, Pedro no posee ni conciencia de solidaridad con el proletariado ni ideas claras sobre el papel de la burguesía ni ánimo decidido de encaramarse a la cima de la sociedad.

¿Y cuál es la actitud del conferenciante? En sustancia, parecida a la de Pedro. Como tendremos ocasión de ver más adelante, el meollo de la crítica que Martín-Santos dirige a Ortega y Gasset estriba en su ignorancia de la diferenciación social en clases. Lamenta que un intelectual, que pretende europeizar la cultura española y dirigirse al público en un lenguaje universal, se vea en la situación de servir de diversión a un conjunto de advenedizos, a quienes la filosofía deja absolutamente indiferentes. Como intelectual, escritor, ex-catedrático y conferenciante, Ortega pertenece de lleno a una clase media que, por su propia esencia, debe aspirar a una integración cultural de la sociedad. Pero su falta de sensibilidad hacia algunos sectores de la misma lo convierte en una especie de prisionero, o de bufón, de su sector privilegiado, como si se tratara de un castigo por su desinterés hacia las capas más menesterosas. La tragedia de Ortega es la de muchos burgueses liberales que por no saber (o no poder) abrirse hacia las clases populares vieron desvirtuados, por la misma sociedad a la que inconscientemente servían, sus afanes intelectuales.

Si la clase media ilustrada que aparece en *Tiempo de silencio* revela una actitud muy indecisa respecto a su papel en la colectividad, la pequeña burguesía se mueve a imperativos más rastreros. Notable en esta capa social es la falta total de horizontes intelectuales, el sentido meramente estático de la vida, la preocupación por las apariencias y el deseo de obtener ciertas comodidades materiales a cualquier precio. Ha fijado su atención el autor en las clases pasivas: rentistas, pensionistas del Estado, propietarios de una casa de huéspedes y viudas de militares. La ausencia de todo impulso, incluso de competitividad económica, justifica esa sensación de parálisis enfermiza que desemboca, en cuanto las circunstancias presionan un poco, en la prostitución solapada como medio de asegurar un pequeño bienestar.

El proletariado, ya queda dicho, está entrevisto de manera muy fugaz. En la década de los cuarenta, la clase obrera española estaba lejos de mostrar el ardor combativo que tan caro le costó durante y después de la guerra civil. Sus componentes atravesaban por un momento singularmente difícil, limitándose a trabajar mucho y a cobrar muy poco (pág. 26). Reducidos al silencio por la fuerza de las circunstancias, su papel en la sociedad era muy exiguo (56).

Al lumpemproletariado dedica mucha atención Martín-Santos. Los integrantes de esta clase aparecen como seres irrevocablemente derrotados por la vida, entregados al hambre y a la delincuencia de poca altura y condenados a arrastrar una existencia inhumana. Dentro de estos grandes olvidados de la sociedad se dan básicamente dos tipos de conducta: la de quienes aceptan mansamente su papel de víctimas silenciosas y la de aquellos que, sin dejar de ser mártires del hambre, son también delincuentes y verdugos de los aún más desvalidos.

Al primero de estos dos grupos pertenecen los enanos que venden piedras de mechero, las mujeres que revenden billetes de metro, las cerilleras que despachan pitillos uno a uno, los ciegos que reparten cupones en los días de nieve, las muchachas que procrean ratones con el calor de sus cuerpos y las madres que hurgan en la basura buscando materias nutritivas (páginas 16, 200). Encarna-Ricarda es el mejor exponente de ese lumpemproletariado sufrido. En su figura ha querido Martín-Santos mostrar, desde dentro, en un acto de verdadera simpatía,

---

(56) Véase el citado libro de TAMAMES, pp. 393 y 503 y ss.

cómo el hambre corroe y degrada. Su retrato está hecho con pena y piedad (57), y no es difícil imaginar que hay aquí un deseo de reivindicar al más oprimido de los oprimidos.

Al segundo grupo corresponden los «hampones de las puertas traseras de los conventos, los aprovechadores del puterío generoso» (pág. 16) y, como su más caracterizado exponente, Cartucho. Ya hemos indicado anteriormente el propósito de Martín-Santos de escudriñar la individualidad de cada personaje y de ponerla de manifiesto aun en los casos de mayor anonimato e impersonalidad. Sólo así, decíamos en 1.2, se explican las acusadas diferencias que se dan entre Cartucho, Muecas y su mujer. Lo que aquí interesa señalar es que la disposición a la delincuencia reposa en imperativos ineludibles, y que, desde un punto de vista social, la presencia de sujetos como Cartucho es una consecuencia de la organización colectiva y la consiguiente distribución de la riqueza. En definitiva, el lumpemproletariado, incapaz de emprender acciones reinvidicativas de ningún tipo, no tiene más opciones que la mendicidad y los pequeños hurtos, con su corolario de delitos de sangre.

Pero la sociedad, incluso en momentos de atonía histórica, no permanece quieta. Aunque en la superficie no se perciban tensiones de clase, su misma ausencia es señal de que éstas se acallan por la fuerza. Si no hay ni transformaciones revolucionarias ni reformas evolutivas, hay que sospechar alguna manera de contención violenta. Y en efecto, la violencia es una de las manifestaciones más claras que segrega el cuerpo social, tal como lo presenta Martín-Santos.

Hay que destacar, en primer lugar, la violencia anónima e institucionalizada. La sociedad bien establecida, que sabe admitirse a sí sola (pág. 118), ni más ni menos que la ciudad que deja caer de sus faldas a las gitanas viejas, «como quien se sacude las migajas de lo que ha estado merendando» (pág. 118), sabe reprimir todo, hasta la mendicidad. Para ello dispone de eficaces medios: cárceles y comisarías para los mil individuos perdidos en las calles (pág. 17), fuerzas de orden público, que inspiran un «temor reverencial» (pág. 44), para los habitantes de las chabolas, jueces y policías para los sujetos como Cartu-

---

(57) Tal como ha señalado GONZALO SOBEJANO en su libro citado, pp. 556-7.

cho (págs. 46-7) y el formidable cuerpo de la Dirección General de Seguridad para casos variados de delincuencia.

Pero la violencia originada en la división de clases tiene un modo mucho más sutil de penetrar en los corazones y de emponzoñar las relaciones individuales. Es aquí donde Martín-Santos aprovechó con más fruto el análisis marxista de la alienación social (58) y de las relaciones de clase: novelizando esos conflictos, individualizándolos y convirtiéndolos en sustancia del acontecer personal de cada uno.

La explotación de unos hombres por otros es el primer corolario. Describiendo la ciudad, nota el narrador ciertas señales inequívocas, cuando alude a las «personas a las que el hombre explota ajetreadas a su alrededor introduciéndole pedazos de alimento en la boca, extendiéndole pedazos de tela sobre el cuerpo, depositándole artefactos de cuero en torno a los pies, deslizándole caricias profesionales por la piel» (pág. 16). El fragmento, de clara composición metonímica, expresa literariamente la relación económica de intercambio salario-trabajo.

Un poco más adelante hay unas nuevas reflexiones sobre la esencia del trabajo asalariado, surgidas como de pasada, cuando Pedro descubre la falta de atención médica que padecen los no empleados de una manera estable:

> ¿Pues cómo había de suplir el hombre suelto que camina por estas calles a su evidente falta de encuadramiento en los grandes organismos asistenciales de la seguridad social, de los que para ser beneficiario es preciso demostrar la fijeza y solidez de un dado enajenamiento profesional...? (pág. 31).

En el burdel de doña Luisa, que es como un microcosmos con sus propias leyes de funcionamiento, se ven huellas inconfundibles de la explotación de unos seres por otros. Las prostitutas, «obreras ápteras» del hormiguero de doña Luisa (página 147), guardan unas piezas redondas de aluminio —una por cada cliente atendido— en una bolsita de tela colgada del cinto,

---

(58) Análisis del que JEAN YVES-GÁLVEZ ofrece un detallado resumen crítico en *El pensamiento de Carlos Marx*, trad. esp., Madrid, 1960², pp. 207-265.

«donde la ficha se reunía con sus semejantes constituyendo un montón sonoro, cifra de una explotación y esperanza de un futuro nunca redimible» (pág. 85). El prostíbulo está organizado como una verdadera empresa, donde doña Luisa es el patrón, las prostitutas sus asalariadas y los cuerpos la mercancía en venta.

Para que las relaciones humanas se degraden no es necesario que se llegue a la explotación económica del más débil. Basta con el autoritarismo, el desprecio y la solapada coacción que ejercen los que detentan alguna situación de privilegio económico, por ínfimo que sea. A esta situación se llega con cierta frecuencia en la novela.

En su burdel, doña Luisa impera con la autoridad indiscutible de quien tiene en sus manos las posibilidades de subsistencia de otras personas. Basta con que irrumpa en una habitación y pida una gaseosa, con aire indiferente, a la Charo para que ésta se sobresalte y emplee en su lenguaje diversos diminutivos que son poco menos que una *captatio benevolentiae* (páginas 89-90). Con igual contundencia y apariencia de normalidad, despierta a dos prostitutas y las apareja con los recién llegados clientes, o despide a las «inframujeres del fogón» para que cojan su pucherito y vayan a comer donde no molesten (página 150).

La sociedad en que vive Pedro muestra una generalizada capacidad de despreciar, por principio, a todo aquel escasamente dotado de dinero, con una total indiferencia hacia su personalidad. Esta actitud, que es como un reflejo instintivo, se observa a todos los niveles. El alto funcionario ministerial no puede evitar una mueca de desprecio al saber que Matías se codea con un personaje como Pedro, que, aunque profesional universitario, «tiene necesidad de dinero» (pág. 188). El aspirante a artista que frecuenta el café trata al camarero «con impertinencia apenas ingeniosa» (pág. 66), valiéndose, naturalmente, de su vulnerable condición de sirviente. Los peatones que pasan, con gesto tímido, ante los ocupantes de los lujosos coches detenidos ante la luz roja, tienen que recibir, como un insulto, su «mirar continuo, fijo, impertinente», que engloba despectivamente a la masa sin «deslindar muy precisamente individuo alguno» (pág. 189). La propietaria de la pensión da secas órdenes a la «maritornes ceñuda», cuyo descanso dominical no se respeta (pág. 117). El aristócrata representado en la revista propina puntapiés con su puntiagudo zapato negro al sirviente adulador (pág. 224). Y así sucesivamente.

A menudo, los personajes dan muestras de un automatismo que les lleva a adoptar diferentes actitudes, según el rango de su interlocutor. El ejemplo más notorio lo constituye Florita, obsequiosa con Pedro y despectiva con Amador, como muestra de su capacidad de «inventarse dos distintas personalidades y utilizarlas alternativamente según el rango de su interlocutor» (pág. 50). En realidad, Florita, pese a su juventud y escasa experiencia de la vida, ha tenido ocasión de aprender lo que constituye una práctica rutinaria de la vida social. Su padre, sin ir más lejos, posee la misma cualidad de adaptarse, como el camaleón al terreno, a los distintos grados de poder con que entra en contacto. Buena prueba de ello es la artera amabilidad que el Muecas emplea con Pedro, e incluso con Amador (págs. 48-50), en contraste con la «certidumbre despreciativa» (pág. 58) con que vaticina el fracaso de los coreanos que llegan a la ciudad. Y el mismo Pedro, cortésmente indiferente hacia Muecas y Amador (págs. 26 y ss., 48 y ss.), condescendiente con las mujeres de la pensión (págs. 35 y ss.) e involuntario admirador de las clases altas (págs. 124 y ss., 136 y ss.), participa del mismo prejuicio clasista que conoce el resto de la sociedad.

En casi todos los personajes se verifica esa doble personalidad tan gallardamente expresada por Florita. Doña Luisa, todo sonrisas y buenas palabras para con el hijo de buena familia, es mucho menos acogedora con la clientela de albañiles, a los que cierra el paso, con energía y palabras de desprecio (págs. 83, 89). Los altos funcionarios dedican a Matías amplias sonrisas y corteses despedidas, pero no reprimen un mohín de disgusto cuando el nombre de Pedro es mencionado (págs. 186-88). Los miembros de la aristocracia y alta burguesía forman entre sí un todo armonioso, mientras que a los advenedizos de clases inferiores dedican simplemente una curiosidad llena de reservas (págs. 135 y ss.). La mismísima organización municipal guarda para sus miembros menos favorecidos los enterramientos de tercera, y no les reserva otra fuente de diversiones que las humildes verbenas al aire libre (págs. 142 y ss., 226 y ss.).

De este modo, los más espontáneos impulsos quedan mediatizados por la conciencia, imprecisa pero efectiva, de que las barreras sociales separan a unos hombres de otros, situándolos en bandos antagónicos. Ese estado de cosas, lejos de suscitar la rebelión genera un sentimiento de conformismo, donde la humildad de los oprimidos es un perfecto equivalente de la arrogancia de los poderosos. Tal conformismo conoce diversas modalidades, aunque todas ellas igualmente ignominiosas. Así, por ejemplo, las mujeres de la pensión aspiran a mejorar su posición social vendiendo a la joven Dorita al mejor postor; Muecas, incapaz de reformar su estado de miseria, piensa que «el mundo estaba bien así» (pág. 60), y se consuela imaginando la desastrosa situación de quienes, todavía, están peor; los maleteros de la estación «saben que son mozos de cuerda, se lo tienen bien sabido, no pretenden otra cosa que ser mozos» (página 235); las prostitutas cifran su esperanza «de un futuro nunca redimible» (pág. 85) en amontonar el mayor número posible de fichas; los guardias de la cárcel dedican sus afanes y sus horas libres a actuar como cobradores de entidades diversas (pág. 185); los muchachos «de los pueblos del desierto circunrodeante» sueñan con una contrata para las capeas de los pueblos (pág. 16); en fin, la generalidad del país, en espera de que algún día se atreva a «mirar cara a cara un destino mediocre» (pág. 15), pasea hasta la madrugada, se emborracha, frecuenta salas de fiestas, penetra en oscuras tabernas, contempla el rodar ingenuo de los soldados, observa la airosa apostura de los guardias, planea estafas en una tienda de paños, gasta las tardes en las cafeterías, simula que va al cine, vegeta en el cuarto de la pensión e inicia efímeras amistades y fugaces amores (59).

Así pues, la violencia de las relaciones sociales, que va desde el involuntario gesto de desdén hasta el uso de la fuerza pública, contamina las conductas individuales y las relaciones cotidianas. La única excepción risueña, aunque muy relativa, la constituye Amador, que no parece prestar demasiada atención a las diferencias de clase que le separan de sus semejantes, aun cuando el narrador se apresura a recordarlas: por ejemplo,

---

(59) La «total parálisis» del país la ha señalado GIL CASADO en *La novela social española*, p. 477. No se puede negar que, en parte, hay en *Tiempo de silencio* un propósito de dejar testimonio «de aquella aislada España de los tiempos del hambre» (SOBEJANO, *op. cit.*, p. 549).

13

si aquél se dedica a «lanzar miradas de entendimiento y hasta palabras de aprobación a cuantas muchachas apetecibles se le cruzaban», el narrador no deja de notar que «algunas de las cuales, a juzgar por su aspecto, gozaban de un nivel económico, profesional y hasta amoroso conquistante superior al suyo» (página 28).

De este modo, con su ironía, el narrador reduce el ilimitado optimismo de un personaje que ignora las severas barreras que la organización social ha erigido. Pero ese gesto de inmensa duda no deja de albergar una pequeñísima posibilidad de que, al menos por una vez, pueda el hombre humilde vencer de alguna manera el rígido determinismo de las convenciones sociales. Los comentarios irónicos del narrador sobre la extraña pareja que constituyen Pedro y Amador

> ¡Oh qué compenetrados y amigos se agitaban por entre las hordas matritenses el investigador y el mozo ajenos a toda diferencia social entre sus respectivos orígenes, indiferentes a toda discrepancia de cultura que intentara impedirles la conversación...! (pág. 25).

no desmienten el hecho de que entre ambos personajes existe una sincera, aunque limitada, camaradería y un *sui generis* afecto mutuo. El suave sarcasmo de estas líneas indica, una vez más, la flexibilidad intelectual de Martín-Santos y su capacidad de imaginar excepciones e imprevistas reacciones humanas allí donde más inverosímiles resultarían.

Pero, singularidades aparte, los hombres viven diariamente una sorda confrontación de clases. Sólo en la abyección colectiva, obedeciendo en esto a una constante de la historia de España (60), se unen como un solo individuo. El único momento en que la lucha de clases aparece superada es aquel en que todos ríen, cínicamente, ante el espectáculo literaturizado de su propia degradación colectiva tal como se escenifica en el escenario revisteril. Por eso el narrador usa aquí el término «pueblo» como vocablo englobador de toda la colectividad nacional, porque el pueblo que simboliza el público de la re-

---

(60) Especifico este punto en 2.1.4.

vista ya no presenta verdaderas diferencias de clase, sino pequeñas divergencias situacionales, que no impiden la feliz comunión en la degeneración de todos ellos (pág. 225).

El único punto de contacto que *Tiempo de silencio* tiene con las novelas de su generación es, precisamente, esa vertiente social (que, como veremos, no es la más importante). Pero incluso en este aspecto ofrece no pocas particularidades, cuya última explicación habría que buscar en el propio autor, es decir, en su más robusta constitución científica y filosófica y en su superior finura artística.

Frente a la novela social de los años cincuenta (60 bis), que confiaba a la simple presentación de los hechos una capacidad de denuncia, Martín-Santos se apresura a interpretar esos mismos datos, quizá porque supo mejor que nadie que la opresión no es épica, sino sórdida, y, a poco que se hurgue en ella, aburrida (61). Pero en la novela social la injusticia no se critica

---

(60 bis) Por *novela social* entiende Gil Casado la que «*señala* la injusticia, la desigualdad o el anquilosamiento que existe en la sociedad, y, con propósito de *crítica*, muestra cómo se manifiestan en la *realidad*» *(op. cit.,* p. 19). Gonzalo Sobejano considera que hay que incluir en ese apartado a la «novela que tiende a hacer artísticamente inteligible el vivir de la colectividad en estados y conflictos a través de los cuales se revela la presencia de una crisis y la urgencia de una solución» *(op. cit.,* p. 299). Ambos encierran en esa categoría una variada gama de títulos a los que me referiré de forma global, sin entrar en matizaciones ni en análisis particulares.

(61) La opinión de que Martín-Santos no copia, sino que interpreta la defienden, con variados argumentos, diversos críticos: RAMÓN BUCKLEY, en *op. cit.,* p. 195; JANET WINECOFF, en *art. cit.,* p. 233; GONZALO SOBEJANO, en *Novela española de nuestro tiempo,* pp. 549-50; CURUTCHET, *art. cit.,* I, p. 4; PAUL A. GEORGESCU, en «Lo real y lo actual en *Tiempo de silencio*», p. 115; AQUILINO DUQUE, *art. cit.,* p. 9; RICARDO DOMÉNECH, «Luis Martín-Santos», *Insula,* núm. 208 (1964), p. 4. Estos dos últimos artículos ofrecen la particularidad de mostrar opiniones del autor sobre el tema que ahora tratamos. En cambio, me parece discutible la insinuación de GIL CASADO de que provenga de Brecht una influencia teórica importante (cfr. *op. cit.,* pp. 129 y ss.), porque la novela social española obedece a un postulado objetivista que se aviene mal con la configuración épica de la realidad. Arte proletario de carácter más o menos épico sería una obra como *La madre,* de GORKI, que está muy lejos de la moderna narración impersonal del llamado social-realismo; o una película como *La huelga,* de EISENSTEIN,

directamente, «sino que aparece como un duro hecho» (62). De esta manera, para dar una visión artística de la vida de los personajes, sea en el campo, en las cuencas mineras, en las grandes ciudades o en las zonas de ricos veraneantes se describe la rutina diaria, los sucesos de siempre, en la confianza de que lo cotidiano dejará ver el significado total de esas vidas. Lo malo es que esa cotidianeidad y la invariabilidad de la vida española se retrataron, según una técnica invariable, por medio de una factura estática y reiterativa (63).

Como digo, la conciencia de que los hechos por sí mismos son mudos, llevó a Martín-Santos a buscar un estilo que en el modo de reflejar la realidad fuera también una interpretación. Esa interpretación se consigue de un modo que es eficaz en literatura: fundiendo un concepto complejo y una realidad cotidiana, por medio de alguna imagen. Si en *Tiempo de silencio* se acude a la expresión metonímica, es porque por medio de ella se consigue trascender el dato concreto y ponerlo en conexión con un universo conceptual más amplio. Si la comparación y la metáfora abundan de la manera que se ha visto, es porque sólo así se logra iluminar con luz nueva la inexpresiva vida diaria. Si la ironía y la hipérbole funcionan tan eficazmente a lo largo del relato, es porque el contraste hace adquirir insospechados destellos a lo demasiado visto. Después de Martín-Santos no puede caber ninguna duda de que el método de narración fotográfica no es el más adecuado para criticar las injusticias del sistema social.

Desde otro punto de vista suele enaltecerse la impersonalidad de la novela social: justificándola como un medio de eludir los zarpazos de la censura. También aquí *Tiempo de silencio* obliga a revisar ciertos hábitos tenidos por verdades. Mucho se ha hablado del peso de la censura como factor que condicionaba a los escritores a presentar los hechos desnudos,

---

donde la intrusión que supone la degollación del ternero refuerza la idea de la opresión del proletariado. Y es que GORKI y EISENSTEIN sabían demasiado bien que sólo una hábil manipulación artística convierte la miseria y el miedo en materia ideológica valiosa.

(62) Cfr. «Realismo socialista de hoy», *Revista de Occidente,* núm. 37 (abril de 1966), p. 7, por G. LUKÁCS.

(63) Vid. ahora el citado artículo de CURUTCHET (I, p. 5).

exentos de indicaciones peligrosas. Si, como es opinión unánime, sólo la promulgación en 1966 de la Ley de Prensa e Imprenta marca el comienzo de una época más tolerante en la difusión de ideas (64), a la misma rigidez administrativa estaban expuestos Fernández Santos, Sánchez Ferlosio, Goytisolo, Aldecoa, García Hortelano y Martín-Santos. Más aún, con excepción de Goytisolo, ninguno de los escritores citados anteriormente, ni siquiera el heroico Cela de *La colmena,* tuvo las dificultades que conoció Martín-Santos, varias veces encarcelado y confinado (65). En buena lógica, era el autor de *Tiempo de silencio* el que más cauto debería mostrarse. Lejos de eso, desafiando todo riesgo y haciendo gala de un lenguaje hiriente, dio un testimonio crítico que supera en contundencia a todos los de su generación.

Común a todos los novelistas sociales ha sido el desinterés por el análisis sicológico. En realidad, gran parte de la novela contemporánea, y no sólo la llamada social, ha sido proclive a descuidar, o a negar, la vertiente íntima de los personajes. Las causas de este fenómeno son muy variadas (66), y aquí

---

(64) Cfr. Ramón Tamames, *op. cit.,* pp. 593-4. Sobre sus específicas repercusiones en el ámbito novelístico pueden consultarse, entre otros muchos, los trabajos de Gonzalo Sobejano *(Novela española...,* p. 303) y Martínez Cachero *(La novela española entre 1939 y 1969,* p. 253).

(65) De ese posible encarcelamiento da noticia Castilla del Pino cuando se refiere a las «actuaciones públicas, que requirieron más de una vez el sacrificio de su libertad». Cfr. su «Prólogo» a *Libertad, temporalidad y trascendencia,* p. XIV. Otro tanto hace J. C. Curutchet en *art. cit.,* I, p. 5; Janet Winecoff proporciona datos más precisos: Martín-Santos fue «arrested and imprisoned three times for political reasons», y, además, confinado durante cuatro años en la ciudad de San Sebastián, donde permaneció en régimen de prisión atenuada. En cuanto a *Tiempo de silencio,* afirma que sólo se consiguió el permiso de su publicación una vez suprimidas cuatro partes («after the cutting of four chapters»). Winecoff Díaz, que posiblemente obtuvo todos estos datos en una entrevista con el autor y de la cual ha publicado algunas respuestas, sugiere que otras cuatro novelas anteriores a *Tiempo de silencio,* inéditas, pueden permanecer desconocidas a causa de razones censoriales. Sería de desear que todos los que tienen algún conocimiento de la obra inédita de Martín-Santos se esforzaran por dar a conocer más datos sobre ella.

(66) Estudio algunas de ellas en «La originalidad de *La busca», Revista de Letras,* Puerto Rico (Mayagüez), núm. 15 (septiem-

---

— 197 —

sólo procede enumerar fugazmente las más notorias: la insuperable cima alcanzada por los grandes maestros del siglo XIX, la reacción antisicologista subsiguiente, que encabeza la generación del 98 en busca de nuevos horizontes para el género, el movimiento crítico y creativo adverso al narrador omnisciente, la influencia «behaviorista» de la novela americana, el ejemplo del objetalismo francés, el deseo de convertir la novela en centro de preocupaciones económicas y sociales... No es fácil precisar con exactitud cuáles de esos factores determinaron el antisicologismo más o menos notorio de la novela social, ya que a las influencias y propósitos declarados se suma el estado de evolución a que ha llegado la novela en un momento dado, situación que condiciona poderosamente las posibilidades de elección de los escritores. En todo caso, es indudable que el protagonismo colectivo, que permite captar sectores amplios de la sociedad, se aviene perfectamente con el propósito reivindicativo (67).

Frente a esta tendencia, Martín-Santos toma la dirección opuesta: parte del individuo, no de la sociedad, y a través de su conciencia aborda el examen de los condicionamientos sociales. En *Tiempo de silencio,* como en la razón vital de Ortega, la realidad radical del hombre es su vida (68), y los condicionamientos sociales, por mortíferos que resulten, son incidencias en esa vida. La crítica del sistema social vigente la hace Martín-Santos mostrando su manera de operar en la interioridad de los personajes: la timidez de Pedro ante los grandes y la indiferencia hacia los de abajo, el egoísta conformismo del Muecas, la falta de comprensión de Cartucho, el cálculo artero de la vieja de la pensión, la fría utilización de los demás por parte de doña Luisa, la cortesía de los altos funcio-

---

bre de 1972), pp. 423-33, y *La originalidad novelística de Delibes,* Universidad de Santiago de Compostela, 1975, pp. 265 y ss.

(67) Cfr. J. M. CASTELLET, «La novela española, quince años después», *Cuadernos del Congreso por la libertad de la cultura,* núm. 33 (noviembre-diciembre de 1958), p. 51; PABLO GIL CASADO, *op. cit.,* p. 66; MARTÍNEZ CACHERO, *op. cit.,* pp. 203 y ss.; SANZ VILLANUEVA, *Tendencias de la novela española actual,* pp. 72 y ss.; GONZALO SOBEJANO, *op. cit., pp.* 526 y 55. ESTEBAN SOLER, *art. cit.,* pp. 329 y ss.

(68) Idea cara al gran ensayista, que desde su primera formulación en 1914 se mantiene prácticamente invariable a lo largo de los tomos de sus *Obras Completas.*

narios hacia los apellidos ilustres, el fingido interés hacia la cultura por parte de la aristocracia, la soledad del filósofo en el círculo de las mujeres ilustradas...; éstas, y otras muestras más, indican la manera en que los hombres viven la enajenación colectiva de una sociedad dividida en clases.

La crítica social de *Tiempo de silencio* consiste en la novelización de vidas que sufren la enfermedad colectiva. Lo cual reclama una considerable atención a lo particular y específico de cada personaje, so pena de que las alusiones a la sociedad queden desleídas en una referencia nebulosa. La enajenación y la opresión se viven, y como categorías intelectuales no tienen utilidad si no van referidas a existencias concretas. El novelista, a diferencia del economista o el sociólogo, debe manejar hombres en su proyección personal (con su dosis de enajenación social) y dejar a las ciencias sociales cuantificaciones y abstracciones que sólo ahí rinden sus frutos.

Pero *Tiempo de silencio,* en esa faceta que tiene de novela social, no es sólo la que mostró con más claridad el condicionamiento social de la conciencia humana. Es, también, la que más agudamente, y con menos palabras, logró diseñar la presencia de amplios grupos humanos marchando en sordo pie de guerra. Los humildes que pasan ante los escaparates caros como ante las ideas puras de la caverna platónica (pág. 190), los poderosos que van en silenciosos coches cerrados que esconden su máscara de brutalidad ebria (pág. 64), los obreros y empleados que se agitan apresurados en la mañana madrileña, los desocupados que carecen de asistencia médica por no gozar de un determinado enajenamiento social, el lumpemproletariado mantenido a raya por el reverencial temor a la fuerza pública, las criadas que bailan pocos metros debajo de una reunión de intelectuales y marquesas ociosas, resumen y sintetizan esa tensión de clases que sólo en la abyección escenificada conoce una tregua. Ciertamente no parece que, desde *La regenta,* se haya escrito en España una novela que exprese tan claramente la lucha de clases y estamentos, con su lógica secuela de violencia y alienación.

Otra constante casi unánimemente respetada por la novela social, consecuente con su rechazo del narrador con amplias atribuciones y de la profundidad sicológica, es el predominio del diálogo, cuya característica más deseada (aunque no siempre lograda) es la propiedad, la adecuación a la cultura y posición del personaje (69). Y, también aquí, Martín-Santos procede de modo inverso al de sus colegas. Lejos de conceder preeminencia al diálogo, realza los comentarios e indicaciones del narrador. Frente a la adecuación del lenguaje al nivel cultural del personaje, busca una estridente inadecuación, mucho más rica en posibilidades, por cuanto esquiva la pobreza expresiva del lenguaje cotidiano (70). Incluso los monólogos y soliloquios de los personajes están claramente manipulados, como los de la anciana de la pensión, muestra clara de lo que Janet Winecoff ha llamado *monólogo dialéctico,* que consiste, esencialmente, en una combinación del monólogo interior y de la presentación objetiva de la acción exterior, con lo que el narrador, respetando la primera persona hablante, penetra más hondamente en su sicología (71).

Et caetera, et caetera. Tomemos por donde tomemos *Tiempo de silencio,* siempre desembocaremos en las mismas cuestiones de principio. La diferencia entre la crítica social de Martín-Santos y la del resto de su generación radica, en último término, en la diferente concepción del hombre y del arte novelesco. Dado que Martín-Santos pretendió que su novela fuera una exhaustiva reflexión sobre el hombre contemporáneo, su valoración de los condicionamientos sociales tenía forzosamente que diferir del de quienes los entendieron como dimensión fundamental (cuando no única) del individuo. Por otra parte, la distinta función del narrador y la capacidad sintética del lenguaje de *Tiempo de silencio* permiten concentrar en pocas, pero vigorosas, palabras lo que la generación del medio siglo diluía en reiteradas situaciones cotidianas.

Pero urge recuperar el hilo de nuestro discurso, es decir, el de la presentación de las distintas facticidades que aquejan al hombre libre. Pedro, que ha podido comprobar en sí y en otros 1) las limitaciones anejas al cuerpo y 2) las dificultades para convivir armoniosamente con el prójimo, experimenta ahora las consecuencias de 3) vivir en una sociedad dividida en

---

(69) Cfr. Esteban Soler, «Narradores españoles del medio siglo», pp. 306-9.

(70) Los estupendos soliloquios de la patrona de la pensión nunca se hubieran logrado por esta vía, por citar un ejemplo sobresaliente.

(71) Cfr. *art. cit.,* p. 235.

clases antagónicas. Las derivaciones de este hecho son graves: la degradación casi animal de los de abajo contrasta con la esterilidad y el vacío de los de arriba, mientras que en el medio no mejora la situación una pequeña burguesía hipócrita y corrosiva y una clase profesional sin empuje. Esta estratificación social, con su secuela de violencia, enrarece la convivencia colectiva y degrada, del modo que hemos visto, las relaciones personales, afectando en una u otra medida a todos los personajes. De esta manera, el peso de las anomalías estructurales de la sociedad incide negativamente en el armonioso desarrollo individual.

A las tres facticidades señaladas se une una cuarta, la de la condición española de los personajes. Esta última determinación será objeto de estudio en el apartado siguiente.

2.1.4. *Hombre y nación.*

Cerrando el arco de los condicionamientos del individuo, llegamos ahora a la cultura nacional, entendiendo por cultura no un conjunto de saberes sistematizados, sino la propia vida haciéndose cargo de sí misma (72), y calificándola de nacional en la medida en que presenta en España unos perfiles diferentes a los que ofrece en otros países. Y la cultura, como la vida, se hace en el tiempo, lo que le da un aire irremediablemente histórico. La cultura nacional en que vive inmerso Pedro en ese otoño de la década de los años cuarenta es el resultado de la vida y el pensamiento de siglos anteriores, cuyo quehacer explica la fisonomía del momento presente. Así, la cultura que condiciona la vida de Pedro es la consecuencia de cómo los españoles han vivido y reflexionado sobre sus vidas a lo largo de los tiempos, y lo demuestra el hecho de que hasta el más remoto pasado medieval esté actualizado a lo largo de las páginas de *Tiempo de silencio*.

De este modo, el análisis infraestructural del mecanismo social y económico se compenetra con el estudio de la superestructura ideológica. Y digo que se compenetra porque Martín-Santos, tal como vamos viendo, intentó reproducir la vida del hombre en su circunstancia total, sin eliminar unos factores

---

(72) Como la definió Ortega.

en favor de otros. Quizás el mayor mérito de la sustancia ideológica de *Tiempo de silencio* estriba en la unión de los planos económico y cultural, sin incurrir ni en el mecanicismo de muchos marxistas ni en el idealismo de varios intelectuales y pensadores preocupados por la suerte del país (73).

En *Tiempo de silencio,* y vuelvo a citar a Ortega y Gasset, la historia es cultura y la cultura es vida. No lo menciono al azar, sino con un claro propósito comparativo. Las referencias históricas de *Tiempo de silencio* no están puestas accidentalmente, sino que guardan un orden lógico y polémico y persiguen un bien definido objetivo. Reconstruir esa dirección permite entender lo que Martín-Santos pensaba de España, lo cual exige previamente aclarar la posición, mucho más compleja de lo que parece, del novelista hacia nuestro máximo pensador del presente siglo. Martín-Santos ve la historia de España en unos términos cercanos a los de Ortega, a quien acepta, completa o rechaza según los casos, en una admirable dialéctica de ideas que, al menos en sus rasgos esenciales, es preciso reconstruir aquí.

Ante todo es preciso aclarar el porqué de la presencia de Ortega y Gasset en la novela, así como la finalidad de la invectiva que le dirige Martín-Santos a través de la descripción que el narrador hace del cuadro de Goya. Este hecho no hay que concebirlo aisladamente, como si se tratara de una crítica ocasional, sino que es preciso ponerlo en conexión con la interpretación que Martín-Santos hace de la cultura española, de la que Ortega constituye uno de sus elementos activos.

La novela, como ya se ha dicho, está ambientada en 1949, un año en el que el prestigio de Ortega brilla todavía alto, aunque está próximo el momento en que las nuevas generaciones comenzarán a desinteresarse por su obra (74). En 1948, dice Elías Díaz, «funda y dirige en Madrid, junto con Julián

---

(73) Sobre este problema debe verse el citado artículo de AQUILINO DUQUE y los comentarios que, a partir de ahí, hace JOSÉ ORTEGA en «Realismo dialéctico de Martín-Santos, en *Tiempo de silencio», Revista de estudios hispánicos,* III, 1 (abril de 1969), pp. 1-10.

(74) Cfr. ELÍAS DÍAZ, *Pensamiento español, 1939-73,* Madrid, 1974. Ahí se estudia con acierto el papel que las ideas orteguianas han desempeñado en algunos momentos de nuestra reciente historia cultural, así como las distintas reacciones que su figura suscitó.

Marías como codirector, el *Instituto de Humanidades;* durante el curso inicial (1949), Ortega explica allí doce lecciones sobre *Una interpretación de la Historia Universal. En torno a Toynbee,* y al año siguiente (1949-50) su famoso curso sobre *El hombre y la gente* (75). La indicación de Elías Díaz es comprobable en la novela. La acción de *Tiempo de silencio* tiene lugar en un otoño, que no puede ser otro que el de 1949, cuando Ortega traslada sus conferencias al cine Barceló («un cine de baja estofa» [pág. 32]). Incluso se podría precisar que sus disquisiciones en torno a la manzana fueron uno de los temas tratados en la lección tercera (76).

Ortega, a su vuelta del exilio, se vio nuevamente rodeado de una aureola prestigiosa, y aunque ésta se iría desvaneciendo progresivamente, el papel que representó en el resurgir de la cultura española fue de primera importancia. Tanto es así, que la actitud favorable o contraria a Ortega da el sello a muchas manifestaciones del pensamiento español de nuestros días. Refiriéndose al período que va de 1945 a 1955, en que Ortega desempeña una activa labor de divulgación cultural, dice Elías Díaz: «Hay un capítulo en la historia intelectual de estos años que afecta a cuestiones plurales de suficiente interés y que, sin embargo, no han sido todavía tratadas con el necesario detenimiento» (77). En mi opinión, *Tiempo de silencio* es una de las mejores reflexiones, bien que unilateral en ocasiones, sobre el papel de Ortega en la España contemporánea.

La presencia del pensamiento orteguiano en *Tiempo de silencio* es más amplia de lo que a simple vista parece. Ya he aludido anteriormente a algunos conceptos filosóficos de Ortega

---

(75) *Op. cit.,* pp. 64-5.
(76) Cfr. *Obras Completas,* VII, p. 118. Me refiero, naturalmente, a la forma en que se encuentran ordenadas esas conferencias una vez dispuestas para la publicación, ya que los compiladores aseguran que «En líneas generales el autor ha conservado el texto que preparó para el curso profesado en 1949-1950». (Cfr. p. 72). De todas maneras, hay en esas conferencias recopiladas más alusiones a la manzana (pp. 139, 146), aunque la indicada más arriba nos parece la más probable, a pesar de que Martín-Santos altera y ridiculiza el sentido de la exposición orteguiana. No olvidemos que en la novela se nos dice que habló «haciéndolo más o menos de este modo» (133).
(77) *Op. cit.,* pp. 63-4.

que parecen encontrar correspondencia en la novela, aunque no es fácil pronunciarse afirmativamente, dada su proximidad con conceptos análogos de Sartre. En 2.2 tendré ocasión de estudiarlos de manera más precisa. Por el momento, nuestro objetivo se verá satisfecho con señalar lo que de común tienen Ortega y Martín-Santos en cuanto a concepciones históricas.

El pensamiento de Ortega, ambicioso siempre, profundo unas veces, contradictorio otras, abarca muy diversas parcelas del saber. Una de las más queridas es la reflexión histórica, que va desde la concepción de la historia como sistema de pensamiento (*Historia como sistema,* la razón histórica, etc.) hasta una específica —y preocupada— atención por el pasado histórico de España. Una de las más grandes aportaciones de Ortega a la cultura española (aunque quizás no a la ciencia histórica) radica en haber impregnado nuestro pensamiento de historicidad y en haber aclarado el carácter histórico, narrativo como él decía (78), de la existencia humana.

¿Debe Martín-Santos su agudísima sensibilidad histórica a Ortega y Gasset? No es fácil asegurarlo, pues un hombre de su cultura pudo haber bebido en otras fuentes ideas similares (79). Pero siempre será una acertada presunción suponer que utilizó las que tenía al alcance de la mano, expuestas en una prosa singularmente atractiva. Desde luego, no faltan datos para sospechar una directa influencia de Ortega sobre el autor de *Tiempo de silencio.* Este residía en Madrid en la época en que Ortega daba sus célebres conferencias en el *Instituto de Humanidades,* y la novela demuestra cumplidamente que asistió a ellas. El primero de los cursos de Ortega tenía como tema la historia, y como él mismo advertía «*El Instituto de Humanidades* es un instituto de historia» (80).

La concepción historicista de la vida le debió venir a Martín-Santos de este clima, como también debe proceder de Ortega la insistente preocupación por el pasado histórico de España y por sus consecuencias actuales. Sensibilidad hacia la vida humana en cuanto historia y preocupación por el itinerario de

---

(78) *Obras Completas,* IX, pp. 88 y ss.
(79) En el ya citado artículo de J. WINECOFF DÍAZ, expone MARTÍN-SANTOS parte de su repertorio de lecturas, entre las que figura la de ORTEGA. Cfr. *Ibíd.,* p. 237.
(80) Vid. *Obras Completas,* IX, p. 74.

nuestro pueblo en su discurrir en el tiempo constituyen la mayor deuda que Martín-Santos tiene para con el filósofo. Esas dos formas de preocupación intelectual no eran sentidas en otros campos de la cultura nacional y, desde luego, no se reflejan en la novela de nuestros días. Es después de Martín-Santos, por ejemplo en la obra narrativa de Goytisolo (*Señas de identidad, Reivindicación del Conde Don Julián*) o de Delibes (*Cinco horas con Mario*), cuando la novela española desarrolla una decidida voluntad de abarcar períodos históricos de cierta extensión.

A fin de alcanzar una mejor exposición de nuestras ideas, vamos a recoger todas las alusiones a la historia y a la cultura de España que aparecen en *Tiempo de silencio*, teniendo en cuenta que todas ellas se tejen, en forma de aceptaciones, correcciones o ampliaciones, al hilo de la posición de Ortega ante la historia de España.

Las alusiones a los toros se repiten en la novela como si se tratara de un estribillo (81), que unas veces se pone en boca del narrador y otras en la del protagonista. Al comienzo de la novela, en el soliloquio de Pedro, que lamenta la falta de ratones para sus experimentos, ya hay una alusión a los toros:

> Como si fuera una lidia. Como si de cobaya a toro nada hubiera (pág. 8).

La mención parece intrascendente, producto de una fortuita asociación de ideas del protagonista. Igualmente banal podría considerarse una observación del narrador, describiendo las tabernas madrileñas:

> nos limitaremos a penetrar en las oscuras tabernas donde asoma sobre las botellas una cabeza de toro disecado con los ojos de vidrio (pág. 15).

Otra vez, el narrador, como al paso, deja caer nuevamente una alusión a los toros, muy parecida a la anterior: cuando se refiere el deambular de Pedro por las calles de Madrid:

---

(81) La corrida, a lo que parece, fue motivo de reflexión para Martín-Santos. A la lectura de *Tiempo de silencio* debe añadirse la del relato breve titulado *Tauromaquia (Apólogos*, pp. 73-81) y el apólogo *Costumbres extrañas de algunos pueblos primitivos* (p. 44).

Salió a la pequeña calle. Andando con paso rápido pasó ante una taberna con cabeza de toro. Llegó a la plazuela de Tirso de Molina (pág. 61).

Pedro, en la semilucidez de su ebriedad y de su erotismo imperfectamente satisfecho, después de salir de la habitación de Dorita se retira a la suya, donde se entrega a ciertas meditaciones, comprendiendo el engaño de que ha sido objeto:

Yo, aquí, con mi kikirikí borracho. Como el asesino con su cuchillo del que caen gotas de sangre. Como el matador con el estoque que ha clavado una vez pero que ha de seguir clavando en una pesadilla una vez y otra vez, toda la vida, aunque haya avisos, aunque el presidente ordene que se cubran todos los sombreros con los pañuelos blancos... (pág. 98).

Estas alusiones, que discurren de un modo solapado, bajo forma de indicaciones casuales o de fortuitas asociaciones de ideas, son como una introducción, o un refuerzo, de otras más explícitas. Pero, por un momento, conviene abandonar el texto y acudir al contexto, es decir, a lo que la fiesta de toros significa dentro del pensamiento orteguiano y de su teoría sobre la sociedad española.

Ortega y Gasset escribió en 1950 un breve epílogo al libro, de su homónimo el torero Domingo Ortega, *El arte del toreo*. En él, después de afirmar que las corridas de toros son «un espectáculo que no tiene similaridad con ningún otro, que ha resonado en todo el mundo y que, dentro de las dimensiones de la historia española de los últimos siglos, significa una realidad de primer orden» lamenta que «no se hubiese estudiado con el mismo rigor de análisis que cualquier otro hecho humano éste que es de muy subido calibre» (82). Por esos mismos años deja Ortega diversos apuntes de lo que podría ser una teoría de la corrida de toros y, aunque fragmentarios, suponen un planteamiento original del tema y constituyen una incitación para que los intelectuales reflexionen sobre el particular.

---

(82) *Obras Completas*, VII, p. 28.

En realidad, ya en el curso 1948-1949, ante el público matriculado en el *Instituto de Humanidades,* entre cuyos asistentes debía figurar Luis Martín-Santos, Ortega se había mostrado muy contundente en sus afirmaciones. En su opinión, sin conocer la corrida de toros no se podía entender la evolución de otras artes y, lo que nos interesa ahora, era imposible comprender la historia de España desde 1659 hasta el presente (83). Y es también en 1950 cuando Ortega y Gasset, desentrañando la sociedad en que vivió Goya, expone unas ideas perfectamente coherentes sobre la corrida (84). Esta, dice, hay que entenderla en el marco cultural de la sociedad española de la segunda mitad del siglo XVIII. En ese momento la aristocracia española se degrada lamentablemente y deja de ejercitar su función principal: la ejemplaridad. Había perdido toda fuerza de creación, no sólo para la política, la administración y la guerra, sino que también se mostraba incapaz de renovar, o siquiera de sostener con gracia, las formas del cotidiano existir. Trajo esto consigo que el pueblo se sintiera desamparado, sin modelos ni sugestiones venidos de lo alto. Y entonces se manifiesta el fenómeno del plebeyismo, fenómeno que no ocurre en ningún otro país. Las clases superiores se sienten llenas de entusiasmo por lo popular, no sólo en la pintura, sino en las formas de vida cotidiana. El plebeyismo consiste en que la colectividad prefiere masivamente las formas populares a las cultas. Mientras las clases inferiores se alojaban con delicia en formas de vida de su propia invención, las clases altas, lejos de dirigir los destinos de la cultura, sólo se sentían felices cuando abandonaban sus propias maneras y se saturaban de plebeyismo. Este plebeyismo tuvo tres grandes manifestaciones, bien conocidas de quienes se hallan familiarizados con la cultura de la época: 1) los trajes, las actitudes, vocablos, gestos corporales y modos de pronunciación, 2) los toros y 3) el teatro.

La corrida de toros, perdido ya el viejo carácter de fiesta de nobles, cuaja hacia 1740 como manifestación popular y, al mismo tiempo, como obra de arte, sometida a ciertas reglas. Su efecto fue fulminante y avasallador. Ricos y pobres, hombres

---

(83) *Obras Completas,* IX, p. 123.
(84) Cfr. el célebre estudio sobre Goya, incluido en *Obras Completas,* VII, donde expresa un criterio y unos datos iguales en lo esencial a los anteriores.

y mujeres, dedican una buena porción de cada jornada a prepararse para la corrida, a ir a ella, a hablar de ella y de sus héroes. Fue una auténtica obsesión, como lo demuestra el que los hombres del pueblo empeñaban la camisa para ir a los toros, según daba cuenta Campillo, ministro de Felipe V; y fue también una manifestación genuinamente nacional, que se mantendría en los siglos venideros.

Ortega, con justificada inmodestia, afirmó que él fue el primero que pensó, y el que más, sobre los toros como fenómeno cultural (85). Y de lo que no cabe duda es que el intento de Martín-Santos de entender el espectáculo taurino en conexión con la historia del país está directamente inspirado en Ortega, cuyas ideas le sirvieron de fecundo trampolín. No puedo ceder a la tentación de citar un párrafo de Ortega y ponerlo en contraste con otro de Martín-Santos, para mostrar ciertas significativas coincidencias, junto con otras no menos significativas diferencias.

Dice Ortega en la ya citada conferencia:

> Porque, opínese lo que se quiera sobre aquel espectáculo, es un hecho de evidencia arrolladora que durante generaciones y generaciones fue, tal vez, esa fiesta la cosa que ha hecho más felices a mayor número de españoles, que ha nutrido jovial y apasionadamente sus conversaciones en pláticas y en tertulias, que ha engendrado un movimiento económico que hace unos años... yo calculaba, en moneda de aquel tiempo, en unos ciento veinte millones, que ha inspirado el arte pictórico desde Goya —nada menos—, la poesía, la música, y, sin embargo, ningún español se había dignado pensar en serio sobre ella, ninguno se había hecho cuestión de ella... ninguno se había preguntado qué es en su sustancial realidad eso de las corridas de toros, por qué hay en en España corridas de toros en lugar de no haberlas (86).

---

(85) *Obras Completas,* IX, p. 122. En lo que sigue, resumo esas ideas de Ortega.
(86) Cfr. *Obras Completas,* IX, p. 123.

Y así dice Martín-Santos por boca del narrador:

> Si el visitante ilustre se obstina en que le sean mostrados majas y toreros, si el pintor genial pinta con los milagrosos pinceles majas y toreros, si efectivamente a lo largo y a lo ancho de este territorio tan antiguo hay más anillos redondos que catedrales góticas, esto debe significar algo. Habrá que volver sobre todas las leyendas negras, inclinarse sobre los prospectos de más éxito turístico de la España de pandereta, levantar la capa de barniz a cada uno de los pintores que nos han pintado y escudriñar en qué lamentable sentido tenían razón. Porque si hay algo constante, algo que soterradamente sigue dando vigor y virilidad a un cuerpo, por lo demás escuálido y huesudo, ese algo deberá ser analizado, puesto a la vista, medido y bien descrito (pág. 182).

Ambos autores se esfuerzan por localizar los orígenes históricos de la corrida y su proyección a lo largo de los tiempos. Veamos primero a Ortega:

> cuándo comienza ese extraño hecho —pues ni esto siquiera se había nadie preguntado— y por qué comienza a haberlas precisamente en esa fecha, que, según mis cálculos, más complicados de lo que sería presumible, fue en torno a 1728. A un comportamiento así, ustedes juzgarán si es o no adecuado, yo lo llamo dos cosas: impiedad y estupidez, falta de gratitud y falta de apetito científico. En efecto, las corridas de toros no sólo son una realidad de primer orden en la historia española desde 1740 —en que los ministros de Fernando VI, por ejemplo, el admirable gobernador que fue Campillo, redacta ya dictámenes preocupado porque los hombres del pueblo, en Zaragoza, empeñan su camisa para poder ir a los toros— no sólo, digo, es una realidad española de primer orden, sino que, cuando se le presta atención y se hace actuar sobre ella la razón histórica, lleva, como me llevó a mí, a descubrir un hecho, hasta ahora arcano, de importancia

tal que *sin tenerlo presente con toda claridad* —lo sostengo de la manera más expresa y formal— no se puede hacer la historia de España, desde 1650 hasta nuestros días. Ahí tienen ustedes cómo para saber lo que es un torero hay que saber muchas cosas, y, viceversa, sólo quien sabe lo que es un torero averigua ciertos secretos *fundamentales* de nuestra vida moderna.

El curso de los razonamientos de Martín-Santos adopta un sesgo parecido:

Acerquémonos un poco más al fenómeno e intentemos sentir en nuestra propia carne —que es igual que la de él— lo que este hombre siente cuando (desde dentro del apretado traje reluciente) adivina que su cuerpo va a ser penetrado por el cuerno y que la gran masa de sus semejantes, igualmente morenos y dolicocéfalos, exige que el cuerno entre y que él quede, ante sus ojos, convertido en lo que desean ardientemente que sea: un pelele relleno de trapos rojos. Si este odio ha podido ser institucionalizado de un modo tan perfecto, coincidiendo históricamente con el momento en que vueltos de espaldas al mundo exterior y habiendo sido reiteradamente derrotados se persistía en construir grandes palacios para los que nadie sabía ya de dónde ni en qué galeones podía llegar el oro, será debido a que aquí tenga una especial importancia para el hombre y a que asustados por la fuerza de este odio, que ha dado muestras tan patentes de una existencia inextinguible, se busque un cauce simbólico en el que la realización del santo sacrificio se haga suficientemente a lo vivo para exorcizar la maldición y paralizar el continuo deseo que a todos oprime la garganta. Que el acontecimiento más importante de los años que siguieron a la gran catástrofe fue esa polarización de odio contra un solo hombre y que en ese odio y divinización ambivalentes se conjuraron cuantos revanchismos irredentos anidaban en el corazón de unos y otros no parece dudoso (páginas 182-3).

Se me excusará la longitud de las citas, pero creo que eran absolutamente necesarias a fin de mostrar tanto las coincidencias entre estos dos grandes intelectuales como el punto en que Martín-Santos se aleja de Ortega. Pues, justamente en el instante en que el paralelismo parece más grande, empieza a apreciarse la distinta concepción de los toros que tienen uno y otro. Ortega, como ya vimos antes, sitúa el nacimiento de la corrida en el momento en que la aristocracia española degenera y se achulapa, dando inicio a una postración radical de la nación y de su cultura. Su interpretación de los toros, más esbozada que otra cosa, es perfectamente coherente con las ideas que expone en libros como *España invertebrada* o, en cierto modo, *La rebelión de las masas,* donde estudia el proceso de decadencia del país por falta de una minoría rectora que imponga un modelo de conducta a seguir.

Martín-Santos, por el contrario, liga la corrida de toros a la violencia manifiesta en la sociedad española desde hace siglos. Y no una violencia cualquiera, sino, preferentemente, aquella que tiene su raíz en las tensiones sociales. A la luz de esta idea cobran nuevo sentido algunas otras alusiones dispersas por la novela, que tienen como finalidad establecer un nexo entre la fiesta taurina y la violencia social. Así, resulta plenamente explicada, como una intencionada indicación, la referencia solapada a los toros cuando el narrador enumera los materiales con que se construyen las chabolas:

> aquellas oníricas construcciones confeccionadas con maderas de embalaje de naranjas y latas de leche condensada... con alguna que otra teja dispareja, con palos torcidos llegados de bosques muy lejanos, con trozos de manta que utilizó en su día el ejército de ocupación... con redondeles de mimbre que antes fueron sombreros... *con fragmentos de la barrera de una plaza de toros pintados todavía de color de herrumbre o sangre,* con latas amarillas escritas en negro del queso de la ayuda americana, con piel humana y con sudor y lágrimas humanas congeladas (pág. 42).

La corrida de toros, simbolizada en ese trozo de barrera que ha ido a parar a un barrio de chabolas, aparece ligada a la miseria, la discriminación social, el hambre y el sufrimiento. Es decir, al estrato más bajo de la sociedad, aquel que sufre en viva carne la violencia de la ciudad que lo rechaza, de la fuerza pública que lo mantiene a raya, de los manicomios, cárceles y comisarías en que terminan muchos de sus componentes, cuya vida no es más que un transitar de sufrimiento en sufrimiento.

Hay otro fragmento donde la vinculación entre el espectáculo taurino y la violencia del país se muestra más explícitamente. Se trata ahora de un comentario del narrador acerca de un diálogo que Pedro y Matías sostienen con el pintor alemán, alusivo a las cámaras de gas:

> Fue el comentario de los dos iberos no expresionistas, no constructores de cámaras de gas nunca, aunque sí quizás gritadores de ruedo hasta que por fin el cuerno entra en el manoletino triángulo femoral, no organizadores de progromes, aunque sí quizás en sus genes, varios siglos antes, de inquisiciones al potro con estola quizás o con cucurucho, qué más podía darles (pág. 74).

Ahora asocia el autor la fiesta taurina a una forma de violencia genuina de la sociedad española: la Inquisición, instrumento eficacísimo para ventilar el antagonismo racial y económico entre las castas peninsulares (87) y, de paso, sus diferencias religiosas. Obsérvese, además, que Martín-Santos establece un intencionado paralelismo entre la masacre de judíos llevada a cabo en las cámaras de gas nazis y la más discreta, aunque también cruel, efectuada en nuestro suelo durante, y después, de los siglos medievales.

La corrida no es sólo un cauce simbólico que convierte al torero en la víctima expiatoria de los odios acumulados en la sociedad. Es también un medio de que los hombres de humilde cuna encuentren un modo de eludir la miseria y puedan codearse con los miembros de las clases superiores. Se trata del

---

(87) Sigo en esto la opinión que expone Henry Kamen en su libro *La inquisición española* (trad. esp.), Madrid, 1973, y que resume en su introducción (pp. 13-24).

tema del torero que escapa del hambre y busca un medio de ascensión social que no puede intentar de ninguna otra manera. Esta idea, que anima a bien conocidas películas, tales como *A las cinco de la tarde,* de J. A. Bardem, o *El momento de la verdad,* de Francesco Rosi, está expresada en *Tiempo de silencio* en breves pero significativos fragmentos. El primero de ellos tiene lugar durante la descripción de Madrid, cuando el narrador, mencionando diversos tipos de desheredados de la fortuna que se dedican a la busca, habla de «los novilleros que se contratan solemnemente para las capeas de los pueblos del desierto circunrodeante» (pág. 16). El segundo ejemplo, no menos vigoroso, acaece durante la descripción de la fiesta de alta sociedad. Hay en esa recepción una serie de invitados, pájaros del árbol de la ciencia. Aunque las especies ornitológicas son de varias procedencias, su heterogeneidad puede reducirse a una sencilla dualidad: frente a las especies de plumaje fino está el grupo de los advenedizos, que intentan suplir con gracias diversas el estigma de un origen mediocre. De este modo

los pájaros-toreros, los pájaros-pintores y hasta, en más rara ocasión, los pájaros poetas o escritores (si acompañaba al don poético una noble cabeza de perfil numismático) podían, aunque hijos del pueblo, codearse allí con las aves del paraíso y con las nobilísimas flamencas rosadas, las que siempre seguían —a pesar de todo— distinguiéndose de los advenedizos por finura de remos, longitud de cuello y plumaje por más alto modisto aderezado (página 136).

La actividad taurina, para quien la ejerce, se convierte así en un medio de acceder a los escalones superiores de la sociedad, o, al menos, a la capa burguesa de la misma, ni más ni menos que los artistas y los intelectuales intentan, con sus conocimientos y sus obras, ascender peldaños y obtener por su esfuerzo lo que no consiguieron por la fortuna. El párrafo transcrito revela una aguda percepción de la dinámica social y del modo en que unos individuos compensan con su esfuerzo, sus gracias o, simplemente, su capacidad de divertir a los grandes, el lastre con que nacieron. De este modo la corrida de toros se presenta como un portillo a la prosperidad y una válvula de escape de la desesperación producida por el hambre. El inciso sobre la corrida de toros contenido en las páginas 182-3 explica las demás referencias que a ella se hacen y, a su vez, se explica por ellas: el odio que se esconde detrás del espectáculo taurino es una derivación de los desajustes sociales que, bajo distintas formas, se han ido sucediendo a lo largo de la historia, enrareciendo progresivamente la convivencia nacional. Esto indica una apreciable diferencia entre Martín-Santos y Ortega en lo que respecta a sus interpretaciones de los toros. El primero los liga a la decadencia económica, la injusticia social y la intolerancia ideológica; el segundo, a la ausencia de una minoría culta que se haga cargo de los destinos del país. Por esa razón, Martín-Santos pone en conexión los toros con el lumpemproletariado, la falta de oportunidades profesionales, la Inquisición, la decadencia económica de la España moderna, la pérdida del imperio colonial y un acontecimiento que no sabemos si es la postguerra subsiguiente al último enfrentamiento civil o el desastre de Annual y el reinado de Alfonso XIII (88). Ortega, en cambio, considera suficiente vincular la corrida de toros a la degeneración espiritual que desde mediados del siglo XVIII inunda la nación.

En realidad, esta distinta interpretación de los toros reproduce en pequeña escala una diferente manera de entender la historia de España. La de Ortega atiende casi de manera exclusiva a los movimientos de ideas, en tanto que la de Martín-Santos presta particular interés a las transformaciones económicas y los antagonismos de castas, grupos y clases. Aquél lamenta la ausencia de una disciplinada organización cultural, ésta echa de menos una más convincente armonía económica y social.

Pero sería simplista reducir el desacuerdo a un contraste entre una visión ideológica y otra economicista. Al menos en lo que concierne a Martín-Santos. Su concepción de la historia de España era lo bastante compleja como para atender por igual a los factores primarios de la existencia social y a sus más decantados productos culturales. Precisamente, como muy pronto veremos, su reproche a Ortega va dirigido hacia la unilateralidad de su interpretación de España, a su incapacidad

---

(88) Remito a lo dicho en 1.3.

para comprender los fenómenos culturales dentro de un contexto más amplio que el simple juego de ideas (88 bis).

Porque, de lo que no cabe duda es de que Martín-Santos no echó en saco roto las sugestivas interpretaciones orteguianas del mundo taurino. Dígalo si no la descripción de la revista, donde el novelista estudia el fenómeno de una sociedad emplebeyecida hasta el tuétano, sin dirección espiritual, sin mentes rectoras, que se entrega con fruición al espectáculo de su propia degradación. Martín-Santos toma las ideas de Ortega, pero en vez de aplicarlas a los toros, que prefiere interpretar de otro modo, las proyecta sobre una versión degenerada del ya degenerado teatro popular del siglo XVIII.

(88 bis) En realidad, Martín-Santos proponía, frente a Ortega, una visión más científica y moderna de la historia (aun incurriendo en ciertos extremismos conceptuales). Y no deja de ser notable coincidencia que al tiempo en que este novelista reaccionaba en 1961 contra el idealismo orteguiano, Vicens Vives hacía en 1960 una parecida crítica a dos grandes compañeros de generación de Ortega, Américo Castro y Sánchez Albornoz (tres figuras del concepto genial, la feliz intuición y el dogmatismo prolongado) en términos que no puedo por menos de citar: «Las dimensiones de la polémica suscitada (entre Américo Castro y Sánchez Albornoz)... hacen sospechar que será fructífera. Sobre todo si para resolverla se abandonan los tópicos y frases hechas y se plantean los factores básicos de la España peninsular: hombres, miseria y hambre, epidemia y muerte, propiedad territorial, relaciones de señor a vasallo, de funcionario a administrado, de patrono a obrero, de monarca a súbdito, de sacerdote a creyente, de municipio a municipio, de pueblo a pueblo, de capital a provincia, de producción individual a renta nacional, del alma con Dios. Factores que no están tan alejados de los que han experimentado los países mediterráneos vecinos, por lo que es muy dudoso que España sea un enigma histórico, como opina Sánchez Albornoz, o un vivir desviviéndose, como afirma su antagonista. Demasiada angustia unamuniana para una comunidad mediterránea, con problemas muy concretos, reducidos y «epocales»: los de procurar un modesto pero digno pasar a sus treinta millones de habitantes»; Cfr. *Aproximación a la historia de España*, Barcelona, 1960, p. 22. Y lo que dice ELÍAS DÍAZ, en *op. cit.*, pp. 113-6. Me parece indudable que Martín-Santos caminaba en esta nueva dirección, y es lícito sospechar que tuviera conocimiento de tales debates y renovaciones en la metodología histórica. Porque su repudio, tanto del materialismo mecanicista como del ideologismo esquemático, está en la línea del programa, de Vicens Vives, de construir una nueva ciencia de la historia.

La descripción de la revista oscila, como se vio anteriormente (89), entre dos tiempos: el actual de la representación y el sugerido del pasado histórico. Este se refiere, más que a la mitad del siglo XVIII, a su final y a buena parte del siglo siguiente, aunque el fondo cultural que pinta es exactamente el que Ortega había evocado a raíz de su investigación sobre los toros y el teatro popular. Las alusiones históricas son inequívocas en cuanto a la época y retratan fielmente las formas que adoptó el achulapamiento de la nación: populacheras infantas con un abanico en la mano, duquesas que posan desnudas ante pintores plebeyos, reyes que, a falta de mejores ocupaciones, juegan a la brisca con sus menestrales y raptan, con gesto juvenil, a las mujeres del pueblo. Martín-Santos nos lleva a esta descripción enlazando con todas las indicaciones anteriores sobre los toros, como si quisiera completar todo lo dicho acerca de la corrida con una alusión clara a las ideas de Ortega:

> la misma hembra tau taurinamente perseguida, tan amanoladamente raptada desde un baile de candil y palmatoria hasta las caballerizas de palacio (página 222).

Con lo que viene a demostrar que su interpretación de los toros es la misma de Ortega, pero modificada en la medida en que añade otros factores no previstos por aquél.

A esta actualización de la degeneración dieciochesca, superpone Martín-Santos una durísima crítica de la nación española, que abarca todos los estamentos sociales, pero de modo especial, los bajos. Así como Ortega censuraba sobre todo el comportamiento de las clases altas, por renunciar a su papel histórico, y se limitaba a reprochar a la masa su insumisión a los mejores y su desdibujada rebeldía, Martín-Santos censura el comportamiento del pueblo llano en unos términos que no se encuentran, por ejemplo, ni en *España invertebrada,* ni en *La rebelión de las masas,* ni en *Papeles sobre Velázquez y Goya,* y que, por añadidura, no son habituales en la crítica marxista.

Lo que Martín-Santos critica al pueblo español es su abyección, a la que llega no por interés monetario, sino por una

---

(89) Cfr. I.3.

cursi sensiblería que le lleva a ceder, con una sonrisa, ante los halagos mentirosos del poder opresor. Lo expresan inequívocamente estas palabras del narrador:

> El amor del pueblo, para quienes lo quieren y comprenden, es amor no comprado, no mercantilizado, sino simplemente arrebatado, como corresponde, amor de buena ley: no es amor prostituido, sino amor matrimoniable, instituido sobre antiquísimas tradiciones, bendecido por el necesario número de varones tonsurados.

Este espontáneo autoaniquilamiento de un pueblo que se engaña con las historias y las grandezas de los poderosos, cuyo espectáculo parece iluminar su triste existencia, lo muestra bien a las claras la devoción hacia Eugenia de Montijo, la emperatriz casada con el «descendiente del águila de la guerra y destructor de cuantas bibliotecas habían osado distribuir por la piel de toro los venerales ministros de Carlos III» (página 223) (90). Esta imagen, la de la adorada mujer española unida al emperador francés, hace olvidar al pueblo sus sufrimientos, lo conforta, lo regocija y le permite sentirse vengado de aquellas matanzas que otros soldados franceses en nombre de otro emperador francés le infligieran durante la invasión del 2 de mayo. Y justamente en el momento en que la vedette canta la copla que evoca el esplendor de Eugenia de Montijo, el narrador señala la degeneración que en el presente vive ese mismo pueblo, cursi, sensiblero, emocionado ante esplendores de oropel y luminotecnia, que se hace un solo hombre en el momento de aplaudir la inmoralidad, la prostitución y la desvergüenza, cantando, como sus hermanos del siglo anterior, «en voz baja —pero sincerísima— que vivan-las-caenas» (pág. 222).

En su novela, Martín-Santos pasa al tercer y al cuarto estado la factura por su culpa histórica. El mismo autor que tan lúcido testimonio dejó del condicionamiento del dinero, de la brutalidad de las clases altas y de la injusta miseria que pade-

---

(90) Quizá no esté de más señalar la simpatía de Ortega para con el movimiento educativo y reformista gestado en torno a la figura de este rey. Cfr., meramente, *Obras Completas*, VII, páginas 542-3.

cen tantos y tantos, no dudó en cerrar su libro con una llamada a la responsabilidad de esos oprimidos que tan cómplices han sido a veces de su propia explotación. Al pueblo fue Martín-Santos con espíritu crítico, tan capaz de sincera conmiseración y simpatía revolucionaria como de violenta diatriba. Y no es pequeña originalidad por su parte saber combinar la exposición de los condicionamientos económicos con criterios de exigencia moral.

En la descripción inicial de Madrid se trasparenta la relación intelectual entre Martín-Santos y Ortega. Ahí se ve lo que el primero tomaba del segundo en la interpretación de España y lo que añadía de su cosecha. Las apropiaciones no son pocas, y en la prosa de la novela se filtran las ideas del ensayista. Así, cuando se nos habla de «ciudades tan descabaladas, tan faltas de sustancia histórica... tan parcamente pobladas por una continuidad aprehensible de familias», no es difícil recordar la opinión de Ortega al afirmar que «incorporación histórica no es dilatación de un núcleo original» y al negar que la nación sea una simple expansión de la familia (91). Cuando el novelista indica que el pueblo español se mueve «sin pasión pero con concupiscencia hacia el futuro» con un heroísmo espontáneo, «sin que se sepa a ciencia cierta por qué sino de un modo elemental y físico como el del campesino joven que de un salto cruza el río» bien pudiera reflejar el sentir de Ortega, que señaló como una de las características de nuestra raza «la energía elemental y el ímpetu precivilizado» (92). Ninguna duda pueden suscitar en la novela las expresiones «tan desasidas de una auténtica nobleza, tan pobladas de un pueblo achulapado», que recogen el sentir del hombre que repitió hasta la saciedad que «una sociedad sin aristocracia, sin minoría egregia, no es una sociedad» y que abominaba de la plebeya influencia del pueblo bajo (93). Cuando Martín-Santos lamenta que Madrid sea «tan poco visitada(s) por individuos auténticos de la raza nórdica» ¿no estará lamentando, a coro con Ortega, la «tibetanización» de España, el desinterés de Madrid por todo lo que quedaba más allá de Carabanchel,

---

(91) Una idea expuesta al comienzo de su célebre ensayo *España invertebrada;* cfr. *Obras Completas,* III, p. 52.
(92) *Obras Completas,* I, p. 537.
(93) *Obras Completas,* III, p. 102 y VII, pp. 523 y ss.

la buena maña que se dio nuestra nación para ser «la única raza europea que ha resistido a Europa»? (94). No me parece nada improbable. Como creo que las intencionadas nueve alusiones a los diferentes estilos teatrales propagados en Madrid durante dos largos siglos son una manera de entroncar con el interés de Ortega por el teatro español, en cuanto manifestación de un enardecimiento popular poco acorde con la reflexión artística (95). Tampoco resulta aventurado trazar la posible génesis de la frase «tan abundantes de torpes teólogos y faltas de excelentes místicos». Se observará que está inmediatamente antes de las referencias al teatro, en claro paralelismo con una reflexión de Ortega sobre el teatro que contiene un breve inciso sobre los místicos españoles:

> La sustancia del placer que encierra nuestro teatro es del mismo linaje dionisíaco que el arrobo místico de los frailes y monjitas del tiempo, grandes bebedores de exaltación. Nada contemplativo, repito. Para contemplar son precisas frialdad y distancia (96).

Pero, como ya hemos dicho, en este mismo fragmento se encuentran correcciones a la teoría orteguiana sobre España. Las más llamativas son las dirigidas a las tensiones que se registran en el país a partir del reinado de Isabel y Fernando. Cierto es que Ortega, después de señalar que «a fines del siglo XV se dispara súbitamente el resorte de energía española y da nuestra nación un magnífico salto predatorio sobre el área del mundo», nota que dos generaciones después «vuelve a caer en una inercia histórica de que no ha salido todavía» (97). Pero apenas da indicaciones precisas sobre esa postración nacional de tan duraderas consecuencias. En cambio Martín-Santos precisa más su diagnóstico. Lo centra, en primer lugar, en un sorprendente dato económico que a Ortega se le escapó:

---

(94) *Obras Completas*, IX, p. 133 y I, p. 536.
(95) *Obras Completas*, VII, pp. 526-30 y III, pp. 395-8.
(96) *Obras Completas*, III, p. 398.
(97) *Obras Completas*, III, p. 122.

tan sorprendidas por la llegada de un oro que puede convertirse en piedra, pero que tal vez se convierta en carrozas y troncos de caballos con gualdrapas doradas sobre fondo negro.

La referencia no puede ser más esclarecedora de la inercia histórica que intuía Ortega. La conquista colonial no reporta beneficios porque en la España de la época estaba mal visto, peligrosamente mal visto, hacer dinero con dinero. Como ha señalado Américo Castro, el motivo «de haber sido tan inútil económicamente para los españoles el fabuloso imperio de las Indias» radica en el hecho de que enriquecerse en América ponía en peligro la limpieza del linaje, convirtiendo al indiano en un posible judío interesado en acumular una fortuna individual y secular (98). Por eso el oro se despilfarraba en lugar de ser invertido con sano criterio mercantil (99). Y por eso Martín-Santos, tras la referencia al oro llegado en barcos, lamenta la carencia de «una auténtica judería» y, poco más abajo, que las conciencias estuviesen «tan agitadas por tribunales eclesiásticos con relajación al brazo secular». Si España fue lo que fue, hoy lo sabemos, se debe en parte al triángulo, castas, Inquisición, cristianos viejos y todo lo que influyó en la evolución del país.

En realidad, mientras en lo tocante a los siglos XVII y siguientes las coincidencias entre Ortega y Martín-Santos son numerosas, a medida que retroceden en el tiempo aumentan las divergencias. Hemos visto que el problema judío tenía gran importancia en la comprensión de España por parte de Martín-Santos, en tanto que Ortega no lo mencionaba. El novelista, sumándose así a un estado de opinión habitual entre algunos historiadores, lamenta la incapacidad del pueblo español para desarrollar una sana actividad capitalista y salir del estadio de feudalismo agrario, de prejuicios de hidalguía y de sentimientos

---

(98) Cfr. *Cervantes y los casticismos españoles*, Madrid-Barcelona, 1966, pp. 188 y 322, respectivamente.

(99) No analiza el autor, por no ser pertinente a sus propósitos, otro aspecto del problema, es decir, el inmediato trasvase de ese oro a los bancos extranjeros para pagar las cuantiosas deudas contraídas; cfr. DOMÍNGUEZ ORTIZ, *El antiguo Régimen: Los Reyes Católicos y los Austrias*, Madrid, 1974², pp. 297-300 y 257-8.

antijudíos. Muy en contra del sentir de Fray Luis de León, Martín-Santos inclina sus simpatías hacia los que hacían dinero con dinero y mercancías, no hacia los que vivían, nobles y vasallos, la existencia «inocente y natural» del cuidado de las tierras.

Pero incluso en materia agraria hace distingos, lo que demuestra que prestó principalísima atención a las corrientes económicas medievales y renacentistas que tan íntimamente van ligadas a la gestación de la cultura nacional. Martín-Santos ve la decadencia temprana de España no sólo en la primacía del campo sobre el comercio y la banca, sino en el anormal predominio, dentro de aquél, del latifundio sobre la huerta, del cereal sobre la fruta, de Castilla sobre los fértiles regadíos del Levante. El soliloquio de Pedro en su habitación lo muestra claramente en el momento en que hace la apología del agua y evoca el medioevo:

> desde la lejana noche de la edad media cuando ellos con su sable levantado consiguieron dar forma a expensas de la morisma de los campos de Toledo y de las zonas bajas donde habían empezado a trabajar las huertas a la nueva nación, pueblo elegido, ciudad aséptica, sin huerta, donde el hombre se alimenta de espíritu y aire puro por los siglos de los siglos... Agua traída desde la lejana sierra... (para que)... los varones que respiran continúen siempre clarividentes, siempre con la capacitada espada en alto, dirigiendo, dando forma a la inerte corpulencia venosa de los lejanos virreinatos (pág. 100).

Las palabras de Pedro suponen una visión bastante certera de la historia de España, aunque no plenamente exacta. Es cierto, por ejemplo, que los moriscos habían llegado a crear en la zona de Al-Andalus una incipiente burguesía rural, más próspera, sin duda, que el posterior latifundismo de la meseta (100). Es cierto, igualmente, que en el siglo XVI seguía siendo «muy neto el contraste entre la España húmeda y la

---

(100) Vid. GARCÍA DE CORTÁZAR, *La época medieval*, Madrid, 1973, pp. 86, 240 y 264.

seca» (101). Pero el contraste no debe ser apurado en exceso, ya que la diferenciación entre zonas, épocas, cultivos y regímenes de propiedad conocía un sinfín de detalles que no es preciso recordar aquí (102). Lo que hay que conservar de las palabras de Pedro (y que constituyen como un *leit-motiv* de la novela) es la imagen, algo imprecisa, histórica y geográficamente, de la tensión entre una sana actividad económica y una actitud paralítica, incapaz de crear riquezas, aferrada a la rutina y dominada por la incompetencia (103).

La alusión a la Reconquista, que tantas consecuencias tuvo en la economía del país (en la subsiguiente distribución de la propiedad territorial, en la repartición demográfica, en la agudización del conflicto de castas y en la mentalidad de ahí resultante) era inevitable en una novela que pretendía recorrer históricamente la formación de la nación española. Y debe verse aquí una corrección al esquematismo con que Ortega definió ciertos aspectos del vivir hispánico. Martín-Santos entendía que la historia del país no era rectilínea, sino poliédrica, y que en su constitución pesaban muy diversos factores, desde el precio del trigo al Concilio de Trento (por ceñirnos ahora al período que va desde «el salto predatorio» a las generaciones siguientes) combinados de forma siempre variable. Su mayor diferencia con Ortega estriba, en suma, en el propósito de imaginar la historia de una manera más empírica.

Ortega había afirmado que «El secreto de los grandes problemas españoles está en la Edad Media» (104). Martín-Santos no le iba a la zaga en cuanto a asimilación del mismo criterio. Pero mientras aquél reducía el problema a las consecuencias derivadas de la «falta de feudalismo» que, con la ausencia de los señores creó en el pueblo «una secular ceguera para distinguir el hombre mejor del hombre peor» (105), Martín-Santos

(101) Como señala DOMÍNGUEZ ORTIZ en *op. cit.*, p. 153.
(102) Las expone con lujo de detalles DOMÍNGUEZ ORTIZ; cfr. *ibíd.*, pp. 152-174.
(103) «... eran la incompetencia y la rutina, más que la fidelidad a ciertos principios teóricos, lo que les impidió entrar por la senda capitalista», afirma DOMÍNGUEZ ORTIZ, refiriéndose a la nobleza en la época de los Austrias; cfr. *El antiguo Régimen*, p. 114.
(104) Cfr. *Obras Completas*, III, p. 119.
(105) Cfr. *Obras Completas*, III, p. 121.

evoca en apretada síntesis las muy variadas circunstancias que determinan la fisonomía de nuestra Edad Media y los problemas que legó a las épocas posteriores, y que consisten tanto en factores ideológicos y emocionales como en datos sociológicos y materiales.

Otra muestra del firme deseo de afincar su reflexión sobre España en un examen que incluya hasta las más inmediatas circunstancias, es la preocupación por la geografía. Evidentemente no hay aquí un propósito de abarcar la variedad geográfica del país, sino tan sólo aquellos rasgos paisajísticos que más eficazmente se pueden poner en contacto con la idiosincrasia nacional. Por eso Martín-Santos describe exclusivamente la meseta castellana, de la que refleja especialmente su sequedad e improductividad. Y, dentro de esas alusiones, habría que distinguir una sequedad material, que hay que entender en su tenor literal, de una sequedad espiritual, que está expresada en términos simbólicos o metafóricos.

Las alusiones a la sequedad constituyen, como las de los toros, otra serie reiterativa en la que cada indicación refuerza las anteriores e incorpora en sí el contenido de aquéllas, creando un todo donde se subraya la coherencia del mensaje. La mayoría de ellas, y también las más incisivas, están puestas en boca de Pedro durante sus amargos soliloquios. En el inicial, habla del sabio que «en la península seca, espera que fructifiquen los cerebros y los ríos» (pág. 7), marcando intencionadamente un paralelismo entre la tierra sin cultivar y la inteligencia sin fructificar. Poco después, como al desgaire, pero recogiendo la alusión anterior y concretándola un poco más, señala el narrador las ciudades «tan caprichosamente edificadas en desiertos» (pág. 13). Tras estos dos toques de atención la idea se esconde, y transcurren más de ochenta páginas sin que el protagonista o el narrador la aprovechen. Pero, repentinamente, y con redoblado vigor, el motivo de la sequedad reaparece durante el monólogo de Pedro en su habitación.

En sus palabras el protagonista combina alternativamente hechos relativos a la Reconquista y la colonización de América (ya aludidos anteriormente; vid. pp. 99-100) con referencias a la sequedad del pueblo y a la ausencia de agua:

> Y este pueblo en que no llueve. Este pueblo que no tiene agua. En qué río poder caer aquí si desde

el viaducto cae el suicida sobre tejas romanas (página 99).

Este «imperio del secano», como también lo llama Pedro, es, todo parece indicarlo, Castilla, pero no tanto la zona geográficamente incluida en esos límites como el conjunto de hombres que inició «sable en alto» la Reconquista y modeló la ulterior formación de la nueva nación. La sequedad alude al mismo tiempo a la aridez de la meseta y al perfil duro, «casi córneo», de la organización política y social, «donde el hombre se alimenta de espíritu y aire puro», es decir, de conceptos de hidalguía y de prejuicios anticapitalistas. Y la falta de agua alude tanto a la ausencia de este elemento (106) como a la enfermiza austeridad que, en opinión de Martín-Santos, preside la fundación del reino de Castilla.

Dejando a un lado algunas esporádicas alusiones del narrador a la sequedad física de Castilla, como cuando habla de «inmigrantes de otras regiones de la España árida» (pág. 107), de los «kilómetros de polvo» (pág. 134) que recorre la consorte del Muecas o de la «tierra caliente... bajo el sol de julio» (pág. 200), donde es violada, es nuevamente Pedro el que insiste en el paralelismo entre la aridez de Castilla, la época medieval y la parálisis histórica.

Tiene esto lugar en el soliloquio final. El protagonista, desde la ventanilla del tren, observa el paisaje y piensa en el tiempo de silencio que se abate sobre el país desde los siglos lejanos de la noche medieval. Y así, mientras ve «tierra seca» y «el páramo, el largo páramo igual que una piel aplicada directamente sobre el esqueleto» y el «Granito redondo... piedras doradas, piedras negras, piedras rojas» (pág. 239), lamenta que «la idea de lo que es futuro se ha perdido hace tres siglos y medio y el futuro ya no es sino la carcomida marronez que va tomando un cuerpo de buey puesto a secar y la carne vuelta mojama» (pág. 236), y llega a la triste conclusión de que los

---

(106) Al margen del sentido histórico-nacional de esta referencia a la sequedad, hay en las palabras de Pedro un posible sentido filosófico (Cfr. GEMMA ROBERTS, *op. cit.*, pp. 173-6), y también otra posible alusión literaria, concretamente al soneto de GÓNGORA «Duélete de esa puente, Manzanares», y otras composiciones de este autor, de LOPE DE VEGA y de VÉLEZ DE GUEVARA.

españoles son «mojamas tendidas al aire purísimo de la meseta, que están colgadas de un alambre oxidado, hasta que hagan su pequeño éxtasis silencioso» (pág. 238). Aridez y pedregosidad de un lado, parálisis y silencio, por otro. Como telón de fondo, discurren las sombras de los ejércitos reconquistadores e imperiales:

> del hombre de la meseta, de este tipo de hombre de la meseta que hizo historia, que fabricó un mundo, que partiendo de las planas de la Bureba comenzó a pronunciar el latín con fonética euskalduna y así, añadiendo luego las haches aspiradas convertidas en jotas de la morisma, se fabricó ese ariete con el que fue por el mundo dando tumbos y ahora, reseco y carcomido, amojamado hombre de la meseta, puesto a secar como yo mismo para que me haga mojama en los buenos aires castellanos (pág. 236).

El fragmento parece evocar punto por punto las ideas de Ortega cuando, en *España invertebrada,* constata el hundimiento de la nación después del gran esfuerzo de la Reconquista, de la colonización de América y de la expansión imperial en Europa. Pero sabemos que no es así, pues admitiendo en sus líneas maestras esa idea, el novelista la matiza en diversas direcciones, intentando por encima de todo mostrar un entramado de causas y efectos que Ortega no supo o no quiso ver (107).

La novela se remata con una referencia al monasterio de El Escorial, que Ortega y Martín-Santos consideraron de manera también diferente. El primero aceptaba las reflexiones de Meier-Graefe: «España entera es como la planicie en torno a El Escorial, una balaustrada o *loggia* para gentes que ansían

---

(107) Véase en el ejemplo siguiente cómo el autor liga el dato histórico a problemas mucho más concretos: «Al otro lado, todavía están los moros. Una cabalgada y los echamos, otra cabalgada y se van hasta la otra sierra, repoblar, repoblar, cargar la tierra de niños, de hombres, de mujeres que paren, henchirla hasta que se os vayan quedando delgados y cuando ya tengan tanta hambre que parezcan mojamas echarlos fuera y ya veréis, ya veréis lo que harán» (239-40).

15

espacio libre para sus pensamientos» (108). El novelista, muy al contrario, ve en la arquitectura de Herrera un símbolo de la inmovilidad («Tiene sus cinco torres apuntando para arriba y ahí se las den todas. No se mueve»), del autosilencio («sanlorenzo era un macho, no gritaba, no gritaba, estaba en silencio mientras lo tostaban»), de la incapacidad de superar un estado de cosas («Como las sardinas, lorenzo, como sardinas pobres, humildes»), de, en suma, identificación con el silencio, la austeridad y la enfermiza pobreza de Castilla como geografía y como pueblo que hizo una nación (109).

Las alusiones a Castilla se especifican aún más, pero siempre potenciando las sensaciones negativas que el autor trata de comunicar. A la pedregosidad de la tierra seca se unen las referencias al sol (págs. 14, 26, 114, 147, 238, 240) y al aire puro y aséptico que sopla desde la tierra (págs. 62, 100, 236), síntomas ambos de una tristeza y una monotonía que mantienen y propagan en la tierra las mozas castellanas, «aldeanas sumisas», «gruesas en las piernas como perdices cebadas» (página 237), que pueden ser saboreadas, o derribadas, pues permanecen quietas, «vírgenes purulentas, esperando», que lanzan miradas de reojo al nuevo en el lugar, mientras avanzan, «rojas, carrilludas, mofletudas», delante de la procesión, detrás del palio (pág. 235), dejándose contemplar por los señoritos del lugar.

---

(108) Cfr. *Obras Completas*, I, p. 520. No olvidemos que el primer libro de ORTEGA, *Meditaciones del Quijote*, empieza con una mención del monasterio de El Escorial.

(109) Comentando el cuadro de Zuloaga, «El enano Gregorio el Botero», Ortega parece un poco encandilado por la austeridad y la rudeza del paisaje y sus hombres, las mismas que tanta repulsión producían a Martín-Santos. Este, ciertamente, no suscribiría las siguientes palabras dirigidas al monstruo de Zuloaga y su paisaje: «Tú, sátiro botero, eres el hombre que hace alto en el camino de perfección, hinca los pies en la tierra y decide perdurar desafiando la incontrastable mudanza. La tierra en torno, tu madre, sacude como tú el cultivo, y se vuelve áspera y cruda y cabría, como tú, haz de músculos bravos. Erial en derredor quedó el campo, y la ciudad decadente desborda su putrefacción y su ruina sobre las murallas ruinosas. Pero tú te alzas sobre la desolación que amas, sobre la tierra tonsurada, reseca, pedregosa, bajo el cielo duro, bruñido, reverberante como una piedra preciosa; te alzas membrudo y tu cuello de novillo aguanta sereno el yugo de la fatalidad». Cfr. *Obras Completas*, I, pp. 537-8.

Y todavía un par de coincidencias, éstas de menor relieve: cuando el narrador señala que en el país hay «más anillos redondos que catedrales góticas» (pág. 182), no elige el adjetivo artístico por puro azar (si mi interpretación es correcta). Ortega, evocando sus años juveniles en Marburgo, recordaba con cierta emoción la europeísima condición de la ciudad, que él veía plasmada en buena medida en los edificios góticos, que, muy significativamente, contraponía a la española arquitectura de El Escorial (110). No creo aventurado suponer que Martín-Santos pretendía expresar con más fuerza la singularidad de España al señalar que en el lugar que deberían ocupar las catedrales góticas se encontraban plazas de toros. También me parece de raigambre orteguiana el sintagma «dualidad esencial» (pág. 58). En el sistema conceptual del filósofo la dualidad del hombre gótico (es decir, del hombre medieval) consiste en que al tiempo que vive apegado al angosto horizonte del terruño feudal se siente miembro del enorme espacio histórico que es Occidente, de tal manera que su vida venía a ser un penduleo entre lo local y lo europeo (111). Martín-Santos, con ironía que es algo más que pura jocosidad, habla de la dualidad esencial que imposibilita a los habitantes de las chabolas integrarse en la vida de la ciudad: sólo pueden vivir de lo que la ciudad arroja (lo que les impide ser colaboradores) y a condición de que actúen como hábiles cazadores de botines (lo que les prohíbe llegar a ser servidores).

Hemos visto hasta el presente los casos en que Martín-Santos asimila, corrige o completa la interpretación que Ortega tenía de la historia de España. Falta por examinar la crítica que hace de la misma. El grueso de su sátira está contenido en tres momentos: la descripción del cuadro de Goya, la de la conferencia y la de la recepción subsiguiente (págs. 127-33 y 134-42). Es decir, antes, durante y después de la disertación del filósofo. La celebración de la conferencia va precedida por la descripción del cuadro de Goya, la famosa *Escena de aquelarre* (1798), que se guarda en el museo Lázaro Galdiano, de Madrid, del cual tiene Matías una reproducción en su cuarto. El narrador, que identifica a Ortega con el macho cabrío del cuadro, se

_____

(110) Cfr. *Obras Completas,* II, p. 552.
(111) *Obras Completas,* IX, pp. 259-9.

dirige a él, y expone la amarga crítica que Martín-Santos dedica al más grande pensador de su tiempo y, posiblemente, del siglo. La descripción del cuadro contiene dos tipos de censura: una va dirigida a la actitud de Ortega en la sociedad de su tiempo, la otra toma por blanco algunas de sus más célebres manifestaciones. Conviene distinguir por separado ambas.

La crítica a la actitud de Ortega es la base de la comparación con el macho cabrío. Así como el animal, «en el esplendor de su gloria», es venerado por la «muchedumbre femelle que yace sobre su regazo» (pág. 127), el intelectual se complace vanidosamente en la reverencia que le tributan mujeres finas, pero intelectualmente vacías. La sátira a Ortega va dirigida a su no darse cuenta de que sirve de bufón de lujo a unos *snobs* ociosos, como lo exponen bien estas palabras:

> son las mujeres las que se precipitan a escuchar la verdad. Precisamente aquellas a quienes la verdad deja completamente indiferentes. El levantará su otra pezuña, la derecha, y en ella depositará una manzana. Y mostrando la manzana a la concurrencia selectísima, hablará durante una hora sobre las propiedades esenciales y existenciales de la manzana. La quiddidad de la manzana quedará mostrada ante las mujeres a las que la quiddidad indiferencia (pág. 128).

El rechazo de Ortega por parte de Martín-Santos se dirige especialmente a su desdén hacia los estamentos menos privilegiados y a la búsqueda de una minoría selecta (al menos tal ocurre en la novela) entre las clases sociales superiores, lo que le lleva a reducir la universalidad de su mensaje intelectual y a convertirlo en simple pasatiempo de señoras desocupadas (112).

---

(112) Ortega, que lamentaba la atonía de la alta burguesía española, «que ha dado siempre el tono a nuestra vida nacional», proclamó enfáticamente lo siguiente: «De este modo se ha ido estrechando y rebajando el contenido espiritual del alma española, hasta el punto de que nuestra vida entera parece hecha a la medida de las cabezas y la sensibilidad que usan las señoras burguesas, y cuanto trasciende de tan angosta órbita toma un aire revolucionario, aventurado o grotesco». Cfr. *Obras Completas*, III,

Lo que, a fin de cuentas, reprocha el novelista al filósofo, es la perpetuación del clasismo de la cultura, manifestada en forma de conferencias donde se atiende a los ricos y se ignora a los necesitados.

Esa impugnación va acompañada de otra más incisiva, encaminada a minar algunas célebres opiniones expuestas por Ortega en *España invertebrada*. En realidad, de la crítica de la actitud a la de las ideas se pasa de manera casi insensible: mientras «cuerpos selectos yacentes gozan procumbentes penetraciones» (pág. 128), gracias a las charlas del filósofo, las clases bajas deben contentarse con un nivel más primario de existencia en que «la corteza de la naranja chupada permitirá el continuo crecimiento de genios elefantiásticos» (página 128). Viene acto seguido una referencia a la India, que al tiempo que aclara este último adjetivo sirve de puente de unión con el pensamiento orteguiano:

> Porque en Elefanta el templo y en Bhuvaneshwara la infancia inmisericordemente de hambre perecía, pero fue en tales templos grande la adoración a los ritos que acerca de la naturaleza... describiera Vatsyayana, sin que el óbice de la mortandad hambrienta y los otros perecimientos irritara como posible masa fermentativa al pueblo... habilidosamente segmentado (en sectas) como los anillos del repugnante anélido... de modo que nunca pudiera llegar

---

p. 127. No deja de ser mordaz el propósito de colocar a este intelectual en medio de personajes estúpidos de las clases altas y reverenciado por señoras burguesas frívolas y desocupadas. La insistencia con que Martín-Santos alude a las señoras que asisten a la conferencia está llena de burlón veneno. Y de dogmatismo, digámoslo de una vez. Aparte de que no es completamente correcto medir el prestigio de un conferenciante por el nivel mental del público que le escucha, hay que tener en cuenta que las conferencias del cine Barceló concentraron también a un buen núcleo de la mejor intelectualidad nacional y que su impacto en el pensamiento español contemporáneo no fue pequeño. Tanto es así que el Ministerio de Educación Nacional se apresuró a cortar aquella explosiva difusión de ideas. Entre el público, que se precipitaba a pagar 25 pesetas por conferencia, había personas de toda clase y condición. Las burguesas ociosas eran meramente un componente, el menos significativo a la hora de la verdad.

a sentirse apto para la efracción y brusco demolimiento o fuego destructor de lo que el arte había consagrado como noble (págs. 128-9).

La mención de la India y la sagrada división de castas es como una réplica al entusiasmo de Ortega por las épocas *Kitra* y *Kali*. Conviene citar:

> Hay en la historia una perenne sucesión alternada de dos clases de épocas: épocas de formación de aristocracias, y con ellas de la sociedad, y épocas de decadencia de esas aristocracias, y con ellas disolución de la sociedad. En los *purana* indios se las llama época *Kitra* y época *Kali*, que en ritmo perdurable se siguen una a otra. En las épocas *Kali*, el régimen de castas degenera; los *sudra*, es decir, los inferiores, se encumbran porque Brahma ha caído en sopor. Entonces Vishnú toma la forma terrible de Siva y destruye las formas existentes: el crepúsculo de los dioses alumbra lívido el horizonte. Al cabo, Brahma despierta, y... recrea... la nueva época *Kitra* (113).

Ortega, tras concluir que a los hombres de una época *Kali*, como era la suya, les irrita sobremanera la idea de las castas pese a que se trata de un pensamiento profundo y certero, expone su convicción de que en la sociedad debe imperar «un sistema jerárquico de funciones colectivas en lugar de una amorfa igualdad entre los mejores y los mediocres» (114).

Estas ideas de Ortega, inexorablemente destinadas a suscitar las iras de una época igualitaria, ofrecen dos vertientes: plausibles en cuanto imperativo de selección de los mejores, serán rechazadas por el moderno hombre democrático si no descansan en una previa paridad económica y social. Martín-Santos no podía ignorar que Ortega propugnaba una jerarquización intelectual, basada exclusivamente en el mérito personal; pero veía algo que siempre escapó a la comprensión

---

(113) *Obras Completas*, III, p. 98.
(114) *Ibíd.*

de aquél (115): que tal selección está adulterada desde punto y hora en que hay una marcada distinción en clases sociales. Esa estratificación trastueca el esquema orteguiano, ya que permite acceder a la reflexión filosófica a seres mediocres y mujeres vanas en virtud de su potencialidad económica y buenas relaciones sociales. Por esta razón, Martín-Santos busca dar la vuelta a los escritos orteguianos y mostrar la otra faz del problema: la mitología india de las épocas que se suceden esconde una brutal separación de castas, que es un eficaz narcótico que impide a los oprimidos levantarse contra un estado de cosas tenido por sagrado.

A continuación, el novelista emprende la crítica de otras ideas muy representativas de Ortega. Una de ellas se condensa en la frase que el narrador dirige al buco («la sangre visigótica enmohecida ves con ojos azagayadores circular») (pág. 129), que constituye una parodia de la teoría que ve la decadencia de España en la baja calidad de nuestros invasores germanos, que constituían «un pueblo decadente que venía dando tumbos por el espacio y el tiempo cuando llega a España» (116). Lejos de participar en ninguna metafísica racial de la historia medieval (117), Martín-Santos se inclina a atribuir la postración de las masas a la ausencia de vestidos, de «vitamínicos jugos» y de la necesaria educación en «luminosas naves de nueva planta construidas».

El narrador continúa con sus imprecaciones al buco, echándole en cara su despreocupación hacia las castas miserables, «centauros de Andalucía la baja…, casta torera…, casta pordiosera, casta andariega, casta destripaterrónica, casta de los siete niños siete, casta de los barrios chinos…» (118), desapro-

(115) Sobre este aspecto es merecedor de consulta el libro de JAVIER LALCONA, *El idealismo político de Ortega y Gasset*, Madrid, 1974.

(116) Cfr. *Obras Completas*, III, p. 113.

(117) En realidad, según demuestra Lalcona, Ortega no cree en la correspondencia entre una raza y un producto cultural determinado, sino más bien en la resultante cultural de un choque de razas y civilizaciones diversas; cfr. *El idealismo político de Ortega y Gasset*, pp. 318-9.

(118) No suscribo más que en pequeña medida las siguientes palabras de Goytisolo: «En Ortega, el desprecio hacia el sur y la civilización meridional se yuxtapone a una admiración sin reservas

bando su proyecto de redención basado en la incorporación «fenomenológica» de la «gran Germania nutricia» (pág. 130), y concluyendo con sarcasmo, con una referencia a los niños muertos de hambre, que le perdonarán su silencio a cambio de su capacidad de aficionar a la gente a la filosofía (119) y a su uso de un certero estilo y una desveladora metáfora (120).

El segundo momento de la crítica a Ortega toma como punto de referencia la conferencia. Como antes, se desaprueba la conducta de un intelectual que se coloca en el puesto más encumbrado de la jerarquía social y desdeña a los que se encuentran en las posiciones menos favorecidas: la célebre metáfora de la cosmogonía alude al elitismo orteguiano y a su mención de la mitología india:

> Como todo cosmos bien dispuesto, también aquél en que el acontecimiento se desarrollaba estaba ordenado en esferas superpuestas. Había, pues, una esfera inferior, una esfera media y una esfera superior, cúspide y arbotante dinámico de todo el edificio. Muy clásicamente también, como de modo inevitable ocurre en toda teogonía, la esfera inferior estaba consagrada a los infiernos en los que —de-

---

por lo germano. El racismo implícito y la fobia contra la innegable herencia musulmana sirven de base, aún hoy, a interpretaciones de nuestra esencia histórica tan peregrinas como grotescas». Cfr. *El furgón de cola*, París, 1967, p. 202. Sobre este punto debe verse todo lo que Ortega afirmó al respecto en *Obras Completas*, VI, 1947, pp. 111-20. A lo que parece, la opinión de Martín-Santos se aproxima bastante a la de Juan Goytisolo.

(119) Es cosa sabida, y mérito indiscutible, la voluntad de Ortega de divulgar conceptos filosóficos complejos en un país de bajo nivel cultural. Ante la desoladora ignorancia española, Ortega —señala Julián Marías— «No se dedicó a llorar por los infieles, sino que lo que hizo fue convertirlos, convertirlos a la filosofía. Y España es uno de los países en los cuales, gracias a Dios, es más fácil editar y vender un libro de filosofía y es más fácil reunir un auditorio para escuchar una conferencia filósofica». Cfr. «La originalidad española en el pensamiento actual», en el colectivo *Spanish Thought and Letters in the Twentieth Century*, Vanderbilt University Press, 1966, pp. 328-9.

(120) Cuando lo cierto es que Martín-Santos, exactamente igual que Ortega, acudió con frecuencia a la metáfora para exponer un razonamiento difícil o iluminar un aspecto recóndito de la realidad.

jando de lado toda excesiva tendencia ormuzorima-
diana— pueden situarse simultáneamente el reino
del pecado, del mal, de lo protervo... (pág. 130).

Y así, mientras la capa inferior corresponde a un baile de
criadas «talo germinal, sobre el que el resto de las esferas na-
vegan y son alimentadas tanto en sus necesidades corporales
de diverso tipo, cuanto en provisión de artistas creadores, pintores, toreros y señoritas de conjunto» (pág. 132), el filósofo
ocupa el lugar superior y completa la «perfección de sus esferas» (pág. 133). Las alusiones a las clases sociales se actuali-
zan haciendo que la conferencia, con el Maestro y sus distin-
guidos oyentes, se celebre encima de un baile de criadas, con
lo que el autor hace coincidir una diferenciación social con una
simultaneización espacio-temporal, al objeto de subrayar el
contexto en el cual se desarrolla la conferencia de filosofía.

La descripción de la conferencia roza, o cae de lleno, en
los límites de la parodia burlesca, lo que le resta la eficacia
y el alcance intelectual que tenían las otras críticas. No puede
negarse que Ortega estaba «dispuesto a abajarse al nivel necesario», que poseía «una metafísica original», así como «una
gran cabeza» y que era, en el más noble sentido de estas
expresiones, «retórico», «inventor de un nuevo estilo de metáfora» y «catador de la historia». Sus concomitancias con
Heidegger son reales y el sintagma «el-que-ya-lo-había-dicho-
antes-de-Heidegger» se presta a un tono burlesco que encubre
la complejidad de ese problema (121). En realidad, la presentación de Ortega trata de dar un halo desenfadado y despectivo

---

Creo, por estos y otros detalles, que la crítica a Ortega en
esta parte de la novela tiene mucho menos interés de lo que
podría parecer a primera vista. En cuanto al valor y estructura
de la metáfora ortegiana, véase lo que expone RICARDO SENABRE
en su libro *Lengua y estilo de Ortega y Gasset*, Universidad de
Salamanca, 1964. Por su parte, PEREGRÍN OTERO valora de muy distinto modo la metáfora (y el estilo en general) de Ortega. Cfr.
Romance Philology, XXIV (november 1970), pp. 310 y ss. No creo,
a juzgar por lo escrito en *Tiempo de silencio*, que el novelista
despreciara la capacidad estilística del filósofo.
    (121) Ver lo citado en la nota 3 de esta segunda parte de mi
trabajo.

a una auténtica realidad intelectual. En el párrafo se trasluce por igual que Martín-Santos reconocía los méritos del filósofo y que, a pesar de todo, deseaba ponerlos en solfa. Por eso esta crítica se resiente de una inconsistencia que no se daba en los casos anteriores, en que el rechazo de la actitud de Ortega estaba fundado en unos hechos más solidamente examinados. Cualquiera que sea la opinión que se tenga sobre Ortega y Gasset, nada empaña el esfuerzo y los logros de su actividad filosófica.

El tercer y último momento de la crítica a Ortega tiene lugar con motivo de la recepción posterior al acto cultural. Nuevamente vuelve Martín-Santos a contrastar la dignidad del pensador con el ambiente en que se ha sumido. Dos ideas destacan en la descripción de esa reunión frívola: primero, se insiste en la división social en clases, al ponerse en contraste los advenedizos que han logrado acercarse al árbol de la cultura, frente a las «aves del paraíso y las nobilísimas flamencas» (pág. 136). Segundo, los comensales, especialmente los de mejor situación social, tienen como característica común la total ausencia de preocupaciones intelectuales, por lo que la presencia del único pensador, Ortega, es grotesca, y merecedora de vituperio, en la medida en que desciende a participar en reuniones tan superficiales.

Además de esos casos de sátira directa, existen otras formas indirectas, en donde se hace una burla de algunas ideas orteguianas, o bien se parodia una aplicación práctica de sus principios. Esto último sucede cuando la regentadora del burdel toma un tomate y lo mira a contraluz mientras Pedro, situado en frente, ve el otro lado del fruto. «Ambos lo veían desde diferente perspectiva», señala burlón el narrador (pág. 150). Con parecido propósito se podría recordar aquí la figura del pintor alemán o algunos momentos de la borrachera de Matías con sus ramalazos de ingenio.

El artista germano, que ha pintado un cuadro («realmente muy malo»), alusivo al último desastre bélico, parece, alto, delgado, con una barba rubia en puntita y ojos débiles de niño mimado, como una ridiculización inocente del intelectual alemán (pág. 69). Venido a España por motivos artísticos, trata de «expresar el pathos atormentado de un pueblo culpable y en derrota». Podrá tratarse de una simple coincidencia, pero es difícil no recordar aquí el artículo de Ortega titulado

El «*pathos*» *del Sur* (122), donde comenta el viaje que Hauptmann hizo a Grecia y las impresiones que recogió posteriormente en un libro. Ahí contrapone Ortega el *pathos* del norte frente al del sur y describe, quizá con disimulada admiración, «la pesadez, la lentitud, la cerveza, la castidad y el pietismo» del hombre del Norte, mientras lamenta los instintos y la barbarie del *pathos* del Sur. Claro que Hauptmann tiene una pequeña debilidad que a Ortega le parece de mal gusto: ensaya un idilio con una moza espartana y se molesta por su desdén. Paralelamente, el pintor de *Tiempo de silencio* se emborracha lamentablemente, mallleva su timidez, mantiene (según Matías) una «virginidad fiambre a fuerza de cuidados y pérdidas nocturnas» (pág. 74) y termina enzarzándose con una prostituta de la calle Infantas, verdadera «cámara de gas aspirante-impelente» (pág. 76), con lo que a su aventura intelectual en la noche madrileña también da un término groseramente carnal.

Igualmente hay que mencionar aquí algunos párrafos pseudofilosóficos de Matías:

> Tú, pintor pinturero, no has pintado esos cuadros que están aquí. Tú has pintado ese cuadro que está ahí. Si tú, en vez de pintar el cuadro que está ahí, hubieras pintado los cuadros que están aquí, no habrías pintado el cuadro que está ahí. En vez de enseñar el cuadro que está ahí, enseñarías a tus amigos los cuadros que están aquí. Tú, sabiendo que no habías pintado el cuadro que tienes ahí, no nos habrías traído aquí, sino que olvidando lo que quieres pintar, que no debías pintar así, nos habrías conducido ante los cuadros que están ahí y nosotros no habríamos pasado por aquí... (pág. 74).

Esta especie de trabalenguas de adverbios de lugar alude, junto con otros ejemplos parecidos (vid. págs. 70-74), a las conferencias de Ortega en el *Instituto de Humanidades,* y de modo especial a su explicación de las *Méditations Cartésiennes,*

(122) Incluido en *Obras Completas,* I, pp. 490-3.

de Husserl, y a su teoría sobre el cuerpo y la posición del individuo frente al otro (123).

Como puede observarse, la actitud de Martín-Santos hacia Ortega es siempre crítica, severa en ocasiones. Cabría preguntarse por qué un novelista que tan de cerca siguió algunas de sus más célebres reflexiones sobre la historia de España (y, como veremos, ciertos postulados filosóficos), emprendió una parodia que, si benévola y humorística en ocasiones, se nos antoja desmesurada en su momento álgido. Da la impresión que Martín-Santos, que en más de un aspecto debió admirar la labor orteguiana, se sintió defraudado por su escasa actitud crítica ante las tensiones sociales y que, fruto de ese desencanto, escribió unas páginas donde tal vez es lícito leer el rencor que produce la decepción de lo admirado. De ser así habría que preguntarse, no obstante, hasta qué punto es correcto condenar el desinterés hacia un aspecto de la problemática humana por parte de quien supo pensar tan agudamente sobre otros.

En cualquier caso, queda claro que Martín-Santos interpreta la historia de España a través del prisma que constituye la teoría orteguiana sobre el ser de los españoles. Las numerosas correcciones a esa teoría indican el propósito de captar dos tipos de realidades, no objetivas, sino intelectuales: la sucesión de acontecimientos pasados, en cuanto factor que opera en el presente, y la interpretación que de esos hechos hace una de las mentes más prestigiosas del país. Dicho en otras palabras: la realidad histórica y cultural de España en 1949 no viene dada simplemente por los sucesos que registra la crónica del día, sino, mucho más decisivamente, por el peso de un largo pasado y por la visión que de él ofrecía uno de los más ilustres españoles de ese 1949. Lejos de comulgar con el empírico objetivismo de sus contemporáneos, Martín-Santos comprendía que las ideas, y las ideas sobre esas ideas, son un componente de la realidad.

No ofrece ninguna duda qué clase de rectificación impone *Tiempo de silencio* a la interpretación histórica, política y cultural del autor de *España invertebrada*: mostrar la relación existente entre la actividad cultural y la infraestructura en que se apoya, señalar el condicionamiento económico y biológico de

_____

(123) *Obras Completas*, VII, pp. 118 y ss., y 163-5.

cualquier proyecto personal, corregir la ilimitada confianza de Ortega en las minorías selectas haciendo ver las sutiles implicaciones económicas de ese esquema, disminuir la abusiva importancia dada al elemento visigótico y señalar la repercusión que la división en castas tuvo en la historia temprana del país. En suma, Martín-Santos reduce el idealismo orteguiano (124) y procura añadir a su interpretación una base más sólida, base que tiene sus raíces en las teorías de autores como Marx, Américo Castro e incluso Freud, sin incurrir nunca en los extremismos en que cayeron los representantes de sus respectivas escuelas.

Conviene, para terminar, añadir algunas indicaciones que en *Tiempo de silencio* se hacen a la postguerra española y a su situación cultural y social, junto a algunos hechos próximos en el tiempo.

Aunque la historia evocada por Martín-Santos abarca varios siglos, no se ha descuidado una detallada referencia al presente inmediato, como último eslabón de una larga cadena, y en cuanto condicionamiento más próximo de los personajes. Junto al recuerdo de las guerras de Filipinas y Marruecos (pág. 18) y otro, fugacísimo, a la segunda república (pág. 153), menudean las menciones a la guerra civil. Ya porque Amador afirme que por entonces comían ratas (pág. 8), ya porque en la boca del Muecas se reflejen los trabajos y las intemperies de «una guerra y dos paces dichosamente superadas» (pág. 60), ya porque su mujer recuerde los momentos en que daba a luz en cualquier sitio de la Mancha, mientras huía de las tropas moras (pág. 200). Tampoco falta una oportuna mención a los años del hambre (pág. 16) y a ciertas dificultades en el suministro eléctrico con motivo de la política de restricciones (página 91). El nuevo estado fuerte, surgido de la contienda bélica, está magníficamente representado en la organización policial (págs. 167 y sigs.), mientras que «el saludo romano..., resucitado» (pág. 235) y la no pertenencia a la ONU (pág. 238) no escaparán a la perspicacia del historiador del futuro. La situación cultural la reconstruirá con facilidad cualquier lector atento, apoyándose tanto en las películas del Oeste, que se ven

---

(124) Ampliamente analizado en el libro de Lalcona, anteriormente citado. Véase, en especial, pp. 309-70.

en el centro de Madrid (pág. 189), como en la «boga existencial» de los años cuarenta (pág. 131), además, naturalmente, de las conferencias de Ortega. En el plano de la investigación, es representativo de esta época difícil en que vive Pedro, tanto la falta de medios del patronato Santiago Ramón y Cajal del Instituto de Investigaciones Científicas, creado en 1939, como la frivolidad con que los recién licenciados improvisaban una tesis doctoral, con poco tiempo y menos medios (págs. 13, 33, 212), es decir, dos meses y unos perros inservibles o unas revistas incompletas.

2.2. El proyecto existencial

Aunque el siglo actual ha agudizado la sensibilidad hacia los condicionamientos sociales, es aún en mayor medida responsable de una acusada preocupación por el yo, hacia el cual, como modo de referencia obligado, convergen los datos sociales, políticos y económicos. La preocupación política ya no tiñe tan marcadamente como en otras épocas las manifestaciones artísticas. Sin que el interés por los asuntos colectivos haya disminuido (antes bien, nuestra experiencia de los mismos se ha enriquecido), el yo se erige en centro y lo personal cobra nuevo rigor, pues ahí se encuentra la realidad radical del hombre (125).

Creo que es en el marco de esta nueva sensibilidad cultural, que ha hecho posibles movimientos filosóficos tan importantes como el vitalismo orteguiano o el existencialismo, donde hay que situar *Tiempo de silencio*. Es decir, como meditación sobre la naturaleza del hombre en un momento dado de la evolución histórica, y que toma como centro preferente la vida de Pedro, aunque no desdeñe las de otros personajes secundarios.

No es preciso aclarar que en nuestros días la vida individual no se entiende a la manera solipsista de la literatura romántica, sino como un conjunto de haces (sociales, biológicos, económicos, artísticos, etc.) que reciben su específica modulación en cada conciencia receptora. Por eso, todo lo que en esta novela es reflexión histórica o social debe ser entendido

---

(125) Cfr. ORTEGA Y GASSET, *Obras Completas*, VII, pp. 375-407.

en función de ese centro de referencia que integra, de manera siempre variable, los eventos externos. Como señalaba Ortega, «muchos son los componentes de la realidad que llamamos 'hombre', pero en sentido primordial y el más riguroso el hombre es sólo su yo» (126).

Pero, ¿cuál es el yo de Pedro? ¿En qué radica su ser? Sencillamente «en la realización del proyecto», ya que «Dentro del tejido de la libertad que es la vida humana el único asidero sólido es precisamente el proyecto» (127). En esto, Martín-Santos identifica al hombre con el ejercicio de su libertad constitutiva y siguiendo las conocidas teorías sartrianas y orteguianas (u orteguianas y sartrianas, como tal vez preferiría Marías) considera como actos propiamente humanos los que deciden del proyecto.

Si «sólo desde el proyecto se comprende plenamente al hombre» (128), careando a cada personaje, y muy especialmente al protagonista, con su respectivo «proyecto de existencia» (129) se aclara mejor la ideología de *Tiempo de silencio.* Esta novela, por encima de la crítica de la sociedad española, es una meditación sobre las posibilidades del hombre de desarrollar un proyecto personal acorde con su naturaleza libre. Como reflexión, ofrece perfiles indiscutiblemente filosóficos y universales. Pero como novelización de una idea, reconstruye cuidadosamente la situación del hombre, Pedro en este caso, presentando las circunstancias que, al tiempo que lo limitan, lo perfilan. Por eso se ha pintado con tanto rigor el escenario histórico y cultural en que se desenvuelve el protagonista, ya que sólo especificando al máximo su situación se podía, paradójicamente, alcanzar el mayor grado de amplitud en el mensaje (130).

---

(126) *Obras Completas,* VII, pp. 548-9.

(127) Cfr. *Libertad, temporalidad...,* pp. 26 y 20, respectivamente.

(128) *Libertad, temporalidad...,* p. 46.

(129) Ahora cedo la palabra a ORTEGA; cfr. *Obras Completas,* VII, p. 549 y *passim.*

(130) Como es bien sabido, tanto Sartre como Ortega no conciben el proyecto fuera de las específicas condiciones en que nace. Si en el pensamiento de estos dos filósofos se registra una tal inclinación a no perder de vista lo concreto, innecesario es decir la obligatoriedad en que se encuentra el novelista de observar el mismo criterio.

Las circunstancias que rodean a Pedro, y nada digamos de otros personajes, son adversas. Ni el país, ni el momento histórico, ni la organización social, ni las personas más allegadas, ni el propio cuerpo, dejan de pesar como un lastre sobre su proyecto de vida. Pero el autor, lejos de proponer una comprensión del hombre de un modo total o parcialmente coactivo, obediente a alguna causalidad externa, afirma el papel del proyecto personal y de la libre elección como datos esenciales de la vida humana.

Hay en Pedro una elección originaria (131) que, sin ser totalmente precisa, puede ser reconstruida por nosotros con cierto margen de exactitud; consiste aquélla en el propósito de desarrollar diversas investigaciones científicas, mantenerse a una altura intelectual exigente, vivir una experiencia amorosa enriquecedora y superar la mediocridad del momento. Sus actos cotidianos, entonces, deben ser examinados a la luz de ese proyecto, dentro del cual se integran, adquiriendo una significación nueva. En la medida en que el personaje se acerca o se aleja de ese punto de referencia, su comportaminto suscita, de manera espontánea, juicios de carácter filosófico y moral.

Analizando la conducta de Pedro con algún detalle, puede observarse que la realización del proyecto es factible, pero siempre se incumple por falta de lucidez y energía. No está a su alcance, evidentemente, una transformación de la sociedad, que es algo preexistente. Pero sí es posible rechazar los sistemas de valores que ofrecen tanto las «clases pasivas consentidoras» (pág. 95), como la burguesía. No obstante, el protagonista adopta sus modos de vida en diversas ocasiones. Acude a las tertulias nocturnas de la pensión y acepta complacido el homenaje de admiración de «tres vulgares y derrotadas mujeres» (pág. 39), participando en su juego de disimulos y mentiras. En contacto con las clases superiores, también es incapaz de contraponer un ideal exigente a la banalidad dominante, de tal modo que, atraído por las «nobilísimas flamencas del paraíso», mordiendo «la fruta de la vanidad» (pág. 140), trata de despertar el interés de señoras ociosas con el relato de sus actividades.

Si la actuación del protagonista dentro de la sociedad des-

_____

(131) Sobre este concepto, véase *Libertad, temporalidad...*, páginas 47 y ss.

dice el proyecto inicial, su comportamiento amoroso provoca los alfilerazos críticos del narrador, porque la relación con Dorita contradice la esencia del amor: lo que aquí decide no es la «lucidez libre», sino «la exuberancia elemental y cíclica» (pág. 95), la condición jugosa y lánguida de quien se ofrece con impudicia. Y es en ese momento, cuando Pedro sucumbe ante la solicitación de la muchacha, cuando queda atrás «la construcción de una vida más importante, el proyecto de ir más lejos, la pretensión de no ser idéntico a la chata realidad de la ciudad, el país y la hora» (pág. 95).

Además de los fracasos en los órdenes social y amoroso, Pedro protagoniza otros en lo intelectual y lo profesional. Durante la noche del sábado, da muestras de su ánimo poco resolutivo y de las vacilaciones que impiden la realización de sus mejores propósitos. Así como participaba en las reuniones femeninas con un agrado que no ocultaba la inquietud por las sucesivas claudicaciones, así como se acostaba con Dorita ahogando las protestas de su conciencia, otra pequeña guerra civil se desencadena en su ánimo en el instante de pisar el café: lo traspasa aun a sabiendas de que «está equivocado» (pág. 65), de que preferiría seguir reflexionando sobre Cervantes en vez de charlar de literatura con alguna de «las ensoberbecidas muchachas pálidas vestidas de negro». Sólo tras cierta violencia íntima logra identificarse con los presentes, aunque el autor del *Quijote* viene a su memoria de manera intermitente, como si se tratara de una simbólica represión («Cervantes en medio de este grumo de humo y grito no parecía lógico» [pág. 68]). Hasta que, reconfortado por un par de ginebras y el calor adhesivo de Matías rompe a hablar, sumándose al bullicio del local. Momento que acecha el narrador para censurar la ética y la estética de estos conversadores de literatura:

> El bajorrealismo de su vida no llegaba a cuajar en estilo. De allí no salía nada (pág. 68).

A nadie se oculta la intención de esta que Gemma Roberts llama «frase de indiscutible prosapia orteguiana» (132): marcar

---

(132) Cfr. *op. cit.*, p. 138, n. 24. Creo, en contra de Gemma Roberts, que en esta frase no hay intencionalidad irónica. Véase también *Libertad, temporalidad...*, p. 47.

16

el contraste entre la sumisión a la realidad y la obediencia a un plan ambicioso de vida. Después de todo, el propio Ortega sólo consideraba característico del hombre «aquello que hace frente al sistema de vigencias establecidas» (133), en tanto que Martín-Santos afirmaba que el proyecto

> se realiza como una luz constante que ilumina los diversos actos de la vida del sujeto, dándoles una organización comparable a un estilo. Un mismo estilo de vida realiza el proyecto, a través de las infinitas y variadas situaciones concretas (nota 134).

Pero la responsabilidad de Pedro no incluye sólo aquello que pudiendo hacer no hace o debiendo evitar no evita. Abarca también los casos en que adopta una cobarde resignación, como lo manifiesta el falso estoicismo con que dice adiós a sus planes de investigación. Así como su propósito de descubrir el origen del cáncer ennoblece su figura, pese a lo quijotesco de la empresa, la posterior adaptación a la hosca realidad merece la reprobación del autor. Pues lo que aquí importa no es el logro posible, sino el propósito esbozado. Y el hecho incuestionable es que Pedro ha rebajado el nivel de sus aspiraciones, contentándose con el papel de practicón de pueblo, sin que intente buscar una salida (como, por ejemplo, marchar a Illinois, de donde proceden los ratones), sin que medie una protesta contra el director que lo expulsa, sin que exista una gestión desesperada o un acto audaz. No vale la pena especular acerca de lo que un hombre podría conseguir en su situación. Para los propósitos aleccionadores de la novela era suficiente señalar que el protagonista se desarma a sí mismo ante la adversidad. Pedro, quede esto claro, es culpable de su fracaso como investigador, o, por lo menos, de haber aceptado ese fracaso que le ha sido impuesto.

Conviene tener presente una advertencia de Sartre que a buen seguro era del agrado de Martín-Santos: que el coeficiente de adversidad de las cosas no puede constituir un argu-

---

(133) En *Obras Completas*, VII, p. 529.
(134) *Libertad, temporalidad...*, p. 47.

mento contra nuestra libertad (135). Esta, en su concepción existencialista, radica, no en obtener lo que se ha querido, sino en determinarse a querer por propia iniciativa, lo que equivale a decir que la intención es ya un acto, el acto por excelencia de la libertad. Y en este sentido conviene volver sobre un episodio importante en *Tiempo de silencio:* la estancia de Pedro en la cárcel.

El episodio de la cárcel no sólo evoca la poderosa organización estatal a cuyo cargo se encuentra el control del país, sino que también pone de manifiesto ciertas flaquezas de su ánimo (136). Sería absurdo decir que Pedro es libre de salir de la prisión, como constituiría una perogrullada sostener que es libre de desear la libertad. Pero sí puede proyectar su liberación y, por ejemplo, intentar un medio de aclarar la verdad de los hechos. Y esto es justamente lo que no hace. Pedro se resigna, busca justificaciones e intenta idealizar la situación a base de ciertas argucias conceptuales: pretende «Llegar a hacer como si fuera un deseo propio estar quieto» (pág. 175), se alegra de que «mientras estoy quieto, no me pasa nada... luego no puedo equivocarme. No puedo tomar ninguna resolución errónea», encuentra ciertas ventajas en su situación («Y no estás mal aquí. Aquí se está bien» [pág. 179]), y, sobre todo, trata de no pensar consolándose con que «Todos los hombres cometen errores» (pág. 176). Nada tiene de extraño que dos sonoros «¡Imbécil!» (págs. 178-180) del narrador rubriquen estas palabras de quien rehúye las responsabilidades y busca ficticias escapatorias.

En conexión con la detención hay que poner el soliloquio final, claro exponente de la derrota del protagonista. Aquí Martín-Santos ha dejado constancia de que su personaje, aunque con amargura y entreviendo el alcance de su fracaso, participa

---

(135) Cfr. *El ser y la nada,* pp. 593-4. El propio autor de *Tiempo de silencio* nos legó unas palabras de parecido tenor: «El psicoanálisis existencial afirma que fallan los intentos de comprender la vida humana de un modo totalmente coactivo, obediente a una causalidad derivada de la situación originaria». Cfr. *Libertad, temporalidad...,* p. 25.

(136) Este pasaje recuerda en cierto modo unas reflexiones, a título de ejemplo, que Sartre hace sobre el prisionero y la libertad de planear, cfr. *El ser y la nada,* pp. 595-6; y, por supuesto, recoge las experiencias carcelarias del novelista cuando fue arrestado.

en su elaboración, al adoptar una actitud resignada ante un entorno hostil. Nada menos que ocho veces Pedro se pregunta por qué, o afirma, que no está desesperado (págs. 234, 235, 235, 236, 237, 238, 238, 240), lo cual supone situar el problema en su verdadero centro: pues lo decisivo no es el cúmulo de dificultades experimentadas, sino la debilidad de un hombre que fomenta su vencimiento. La gran mentira que Pedro se cuenta a sí mismo es que «la cosa está dispuesta así. No hay nada que modificar» (pág. 234), mientras se imagina que él es «el hombre al que no se le dejó que hiciera lo que tenía que hacer» (pág. 236). Porque lo cierto es que él proyecta para sí una vida truncada, donde las horas se llenarán cazando perdices, leyendo novelas policíacas, jugando al ajedrez, tomando mojama con un vaso de vino y contemplando a las mozas del lugar (págs. 234-9). Su incapacidad de planear una existencia más ambiciosa no le permite ni siquiera sentirse angustiado, ya que su mal, en definitiva, radica en que «Estoy desesperado de no estar desesperado» (pág. 240), y en que, en términos llanos, se está «dejando capar» (pág. 237).

Vemos de este modo que la caracterización de Pedro coincide totalmente con la presentación de un proyecto truncado, con lo que vienen a ser lo mismo psicología y proyecto existencial. Todo lo que podríamos considerar indecisión, timidez o pusilanimidad, por hablar en términos de psicología cotidiana, no es, a fin de cuentas, más que la exteriorización de una conciencia insuficientemente lúcida. Pedro no actúa con criterio selectivo frente a las situaciones que le depara la vida, y en lugar de adelantarse a los acontecimientos, integrando en su proyecto aquellos que sean idóneos o desdeñando los carentes de interés, deja que éstos configuren su existencia, con lo que ésta adquiere un aspecto discontinuo y desdibujado.

En resumen, Pedro se desvía continuamente de sus objetivos. En el plano amoroso, por ejemplo, no proyecta amar y ser amado (137), sino que cede a las maquinaciones matrimoniales tejidas a su espalda. En el intelectual, se deja atraer por el su-

---

(137) No se olvide que, según Sartre, «amar es, en su esencia, el proyecto de hacerse amar» y que el ser amado se convierte en amante «cuando proyecta ser amado»; cfr. *El ser y la nada* pp. 467-8 y 467, respectivamente.

perficial ambiente, haciendo suyos tópicos y dogmas establecidos de manera anónima. En el profesional, se resigna a ser apartado de la investigación y acepta una oscura actividad médica. Respecto a su estancia en la cárcel, baste con recordar de qué manera asiente, en su fuero interno, a las argumentaciones del policía que quiere aturdirlo. Con respecto a la situación nacional, Pedro, simplemente, se suma al silencio del país.

Claro está que en todas estas situaciones cada facticidad constriñe la libertad del protagonista. El impulso sexual le empuja a la cama de Dorita, el terror carcelario anonada su conciencia, el director ejerce autoritariamente el poder, la tertulia del café lo reclama con su señuelo de alegría y brillantez, el país deja sentir sus pesadas limitaciones. Pero frente a cada una de ellas debiera estar el propósito de construir una vida con estilo que no fuera una simple agrupación de actos, momentos y experiencias inorgánicamente enlazados. Frente al reinado de la facticidad se eleva el universo del proyecto. Y el fracaso de Pedro no hace más que resaltar el carácter genuinamente humano —definidor de lo humano— de este último.

Si el proyecto define al individuo, la condición infrahumana en que viven muchos mortales explica que en ocasiones tenga escaso relieve. Proyecto lo hay en todo hombre, como en todo hombre hay libertad. Pero para quienes viven al otro lado de la frontera del hambre y la incultura, el plan de vida nunca llegará a ser «un constante reobrar sobre sí, frenar lo espontáneo, moldearse en cierta figura ideal de humanidad» (138). Antes bien, se limitarán a elegir «entre tomar el boniato crudo como postre o cocido en agua y sal como principio» (pág. 59). No es cosa de insistir más acerca del propósito de Martín-Santos de captar la individualidad de cada uno de los personajes señalando incluso su libre responsabilidad. Pero es forzoso reconocer que en estas figuras secundarias es más decisivo el peso del pasado o la adversidad del presente que cualquier hipotética proyección hacia el mañana. Encarna-Ricarda, Muecas o Cartucho se desenvuelven a un nivel tan primario de existencia, tan pre-humano, que lo que hay que predicar de ellos es, precisamente, la inanidad de todo propósito.

---

(138) Cómo consideraba Ortega el plan de vida exigente; *Obras Completas*, VII, p. 533.

Pero que *Tiempo de silencio* se explica fundamentalmente como meditación acerca del proyecto no ofrece duda. El análisis del protagonista, el recurso al soliloquio como medio de mostrar sus vacilaciones, las críticas tan acerbas del narrador y la permanente contraposición de sus actos y sus deberes, así lo indican. No hay que olvidar tampoco que la crítica al país es, en cierto modo, la de quien echa de menos «un proyecto incitador de voluntades», un «proyecto sugestivo de vida en común» que impulse y nutra el proceso nacional (139). Se recordará que en la descripción de Madrid se lamenta su lanzamiento «sin pasión, pero con concupiscencia hacia el futuro» (pág. 14) y que Pedro abomina del país que hace varios siglos perdió toda idea de futuro (pág. 236). Por lo demás, el narrador, en un razonamiento inclusivo del lector, exhorta a «mirar cara a cara un destino mediocre» (pág. 15) y a abandonar un modo de existencia que no es más que un dejar consumir los días, que se llenan de sucesos triviales venidos de no se sabe dónde.

No, no era Martín-Santos dado a una interpretación causalista del individuo. Los argumentos deterministas no debieron perturbar en lo más mínimo al hombre que admiraba en Cervantes «esa visión de lo humano, esa creencia en la libertad, esa melancolía desengañada, tan lejana de todo heroísmo como de toda exageración, de todo fanatismo como de toda certeza» (pág. 62). Si no, no se explicaría su voluntad de acudir al centro de decisiones del hombre como término de verificación de sus postulados humanistas (140).

Parece como si *Tiempo de silencio* fuera una confirmación, amoldada a nuestros días, de aquellos versos calderonianos:

Porque el hado más esquivo
la inclinación más violenta,
el planeta más impío,
sólo el albedrío inclinan,
no fuerzan el albedrío.

---

(139) Cfr. ORTEGA Y GASSET, *Obras Completas,* III, pp. 63 y 56.

(140) Razón por la cual reivindicaba sus fueros frente al determinismo freudiano *(Libertad, temporalidad...,* pp. 24 y ss.) y contra el mecanicismo de la dialéctica de la naturaleza (cfr. «Dialéctica, totalización y conciencia», en *Apólogos,* pp. 136-140).

Martín-Santos ha escrito una novela que es la del hombre en cuanto proyecto que se desarrolla en medio de facticidades entorpecedoras. Estas ya no radican en el influjo de los astros, sino en factores sexuales, económicos, sociales e históricos, que el autor ha descrito con tanto detallismo. Y frente a ese conjunto de condicionamientos se encuentra la libertad esencial del hombre, fuente de su dignidad y de su responsabilidad.

No participo del sentir de quienes juzgan a *Tiempo de silencio* como novela pesimista. Reconstruir minuciosamente el desolado panorama que rodea a Pedro no implica en modo alguno visión fatalista de la libertad humana. Es, más bien, un acto de lucidez señalar los peligros que encuentra un hombre en su realización personal. Además, y esto es un argumento definitivo, insistir en el papel de su responsabilidad personal y la obligación moral de afirmarse frente a las circunstancias, implica una actitud de confianza en sus posibilidades y en las de su proyecto personal.

En este sentido *Tiempo de silencio* es una novela de contenido ético (141), y por lo tanto aleccionadora y optimista en última instancia. Sólo se exige lo que es posible, como sólo se censura lo que es evitable. Y si Pedro es tachado de imbécil, inconsistente, parásito y dogmático es porque en la España que le tocó vivir era posible mantener un tono de vida más gallardo, más a tono con su condición libre.

Creo que *Tiempo de silencio* se impone como obra ejemplar, como modelo de conducta para el hombre de nuestros días. Pero modelo, claro está, invertido. Martín-Santos ha insistido especialmente en las concesiones y cobardías de Pedro para, por contraste, señalar el camino que debiera haber seguido. Este no es otro que el de la lúcida proyección del yo, el de convertir la vida en un itinerario significativo y coherente, enriquecido por un destino personalmente asumido. En suma, el de una vida con estilo.

Pero lejos de ser expresión de un fácil optimismo, *Tiempo de silencio* parece la manifestación de una confianza en el hombre que es, al mismo tiempo, consciente de las innumerables trabas que se oponen a su desarrollo. De hecho, el ideal hu-

---

(141) Gemma Roberts sostiene un parecer análogo; cfr. *op. cit.*, pp. 198-203.

mano que expone es una meta difícilmente alcanzable, que exige el concurso de un mínimo de circunstancias y una buena dosis de autoexigencia. No cabe predicar tal ideal de vida para aquellos que luchan por sobreponerse a unas condiciones embrutecedoras de existencia. En realidad, sólo de aquella parte de la humanidad que ha superado la diaria lucha por la subsistencia se puede esperar que acometa una empresa de tan altos vuelos. Por eso la crítica social y política que hay en *Tiempo de silencio* no pretende alcanzar una humanidad feliz, sino tan sólo colocar a todos los hombres en el umbral a partir del cual comienza el proyecto personal propiamente dicho. La crítica social debe ser vista como un simple prolegómeno del verdadero problema del hombre. Que, desgraciadamente, una gran parte de los humanos se afane todavía en la solución de este problema previo no afecta en nada a la justeza de los postulados morales de la novela. Porque de lo que no cabe duda es que el despliegue del yo y la realización de una meta personal no están al alcance de ningún ideario político, reformista o revolucionario.

Martín-Santos ha tenido la discreción artística de no hacer ni un infundado canto de esperanza ni una arenga de carácter moral. Su procedimiento ha consistido en pintar con abundancia de detalles las cortapisas que encuentra el protagonista en su realización, así como en señalar los momentos en que éste, por sus errores y debilidad, cae en las trampas que le salen al paso. De este modo, señalando los desaciertos de Pedro resalta, por contraste, una actividad de signo opuesto, ésta lúcida. La cual, dicho sea de paso, no la presenta el autor como una segura certidumbre, sino como un modelo hacia el cual dirigirse y en cuya realización puede el hombre —tal vez— llegar a la plasmación de un ideal óptimo de existencia.

Porque conviene decir que en el universo intelectual de *Tiempo de silencio* faltan los valores absolutos, sean de tipo religioso o político, no dejándose entrever más que aquellos que cada hombre erige como tales. La visión religiosa no asoma en ningún momento (142), pues la novela se caracteriza por

---

(142) La idea de que es obvio «el papel de la religión en cuanto a una naturaleza humana pecaminosa», no me parece acertada. Cfr. el artículo de Eoff y Schraibman, «Dos novelas del absurdo...»,

su espíritu totalmente agnóstico, o, si se quiere, antropocentrista. El ideal político tampoco está presente. Se deduce de la lectura del libro que la sociedad presenta graves deficiencias estructurales que precisan una solución enérgica. Pero que el autor fustigue un estado de cosas injusto no quiere decir que confíe en que una transformación revolucionaria de la sociedad comporte automáticamente una solución a la problemática existencial de cada cual.

Porque en ese mundo incierto, carente de sólidos puntos de referencia y lleno de toda suerte de obstáculos, cada hombre, individualmente, y sin menoscabo de otras empresas colectivas en que intervenga, ha de ser norte de sí mismo y justificación de su propio existir. Ahí reside la suprema actualidad de *Tiempo de silencio,* pues esta novela se presenta como reflexión sobre la situación del hombre en un siglo donde los valores absolutos parecen haber perdido su capacidad de atraer y erigirse como ideales orientadores (143).

---

p. 227. Interrogado Martín-Santos acerca de cuáles eran sus preocupaciones religiosas, su respuesta fue tajante: «Nulas»; cfr. JANET WINECOFF, *art. cit.,* p. 237.

(143) Remito nuevamente a su artículo «El plus sexual...», ahora a sus párrafos finales, donde se alude a la «*progresiva desacralización* del ámbito cultural y la disolución de los dogmatismos» (cfr. p. 130). También valdrá la pena recordar que la incompleta segunda novela de MARTÍN-SANTOS, *Tiempo de destrucción,* se orientaba en torno al enigma del vivir personal, como lo ponen de manifiesto el prólogo y los fragmentos editados.

CONCLUSION

Hay en *Tiempo de silencio* una interesante dualidad de modernidad y tradicionalidad, lo que hace pensar que Martín-Santos se servía de las innovaciones de la narración contemporánea sin olvidar lo mejor que produjo la novela de otras épocas. El resultado es casi siempre una feliz simbiosis de ambas direcciones, que lejos de estar basada en un timorato eclecticismo responde a una paciente reflexión y a un hábil aprovechamiento de los variados recursos que ofrece el arte de la novela.

Clásico, del gusto decimonónico, es contar una historia dividiéndola en presentación, nudo y desenlace. Moderno es, en cambio, sintetizar el hilo argumental y limitar el desarrollo de la acción y los sucesos esenciales. Y aunque no carece de sólidos antecedentes, también suele estimarse como actual la alteración de la continuidad cronológica en beneficio de una presentación quebrada de los acontecimientos. Pues bien, si se observa de cerca la acción de *Tiempo de silencio* se verá que participa, en proporción diversa, de todas esas características: distribuye la narración en tres momentos, pero la abrevia considerablemente; combina el relato lineal de la historia de Pedro con los frecuentes saltos atrás, tratándose de acciones secundarias; sustituye los capítulos por secuencias no numeradas, pero deslinda tajantemente las fronteras entre éstas.

Parecida receta combinatoria se esconde en el tratamiento de los personajes. No practicó el autor el esquematismo simbólico ni prescindió de la introspección psicológica, como con cierta frecuencia se ve en este siglo, pero tampoco llevó a cabo el minucioso detallismo a que acudieron los maestros del XIX, aunque de ellos tuvo que aprender la técnica de ligar la vida individual al medio social. Y si de Cervantes supo aprovechar Martín-Santos la concepción en libertad de personajes variables e imprevisibles, de Joyce y Faulkner debe proceder la técnica del monólogo interior como medio de expresión directa de la intimidad. Aunque tampoco en esto último se limitó el autor de *Tiempo de silencio* a seguir fielmente el precedente, pues el monólogo suele desembocar en sus manos en una original forma de soliloquio manipulado, en el que se da un entrecruzamiento de voces.

Por lo que a la descripción de lugares y ambientes respecta, hay en ciertas ocasiones una prolijidad que no desmerecería del gusto realista y naturalista del siglo anterior, si no fuera porque aquí hay un enriquecimiento retórico que no fue habitual en la novelística de esa época.

En otro importante aspecto se registra una parecida combinación de hábitos literarios: me refiero aquí a la figura del narrador. Por sus comentarios, su corporeización en el interior del relato, su conocimiento de los personajes y su cercanía al lector, se parece a los grandes narradores de Cervantes, Fielding o Sterne. Pero en la medida en que carece de la deliberada ambigüedad que se aprecia, por ejemplo, en *Don Quijote*, y comparte con los narradores del XIX el cuidado por transmitir inequívocamente el mensaje de la novela, es legítimo emparentarlo con éstos. En cuanto al punto de vista propiamente dicho, coexisten el del narrador omnisciente y el de los personajes que cuentan lo que ven. Y no olvidemos que las diferentes modulaciones que se observan en la voz del narrador —cuando increpa, reflexiona, exclama, ironiza o exige— no sólo recuerdan a los viejos narradores célebres, sino también (y me atrevería a decir que más) al hablante de la poesía, y de la poesía moderna en particular.

Esta convivencia de impulsos literarios diversos fue posible porque Martín-Santos había asimilado un amplio bagaje de recursos técnicos, lo que le permitió escribir una novela cuya mayor singularidad radica en la coherente armonización de hallazgos procedentes de fuentes muy variadas. Tal concierto de datos, lejos de obedecer a un virtuosismo esteticista, responde a la necesidad expresiva de hallar un nuevo instrumento novelesco para plasmar una nueva realidad.

Recordemos también nuestras conclusiones del capítulo segundo. Una idea central guía la pluma de Martín-Santos: afirmar la libertad del hombre frente a sus limitaciones; reivindicar su consiguiente responsabilidad; dejar clara constancia de que, a falta de otros valores, cada individuo debe encontrar en su proyecto de existencia el fundamento de su naturaleza y la razón de su dignidad.

Pues bien, este objetivo, que abarca tanto una comprensión metafísica del hombre como una atención a los aspectos insignificantes de su diario existir, exige, de un lado, contar una peripecia que sea expresión de un proyecto existencial en desarrollo y, de otro lado, describir las menudencias de cada día rastreando su honda significación. Es decir, cotidianeizar lo trascendente y trascender lo cotidiano. Esa circunstancia ha condicionado la mayoría de las elecciones narrativas de Martín-Santos, tal como hemos tenido ocasión de ver al hablar del cervantinismo en la configuración de los personajes, al señalar la técnica metonímica en la descripción de ambientes o al indicar las cualidades del narrador omnisciente y fidedigno. Todo lo cual muestra que el autor pretendió poner de manifiesto una realidad conceptual, filosófica en su inspiración central e histórica en su encarnación concreta. Y en la medida en que las fórmulas novelísticas vigentes no lo permitían, Martín-Santos inventó una propia.

En la historia de la literatura española hay unas cuantas obras egregias que son otros tantos episodios en la lucha contra la enajenación, «el más hondo drama del hombre desde el Renacimiento a nuestros días», como afirma Maravall (1). Fue precisamente la literatura renacentista la que, de un modo sistemático, comenzó a exponer la consustancial desazón del hombre moderno. Se observa esa inquietud tanto en las églogas de Garcilaso, que traducen el anhelo de un nuevo humanismo, como en las novelas pastoriles y moriscas, que proponen un universo de armonía y reconciliación. Esta preocupación, nunca interrumpida, se deja sentir con más vigor en el momento presente. Quizá porque estaba reservada a la época actual, que reflexionó más que ninguna otra sobre los condicionamientos

_____

(1) Cfr. *El mundo social de «La Celestina»...*

del individuo, la misión de plantear rigurosamente el sentido del vivir personal. La novela de Martín-Santos es un compendio de esas inquietudes y una muestra de cómo una técnica literaria se pone al servicio de una esclarecedora reflexión sobre el hombre. No otra es la razón del arte de *Tiempo de silencio*.

APENDICE BIBLIOGRAFICO

*(Se incluyen aquí no sólo los trabajos centrados exclusivamente
en* Tiempo de silencio, *sino también los que, teniendo un objetivo
más amplio, dedican comentarios a la novela de Martín-Santos.)*

AMORÓS, ANDRÉS. *Introducción a la novela contemporánea*, 1971[2]
[p. 146]. Habla este crítico de un cierto rebuscamiento del
estilo y apunta la vinculación de Martín-Santos con la escuela
de Joyce.

ANDERSON, ROBERT. «*Tiempo de silencio:* Myth and Social Reali-
ty»; unpublished Ph. D. dissertation, St. Louis University,
1973. No he tenido acceso a este trabajo.

ANÓNIMO. «Luis Martín-Santos: *Tiempo de silencio*», Indice, número 185 (1964), p. 10.

BOSCH, RAFAEL. *La novela española del siglo XX*, II, New York,
1970 [pp. 159-60].

BUCKLEY, RAMÓN. *Problemas formales en la novela española contemporánea*, Madrid, 1973[2] [pp. 195-209]. Durante algunos
años este ha sido el trabajo más extenso sobre la novela
de Martín-Santos. Buckley basa en la originalidad lingüística de *Tiempo de silencio* la capacidad de presentar una
realidad conocida desde una posición absolutamente original.
El crítico se detiene algo a considerar el léxico culteranista
y conceptista, la terminología científica y la distribución del
tiempo («cronología subjetiva»). En el prólogo a la segunda
edición señala el carácter señero de *Tiempo de silencio*, dentro de la novela española de postguerra, y su influencia
posterior.

CABRERA, VICENTE. «Elaboración temática y técnica de *Tiempo de
silencio* de Luis Martín-Santos», *Sin nombre*, III, 3 (1973),
pp. 64-74. Se propone el autor analizar preferentemente los
recursos técnicos de la novela. Tras considerar que su tema
es el de la «frustración, soledad y olvido espiritual del hombre moderno», señala Cabrera algo que se ha dejado pasar
por alto en ocasiones: la absurda resignación de Pedro. El
crítico estudia a continuación la discontinuidad argumental
y cronológica, así como el punto de vista, la técnica de caracterización del protagonista y ciertas minucias de estilo.

Cabrera, que entiende que la perspectiva ética de la novela radica en la superioridad moral del narrador frente a los personajes, concluye afirmando que *Tiempo de silencio* es la expresión de un artista que critica el mundo «y del cual se redime en virtud de su arte».

CIERCO, EDUARDO. «Luis Martín-Santos: *Tiempo de silencio*», *El Ciervo*, núm. 118 (1963), pp. 11-12.

CLOTAS, SALVADOR. «Prólogo» al libro *Apólogos y otras prosas inéditas*, Barcelona, 1969, pp. 7-19. Señala Clotas el afán de Martín-Santos de reaccionar contra el objetivismo literario vigente a partir de *El Jarama*, y supone en su novela influencias de Kafka y Joyce, así como de «la tradición literaria española que va de Cervantes y Góngora a la generación del 98». Desde el punto de vista ideológico, el crítico subraya el radical pesimismo del relato y afirma que la posición del narrador y del autor se identifican con la actitud de renuncia del protagonista (p. 13).

— «Meditación precipitada y no premeditada sobre la novela en lengua castellana», *Cuadernos para el diálogo*, XIV extraordinario (mayo de 1969), pp. 7-18.

CONTE, RAFAEL. «Aires del exterior», en *Cuadernos para el diálogo*, XLII extraordinario (agosto de 1974), pp. 62-4.

CORRALES EGEA, JOSÉ. «¿Crisis de la nueva literatura?», *Insula*, número 223 (1965).

— *La novela española actual*, Madrid, 1971 [pp. 142-5 y 174]. Destaca el crítico el fuerte contenido intelectual de *Tiempo de silencio*, así como el desacierto en el empleo del rico material verbal y una adjetivación «arbitraria o impropia».

CURLEY, THOMAS. «Man lost in Madrid», *The New York Times Book*, november 29 (1974), p. 57.

CURUTCHET, JUAN CARLOS. «Luis Martín-Santos, el fundador», *Cuadernos de Ruedo Ibérico*, núm. 17 y 18 (1968) [pp. 3-18 y 3-15 respectivamente]. Este trabajo comparte con el de Buckley el honor de ser de las primeras reflexiones sobre esta novela. Considera el crítico que *Tiempo de silencio* es como una *summa* de impulsos e influencias literarias, siendo las de Kafka y Joyce las más notables, junto con las de Valle-Inclán, Quevedo y Cervantes. Se señala la sorprendente capacidad de describir interpretando, así como la habilidad de Martín-Santos para sortear la censura sin claudicaciones. Desde el punto de vista ideológico, la crítica de Curutchet se detiene en diversos aspectos: la tentativa de sicoterapia nacional en que consiste la novela, la crítica de la cultura derrotista que pregona la inferioridad hispana y la amplia reflexión sobre la vida nacional. Señala además el articulista la vinculación entre Martín-Santos y Sartre, así como la visión totalizadora del individuo, en oposición al esquematismo naturalista de su generación. Desde el punto de vista técnico se subraya la función de la convivencia de tradición y originalidad. Curutchet apunta la ejemplaridad moral de *Tiempo de silencio*. Históricamente, considera que este libro cubre una etapa que hay que considerar como de transición, más que de fundación o renacimiento.

CHANTRAINE DE VAN PRAAG, JACQUELINE. «Un malogrado novelista contemporáneo», *Cuadernos Americanos*, XXIV, 5 (1965), páginas 269-75. Habla la autora del artículo de concomitancias espirituales con el «universo romanesco de un Proust, un Joyce y aun de una Virginia Woolf», así como de la deformación sistemática de la realidad y del hecho de que Pedro es víctima y cómplice, lo que le lleva a mirar al pasado buscando un refugio «en los arquetipos de la raza».

DÍAZ, ELÍAS. *Pensamiento español, 1939-1937*, Madrid, 1974. Pone de relieve el autor varios aspectos de interés para la mejor comprensión de la ideología de Martín-Santos: su asistencia a las conferencias de Ortega (p. 65), su ideología democrática y socialista (129), y su participación en congresos científicos (250). También hay breves apuntes sobre el papel de su novela en el concierto literario español (233-34).

DOMÉNECH, RICARDO. «Luis Martín-Santos», *Insula*, núm. 208 (1964), página 4.

— «Ante una novela irrepetible», *Insula*, núm. 187 (1962), p. 4. Este artículo fue una de las primeras llamadas de atención sobre la originalidad de *Tiempo de silencio*.

DOMINGO, JOSÉ. *La novela española del siglo XX*, Madrid, 1973, II [pp. 110-2].

DUQUE, AQUILINO. «Realismo pueblerino y realismo suburbano: un buen entendedor de la realidad», *Indice*, núm. 185 (1964), pp. 9-10. El articulista, partiendo de unas opiniones inéditas de Martín-Santos, establece una serie de consideraciones acerca de las principales orientaciones del realismo novelístico español del presente siglo, así como de las formas básicas de caracterización de los personajes. Se contrastan esas tendencias con la solución literaria buscada por Martín-Santos.

EOFF, SHERMANN, y SCHRAIBMAN, JOSÉ. «Dos novelas del absurdo: *L'étranger* y *Tiempo de silencio*», *Papeles de Son Armadans*, LVI (1970), pp. 213-41. Los autores analizan la incongruencia que se da entre razón y vida, procurando mostrar el paralelismo de la novela de Martín-Santos con la de Camus. También se señala una fuerte conexión entre forma narrativa y psicoanálisis como técnica, y un variado cruce de voces dirigiendo el relato. Ambos estudiosos insisten en la crítica de la sociedad española y afirman el destacado papel de la religión en *Tiempo de silencio*.

ESTEBAN SOLER, HIPÓLITO. «Narradores españoles del medio siglo», *Miscellanea di studi ispanici*, Università di Pisa (1971-1973), pp. 357 y ss. Se hace ver en este largo artículo la variada renovación novelística que supone *Tiempo de silencio*, la funcionalidad de las alusiones históricas y el carácter dialéctico de su realismo, indicando también que, tras esta novela, la narrativa española emprende un nuevo sendero.

FEAL DEIBE, CARLOS. «Consideraciones psicoanalíticas sobre *Tiempo de silencio* de Luis Martín-Santos», *Revista Hispánica Moder-*

na, XXXVI, 3 (1970-71), pp. 118-27. El objetivo esencial de este trabajo es lograr una interpretación sicoanalítica, desentrañando «la lógica del inconsciente», para lo cual Feal Deibe contrapone el desarrollo de la novela a una elaborada simbología de corte freudiano. Considera que Pedro es un personaje inhibido, que experimenta fuertes dificultades en el trato social y sexual, que se ve dominado por un alambicado sentimiento de culpa ante el tabú del incesto. Su huida al burdel es como el regreso a la unidad original madre-hijo (124), mientras que la cárcel es como otro símbolo del seno materno (124), ya que, en definitiva, Pedro no puede separarse de la imagen maternal que lo persigue (125). El crítico entiende también que Matías es una especie de conciencia de Pedro (123) y que el novelista se identifica con el protagonista (126).

FERRERAS, JUAN IGNACIO. *Tendencias de la novela española actual, 1931-1969*, París, 1970.

GARCÍA DE NORA, E. *La novela española contemporánea*, III, Madrid, 1970².

GARCIASOL, RAMÓN DE. «Un español malogrado: Luis Martín-Santos», *Cultura Universitaria*, XCII (1966), pp. 71-76. Hay algunos datos biográficos de interés. Insinúa el crítico analogías entre el *Quijote* y *Tiempo de silencio*, así como ciertas afinidades entre sus autores.

GEORGESCU, PAUL ALEXANDRU. «Lo real y lo actual en *Tiempo de silencio* de Luis Martín-Santos», *NRFH*, XX (1971), pp. 114-20. Entiende el crítico que la mayor originalidad de Martín-Santos estriba en «haber abierto el camino para una nueva modalidad narrativa, el comentario» (115), pues «toda la novela es un enjuiciamiento ético y social» (117), de tal manera que se supera por igual «la convencional omnisciencia de los novelistas clásicos y la no menos convencional ignorancia total de ciertos novelistas de hoy» (119).

GIL CASADO, PABLO. *La novela social española*, Barcelona, 1973² [pp. 471-91]. Para este autor la intención crítico-social y crítico-nacional es el propósito central de Martín-Santos. Dicha crítica es de tintes negros (477), desoladora y amarga. El concepto que tiene el novelista de la casta hispánica es «el pivote sobre el que se apoya toda su crítica nacional» (478), en una clara «actitud antinacional» (479). Añade también que los personajes están vagamente caracterizados, que la prosa es eminentemente barroca (482), que hay una marcada tendencia a la enumeración intensificativa y que, en general, se da un estilo «irónico-sarcástico-burlesco» (486).

GÓMEZ MARTÍN, J. A. «Literatura y política. Del tremendismo a la nueva narrativa», *Cuadernos Hispanoamericanos*, núm. 193, (1966), pp. 109-16.

GRANDE, FÉLIX. «Luis Martín-Santos: *Tiempo de silencio*», *Cuadernos Hispanoamericanos*, núm. 158 (1963), pp. 337-42. Plantea Grande el problema de un arte reivindicativo de elevada elaboración intelectual. La paradoja parece haberla resuelto Martín-

Santos en el sentido de que, como escritor social, se dirige a la situación que condena, no a los que la sufren, y porque, además, su estilo culto es su arma más eficaz.

— «Luis Martín-Santos: *Tiempo de silencio*», *Cuadernos Hispanoamericanos*, núm. 63 (1962), pp. 77-9.

— «Tres fichas para una aproximación a la actual narrativa española», *Margen*, 2 (diciembre de 1966), p. 50.

GUILLERMO, EDENIA, y HERNÁNDEZ, JUANA AMELIA. *La novelística española de los 60*, New York, 1971.

GULLÓN, RICARDO. «Mitos órficos y cáncer social», *El urogallo*, 17 (1972), pp. 80-9. Analiza el crítico los elementos míticos del relato, el paralelismo con *Ulysses*, la perspectiva de la narración, los diferentes tipos de monólogos, las perífrasis alusivas y el tratamiento surrealista de algunas realidades.

HERNÁNDEZ, TOMÁS. «Anotaciones al vocabulario de *Tiempo de silencio*», *Cuadernos de Filología* (Universidad de Valencia), diciembre de 1971, pp. 139-49. El artículo contiene un leve esbozo de un posible catálogo de parte del vocabulario de la novela.

HICKEY, LEO. «El valor de la alusión en la literatura», *Revista de Occidente*, núm. 88 (julio de 1970), pp. 49-60.

IGLESIAS LAGUNA, ANTONIO. *Treinta años de novela española, 1938-68*, Madrid, I, 1969 [p. 125].

MAINER, JOSÉ CARLOS. «Prólogo» a su edición de *Tiempo de destrucción*, Barcelona, 1975, pp. 9-42. Mainer añade datos biográficos inéditos. Vincula a Martín-Santos con una importante fracción del 98, en lo que se refiere a preocupación nacional. También se señala la relación que hay entre *Tiempo de silencio* y las tendencias objetivistas anteriores, indicándose la innovación que aporta Martín-Santos. Finalmente, se comentan aspectos diversos de los fragmentos editados. Sorprendentemente, en la edición de *Tiempo de destrucción* no figura el prólogo que Clotas dio a conocer.

MANCINI, GUIDO. «Sul romanzo contemporaneo», *Miscellanea di studi ispanici*, Università di Pisa, (1965), pp. 246-329).

MARTÍNEZ CACHERO, J. M.: *La novela española entre 1939 y 1969. Historia de una aventura* [pp. 221-3]. Se considera a *Tiempo de silencio* «novela de cierre y apertura» y se mencionan aquellos aspectos en que más claramente difiere de la novela objetivista y behaviorista.

MONTERO, ISAAC. «La novela española de 1955 hasta hoy. Una crisis entre dos exaltaciones antagónicas», especial de *Triunfo*, núm. 507 (junio de 1972), pp. 86-95.

MORÁN, FERNANDO. *Novela y semidesarrollo*, Madrid, 1971, pp. 381-8. El objetivo del crítico es hacer ver a qué situación histórica, social y cultural responde la novela de Martín-Santos en un momento en que España abandona el estado de subdesarrollo.

ORTEGA, JOSÉ. «La sociedad española contemporánea en *Tiempo de silencio*, de Martín-Santos», *Symposium*, XXII (Fall 1968), pp. 256-60. Se afirma el sentido crítico de la novela, en lo nacional y en lo histórico, con un sentido pesimista. Ortega señala, sin embargo, que lo que en último término interesa al novelista es el individuo total, el hombre existencial, considerando que Pedro está libre y determinado a la vez.

— «Realismo dialéctico de Martín-Santos en *Tiempo de silencio*», *Revista de estudios hispánicos*, III (1969), pp. 1-10. Se incluye a Martín-Santos en la «Generación de Medio Siglo» y se hace ver cómo en la novela refleja Martín-Santos algunas preocupaciones teóricas acerca de la función del arte en la sociedad.

— «Compromiso formal de Martín-Santos en *Tiempo de silencio*», *Hispanófila*, 37 (septiembre de 1969), pp. 23-30. Básicamente se analiza el papel de la metáfora y de la ironía.

— «Novela y realidad en España», *Mundo Nuevo*, 44 (febrero de 1970), pp. 83-6.

Palley, Julián. «The Periplus of Don Pedro», en *Bulletin of Hispanic Studies*, XLVIII (1971), pp. 239-54. Se propone el autor mostrar que en *Tiempo de silencio* hay poderosas resonancias míticas y fuertes reminiscencias de la *Odisea*, así como de *Ulysses*, de Joyce. En rigor, es el único crítico hasta ahora que no se ha limitado a afirmar la influencia de la novela de Joyce, sino que se ha propuesto documentar su afirmación. Los paralelismos que Palley señala son, preferentemente, de índole argumental, de semejanzas entre personajes y de situaciones en que se encuentra el protagonista. Y, además, en el hecho de que Pedro pasa a través de un proceso de aprendizaje y «arrives finally at a profounder knowledge of himself» (254).

Rey, Alfonso. «La originalidad de *La busca*», *Revista de Letras*, Universidad de Puerto Rico en Mayagüez, 15 (septiembre de 1972), pp. 423-33. Se contempla la posibilidad de que el modelo estructural nacido en *La busca*, una forma de novela de espacio, haya alcanzado su culminación, y llegado a su acabamiento, con la aparición de *Tiempo de silencio*.

Roberts, Gemma. *Temas existenciales en la novela española de postguerra*, Madrid, 1973 [pp. 129-203]. Es, en la actualidad, el estudio más extenso sobre *Tiempo de silencio* y el primero que analiza la vertiente existencialista en esta novela. Destaca Roberts el propósito de intelectualizar la novela española, recogiendo algunas opiniones dispersas expuestas por Martín-Santos. Distingue varios planos de significación en la novela: social, histórico y metafísico. Insiste Roberts en el sentimiento de fracaso que inunda el libro, y que le da su significación fundamental. Se analizan seguidamente ciertos temas caros al existencialismo, tal como aparecen reflejados en *Tiempo de silencio:* el personaje existencial, el amor, la viscosidad y la libertad, para terminar con algunas consideraciones sobre el carácter ético de la novela. Desde el punto de vista técnico-literario hay algunas indicaciones sobre la ironía.

Rojas, Carlos. «Problemas de la nueva novela española», en el colectivo *La nueva novela europea*, Madrid, 1968, pp. 121-35. Se critican ciertas afirmaciones de Paul Werrie (ver más adelante la referencia a su trabajo) acerca del papel de *Tiempo de silencio* en algunos novelistas españoles. Se trata de establecer una relación entre el realismo objetivo, las teorías de Castellet y *Tiempo de silencio*. De esta novela se da un resumen argumental. El lenguaje de Rojas revela un sorprendente predominio de la función emotiva sobre la referencial.

ROMERA CASTILLO, JOSÉ. «Hacia una metodología estructuralista en el comentario de textos (análisis estructural de *Tiempo de silencio*)», *Documenta*, XI, Valencia, 1974, pp. 1-107.

— *Gramática textual. Aproximación semiológica a «Tiempo de silencio»*, Universidad de Valencia, 1976.

S. «Martín-Santos, Luis. *Tiempo de silencio*», *Razón y Fe*, núms. 792-797 (enero-junio de 1964), p. 218.

SANZ VILLANUEVA, SANTOS. *Tendencias de la novela española actual*, Madrid, 1972 [pp. 134-40]. Considera el crítico que *Tiempo de silencio* tiene como tema la alienación, a la que da una dimensión literaria nueva dentro de su generación. Se señala también la innovación del lenguaje y el carácter pesimista, nihilista, del relato.

SASTRE, ALFONSO. «Poco más que anécdotas culturales alrededor de quince años (1950-1965)», *Triunfo*, especial del número 507 (junio de 1972), pp. 81-85. Sastre considera a *Tiempo de silencio* «escrita desde una falta de sensibilidad literaria bastante notable» y aboga por la necesidad de no mitificar lo mediocre, aunque sea lo único existente.

SCHRAIBMAN, JOSÉ, «Notas sobre la novela española contemporánea», *Revista Hispánica Moderna*, XXXV (1969), pp. 113-21. Considera el crítico que *Tiempo de silencio* es la novela que mejor resume la España de la postguerra. También considera Schraibman que «el problema de la libertad del individuo en la sociedad está relacionado con lo que el libro entero tiene de técnica psicoanalítica existencial, de proceso de cura del personaje principal» (118) «... y de cura, también, para el narrador quien..., se funde con Pedro hasta tal punto que es difícil demarcar cuándo habla uno y cuándo habla otro». El crítico explica el desarrollo de Pedro, y prácticamente la novela, según las teorías del sicoanálisis existencial, y sostiene que Martín-Santos nos ofrece lo que parece ser una cura positiva del personaje.

SEALE, MARY. «Hangman and Victim: an Analysis of Martín-Santos *Tiempo de silencio*», *Hispanófila*, 44 (1972), pp. 45-52. Tras analizar ciertos elementos, tanto de la estructura externa como de la interna, la autora del artículo expone su idea central: que la novela refiere la odisea de un personaje que se deja atrapar por un hado adverso, con lo que Pedro es ejecutor y víctima de un destino del que es, simultáneamente, centro y observador.

SPIRES, ROBERT. «Otro, tú, yo: la creación y destrucción del ser auténtico en *Tiempo de silencio*», *Kentucky Romance Quarterly*, XXII (1975), pp. 91-110. Considera Spires que el protagonista se ve sucesivamente como *otro, tú, yo*, y que este dato novelístico guarda relación con las ideas que Martín-Santos expone en su ensayo sobre el sicoanálisis existencial. De tal manera que si la cura del neurótico pasa por tres etapas en que se ve como *otro*, *tú*, y, finalmente, como *yo*, el desarrollo de *Tiempo de silencio* revela unos parecidos tránsitos en el ánimo del protagonista, aunque la novela, más que de una cura, trata de la destrucción del ser auténtico. Para fundamentar sus premisas, Spires analiza varios casos de voces y perspectivas narrativas.

SOBEJANO, GONZALO. *Novela española de nuestro tiempo*, Madrid, 1975[2] [pp. 545-58]. Incluye Sobejano a *Tiempo de silencio* dentro de la categoría de «novela estructural». Considera también que la realidad descrita es la del Madrid de los años del hambre, y que el propósito del novelista fue el de haber dejado testimonio de esa realidad. Señala una sátira amarga en el relato, y prefiere destacar la influencia de Quevedo y Goya a la de Cervantes. Entiende, además, que la novedad de *Tiempo de silencio* es de forma, no de contenido. Se subrayan algunas particularidades de la distribución temporal y ciertos recursos cuasi cinematográficos.

TORRES MURILLO, JOSÉ LUIS. «Luis Martín-Santos: *Tiempo de silencio*», *El Diario Vasco* (San Sebastián), 5 de junio de 1962. En opinión del propio Martín-Santos, éste fue el mejor trabajo que él conoció sobre su novela. «Entendió mucho mejor que otros las leyes de mi sintaxis y supo encontrar sus más arcanos fundamentos en la literatura latina clásica. Supo ver la fundamental unidad dentro de la variación de estilos dentro de cada capítulo» (cfr. el artículo de Janet Winecoff, citado más abajo, p. 263).

TRIVIÑOS, J. L. «Luis Martín-Santos: *Tiempo de silencio*», *Reseña*, núm. 47 (julio de 1971), pp. 403-6.

V., C. «Tertulia de urgencia», *Cuadernos Hispanoamericanos*, número 172 (1964), pp. 172-3. Información biográfica y editorial breve e interesante.

VILANOVA, ANTONIO. «De la objetividad al subjetivismo en la novela española actual», en *Prosa novelesca actual*, Universidad Internacional Menéndez y Pelayo, 1968, pp. 135-55. Aunque el tema del artículo tiene poco que ver con *Tiempo de silencio*, el crítico señala el papel que tuvo esta novela en el abandono por parte de muchos escritores españoles de la técnica de presentación objetiva y la subsiguiente aparición de un realismo de fuerte contenido crítico e impregnado de hondo subjetivismo.

VILLEGAS, JUAN. *La estructura mítica del héroe*, Barcelona, 1973 [pp. 203-30]. El punto de partida de Villegas es la observación de que en la novela hay un claro propósito de mitificación del mundo como dato evidenciador de la realidad. Se estudia seguidamente la ritualización de la vida cotidiana, como medio de potenciar su significado. El itinerario de Pedro es analizado también según un esquema mitológico, señalándose los mitemas más evidentes, con lo que la novela, que enlaza el comienzo con el final, es una especie de ciclo que refiere el fracaso del héroe.

WARD, DENNIS. «Tiempo de silencio», *Revista Hispánica Moderna*, XXXII (1966), p. 110. En medio de varias alabanzas, se considera como una debilidad de la obra el «exceso de neologismos y de vocabulario clínico».

WERRIE, PAUL. «La nouvelle vague espagnole», *La Table Ronde* (october 1966), pp. 146-52. Considera el crítico que Martín-Santos rompe con el «vieil avatar» del 98, que refleja la influencia del *Ulysses* y que, a su vez, influye en varios autores españoles.

WINECOFF DÍAZ, JANET. «Luis Martín-Santos and the Contemporary Spanish Novel», *Hispania*, LI (1968), pp. 232-38. Se comentan las opiniones literarias de Martín-Santos y su papel innovador en la narrativa española. Se señala la originalidad del «monólogo dialéctico», se mencionan cuatro posibles novelas inéditas del autor, se aportan interesantes revelaciones biográficas y se incluye parte de las respuestas que Martín-Santos dio a un cuestionario preparado por la autora del artículo.

YNDURÁIN, FRANCISCO. *Clásicos modernos* (el capítulo titulado «La novela desde la segunda persona. Análisis estructural»), Madrid, 1969 [pp. 170 y ss.].

ADICION

ALVAREZ PALACIOS, F. *Novela y cultura española de postguerra*, Madrid, 1975 [pp. 55-6].

CARENAS, FRANCISCO y FERRANDO, JOSÉ. *La sociedad española en la novela de postguerra*, New York, 1971 [pp. 117-44].

LÓPEZ ARANGUREN, J. L. *Estudios literarios*, Madrid, 1976 [pp. 259-67].

ROMERA CASTILLO, JOSÉ. «Luis Martín-Santos. Entre la auscultación de la realidad y el análisis dialéctico», *Insula*, 358 (septiembre, 1976), p. 5.

SCHRAIBMAN, JOSÉ. «*Tiempo de silencio* y la cura psiquiátrica de un pueblo: España», *Insula*, 365 (abril 1977), p. 3.

VILLARINO, ALFONSO. «*Tiempo de silencio*, novela morosa», *Cuadernos hispanoamericanos*, 308 (febrero 1976), pp. 146-56.